P9-BZW-797

LA MILAGROSA DIETA DEL pH PARA LA DIABETES

Doctor Robert O. Young y Shelley Redford Young
Autores del éxito de ventas *La milagrosa dieta del pH*

LA MILAGROSA DIETA DEL pH PARA LA DIABETES

El plan dietético revolucionario para los diabéticos tipo 1 y tipo 2

EDICIONES OBELISCO

Si este libro le ha interesado y desea que le mantengamos informado de
nuestras publicaciones, escríbanos indicándonos qué temas son de su interés
(Astrología, Autoayuda, Ciencias Ocultas, Artes Marciales, Naturismo,
Espiritualidad, Tradición...) y gustosamente le complaceremos.

Puede consultar nuestro catálogo en www.edicionesobelisco.com

Los editores no han comprobado la eficacia ni el resultado de las recetas, productos, fórmulas técnicas, ejercicios o similares contenidos en este libro. Instan a los lectores a consultar al médico o especialista de la salud ante cualquier duda que surja. No asumen, por lo tanto, responsabilidad alguna en cuanto a su utilización ni realizan asesoramiento al respecto.

Colección Salud y Vida natural
La milagrosa dieta del pH para la diabetes
Doctor Robert O. Young y Shelley Redford Young

1.ª edición: enero de 2015

Título original: *The pH Miracle for Diabetes*

Traducción: *Juan Carlos Ruiz Franco*
Maquetación: *Natàlia Campillo*
Corrección: *M.ª Ángeles Olivera*
Diseño de cubierta: *Enrique Iborra*

Edita: Ediciones Obelisco, S. L.
Pere IV, 78 (Edif. Pedro IV) 3.ª planta, 5.ª puerta
08005 Barcelona - España
Tel. 93 309 85 25 - Fax 93 309 85 23
E-mail: info@edicionesobelisco.com

ISBN: 978-84-16192-24-3
Depósito Legal: B-26.376-2014

Printed in Spain

Impreso en España en los talleres gráficos de Romanyà/Valls, S. A.
Verdaguer, 1 - 08786 Capellades (Barcelona)

Dedicatoria

A mi madre, Lois Young, que falleció el año pasado. Mi madre fue un gran ejemplo de paciencia, persistencia y largo sufrimiento, y con sus palabras y sus actos, me enseñó la importancia y el valor del trabajo duro, a tener fe y confianza en los seres humanos, y –lo más importante– a tener una fe constante, confianza y amor hacia nuestro Padre Celestial.

A mi mujer, Shelley, que ha sido siempre mi inspiración para destacar en todas mis tareas, igual que lo hace ella. Y a mis maravillosos y bellos hijos: Adam, Ashley, Andrew y Alex. A nuestro yerno, Mathew, y a nuestro nieto, CharLee, sano gracias a la milagrosa dieta del pH.

Confío y creo totalmente en las palabras del profeta David O. Mackay: «Ningún éxito en la vida puede compensar un fracaso en el hogar». Puedo decir de verdad que soy un hombre bendecido por la suerte y por el éxito porque tengo la familia más increíble del mundo. Todos los miembros de nuestra familia han sido una bendición para mi vida. Toda nuestra familia tiene un gran talento y una gran inteligencia. Y es un ejemplo de luz y verdad en torno a su centro de influencia.

A Antoine Becham. Si su profunda voz y su brillante ciencia no hubieran sido silenciadas, gran parte de la humanidad habría evitado los peores aspectos de las enfermedades infecciosas y degenerativas –incluidas las diabetes tipo 1 y tipo 2– del siglo xx.

A los seres humanos del futuro, los hijos de las personas que están a la vanguardia de un mundo siempre cambiante y desafiante. La diabetes es en la actualidad la enfermedad de más rápido crecimiento entre los niños del mundo. Debemos estar todos unidos para reducir y detener esta epidemia. Espero y rezo para que el mensaje de *La milagrosa dieta del pH para la diabetes* sea recibido por las madres, los padres, los maestros y los sacerdotes, que enseñarán a los niños esta nueva forma de vivir, comer y pensar, y que evitarán que nuestros hijos padezcan un dolor y un sufrimiento innecesarios.

Y, por último, a los indios norteamericanos descendientes de Mannasseh, el hermano de Efraín, cuyo padre fue José, a quien vendieron en Egipto. Ellos son los herederos originales de este gran continente americano y parte de las tribus perdidas de Israel. A ellos tiendo mi mano, mi corazón y mi ayuda, a los que más sufren debido a la diabetes.

Agradecimientos

No muere nunca ningún buen acto realizado en el mundo. Ningún átomo de materia puede destruirse. Ninguna fuerza, una vez iniciada, llega a detenerse; simplemente pasa por diversas fases siempre cambiantes. A esto lo denomino la doctrina del pleomorfismo, o Ley del Cambio.

Todo buen acto hecho a otros es una gran fuerza que inicia una interminable vibración a lo largo del tiempo y para toda la eternidad. Tal vez no lo sepamos, quizá no escuchemos nunca una palabra de gratitud o de reconocimiento durante nuestra vida, pero de alguna manera todo volverá a nosotros de modo natural, perfecto e inevitable, como un eco responde al sonido. Es posible que no cuando, donde y como lo esperamos, pero en algún momento, de alguna forma, en algún lugar, vuelve, igual que regresó la paloma que Noé envió desde el arca, con su hoja verde de revelación.

Concibo la gratitud en su sentido más amplio y bello, y si recibo cualquier acto de bondad me convierto un deudor, no sólo de un hombre o mujer, sino también del mundo entero. Igual que cada día debo a miles de personas la comodidad, la alegría, los éxitos, el consuelo, la paz, el amor y las bendiciones de la vida, soy consciente de que sólo puedo empezar a pagar la deuda mediante bondad hacia todos; y por ello convierto en gratitud el ambiente de toda mi vida y la expreso con actos externos de bondad, no con simples pensamientos.

La milagrosa dieta del pH para la diabetes es una obra pionera no sólo de simples pensamientos o teorías, sino también la expresión externa de mi gratitud hacia miles de amigos que me ayudaron a lo largo de mi camino hacia la comprensión de la diabetes, en el que he trabajado para conseguir la curación, y después he expresado mi trabajo con palabras que espero que puedan entender todos.

Mi aprecio y gratitud comienzan con el doctor William Crook, quien me impresionó e iluminó con su trabajo sobre las infecciones por levaduras y su relación con la hiperglucemia, la hipoglucemia y la diabetes, tal como expresó en su libro *The Yeast Connection*. Inspirado por la obra del doctor Crook, en una fecha tan temprana como 1988, sugerí que la diabetes era una infección del páncreas causada por levaduras y relacionada con la levadura de cerveza (*Saccharomyces cerevisiae*), presente en los productos de panadería y confitería que muchos de nosotros ingerimos cada día.

El doctor Crook me presentó a otro gran médico e investigador, el doctor Orian Truss –y su libro *The Missing Diagnosis*–, quien también sugirió que los niveles elevados de levadura están relacionados con la hipoglucemia, la hiperglucemia y la diabetes. Contábamos aquí con dos testigos que comentaban una posible causa de la diabetes. Yo sabía que, si podía entender la causa de la diabetes, entonces posiblemente podría encontrar la curación. Ése era entonces mi sueño, inspirado por esos dos grandes doctores a los que no les importaba correr el riesgo de pensar y actuar fuera de los límites de la medicina ortodoxa.

En 1994 tuvieron lugar dos acontecimientos increíbles. En primer lugar, conocí la obra del doctor A. V. Constantini y su libro *The Fungal/Mycotoxin Etiology of Human Disease*. El doctor Constantini sugirió que la micotoxina aloxano –derivada del ácido úrico, que suele obtenerse a partir de proteínas animales– es el veneno o ácido que destruye las células beta, productoras de insulina, lo cual constituye el punto de partida de la diabetes. El doctor Constantini relacionaba el producto de desecho –o ácido– de la levadura con la causa de la destrucción de las células beta. En aquel momento sentí un gran agradecimiento por esa investigación porque me preparó para entender lo que estaba a punto de presenciar en una diabética tipo 1 de veintiún años: la trasformación biológica de un glóbulo rojo en una célula bacteriana, el bacilo del ántrax.

Tal como explico en el capítulo 1, la trasformación biológica de los glóbulos rojos de esta joven diabética de la que fui testigo fue un regalo monumental que me ayudó a entender la naturaleza de la materia, la ley universal del cambio y la causa contextual de la diabetes, por lo que estaré eternamente agradecido.

A partir de estos dos reveladores acontecimientos establecí las bases de mi teoría sobre la diabetes: la diabetes no es una enfermedad de las células beta productoras de insulina, ni de un páncreas incapaz de producir o regular la insulina o la glucosa, sino un desequilibrio del pH –un exceso de acidez– en los fluidos que rodean las células beta productoras de insulina, de las células alfa que las generan, o del páncreas, que sufre una disfunción o mal funcionamiento.

Siempre sentiré agradecimiento por mi mentor y héroe, el doctor Antoine Bechamp, quien cambió mi vida para siempre y me inspiró con sus obras *The Blood and Its Third Anatomical Element* y *Les Microzymas*, donde dibujó con su propia mano –hace más de cien años– la trasformación biológica de la célula humana. Comencé a llorar cuando vi por primera vez sus dibujos de la trasformación biológica, porque sabía que ya no me encontraba solo en mis teorías y observaciones.

Tengo el honor de contar con el prólogo de un hombre de la talla de Chi C. Mao, un doctor en medicina y científico que ha trabajado en el Instituto Nacional de la Salud. El doctor Mao vive y trabaja en Houston, Texas, el mismo lugar donde realicé mis primeros descubrimientos sobre el pleomorfismo en la primavera de 1994 y documenté su realidad. Creo que su prólogo no es una coincidencia, sino cosa del destino. El doctor Mao tiene el entendimiento y el coraje de defender la verdad en un mundo lleno de gente que se decanta por lo tradicional, lo práctico y lo cómodo. ¿Por qué iba alguien a torpedear el barco? Porque hacerlo implica cambiar y salvar vidas. Gracias, doctor Mao, por tu bello y sincero prólogo. Este libro no habría quedado completo sin tus palabras.

Estoy sinceramente agradecido a los miles de diabéticos de todo el mundo, y a los participantes de dos estudios controlados con diabéticos, que tuvieron suficiente valentía como para poner en práctica los principios de salud y acondicionamiento físico que contiene este libro, y para hacer los cambios necesarios en su estilo de vida y su dieta con el fin de ralentizar, revertir e incluso curar su diabetes. Todos vosotros sois una inspiración en términos de paciencia, persistencia, fe, esperanza y dedicación, no sólo para mí, sino también para todos los que lean y entiendan la investigación y vuestras historias. Gracias a vuestros testimonios de éxito, a vuestras experiencias individuales a la hora de revertir vuestra diabetes, miles –o cientos de miles– de vidas cambiarán para siempre, salvadas de esta innecesaria enfermedad.

A nuestro editor, Colleen Kapklein, quien con atención y consideración aceptó el desafío de mi trabajo científico y mis escritos sobre la diabetes, y me ayudó a expresarlos de un modo mejor, con la esperanza de que todos los que lean *La milagrosa dieta del pH para la diabetes* mejorarán su calidad y cantidad de vida poniendo en práctica los principios explicados en el libro.

A nuestra editorial, Warner Books, y a Diana Baroni, directora de la compañía: mi agradecimiento y aprecio más sinceros por tener la fe, el coraje y la visión de publicar no simplemente otro libro sobre la diabetes, sino una obra que dará fortaleza a la gente para prevenir y superar los síntomas de esta enfermedad.

A nuestros hijos, Adam, Ashley, Andrew, y especialmente a Alex, el menor, por sus ánimos, apoyo y sacrificio, porque su padre y su madre pasaron menos tiempo con ellos para poder ayudar a otros. Aprecio el hecho de tener hijos que saben quiénes son y todo lo que los queremos.

Y por último –pero no por ello menos importante–, quiero expresar mi aprecio y gratitud a mi eterna compañera, en esta vida y en la que está por venir, por sus constantes cuidados, amor y apoyo, a mí y a esta obra, incluso a expensas de sus propios intereses personales. Una artista increíble, Shelley deja a un lado su pincel durante un tiempo para poder ayudar a personas que lo necesitan en esta increíble misión de curación. Sus aportaciones a *La milagrosa dieta del pH para la diabetes*, sobre cómo vivir y comer, servirán para salvar las vidas de diabéticos y prediabéticos. Sin su conocimiento creativo y su sentido común no habría cura para la diabetes, teniendo en cuenta que todos tenemos que comer para vivir.

Shelley ha creado muchas recetas nuevas que son increíbles y que hemos incluido en este libro. Tienen muy buen sabor y no sólo son beneficiosas para la salud de los diabéticos, sino también para la de cualquiera que desee gozar de una salud excepcional. Además, hay también muchas deliciosas recetas aportadas por los participantes en el concurso de recetas de la Milagrosa Dieta del pH, celebrado en julio del año 2003, que hemos incluido con nuestro agradecimiento.

Shelley es el perfecto ejemplo de gratitud, aprecio, sacrificio, altruismo y amor; todas las características de una persona que sigue a Cristo. ¿Qué más puede pedir a Dios un hombre? Estoy y estaré eternamente agradecido a Dios por crear un alma tan bella con la que tengo el honor y el privilegio de compartir la vida.

En amor, gratitud y agradecimiento

Doctor Robert Young

Prólogo

De acuerdo con la medicina convencional, la diabetes mellitus –tanto la tipo 1 (que puede controlarse con inyecciones directas de insulina) como la tipo 2 (que también puede controlarse con fármacos orales para estimular la producción de insulina)– se ha considerado incurable desde hace mucho tiempo. Así se ha enseñado a los médicos y así se ha informado a los pacientes. A pesar de que el alcance de los fármacos para la diabetes se ha ampliado con gran rapidez, en este momento, la enfermedad ha alcanzado proporciones de epidemia, y, por desgracia, en mayor medida entre nuestras generaciones más jóvenes. Los profesionales de este campo no podemos evitar preguntarnos en qué nos hemos equivocado y qué deberíamos hacer para controlar mejor esta enfermedad.

En su libro *La milagrosa dieta del pH para la diabetes*, el doctor Robert O. Young ofrece un planteamiento exhaustivo de esta enfermedad y establece como meta su completa curación, algo que la medicina moderna diría que es un objetivo inimaginable. A lo largo de los años, gracias a la experiencia clínica del doctor Young, sus estudios en este campo, además de los numerosos testimonios positivos de sus pacientes y de los míos propios, su enfoque ha demostrado que es médicamente posible y en extremo estimulante. Con este libro, el doctor Young ha creado un manual de trabajo para tratar los problemas relacionados con la diabetes, e incluso tal vez haya ofrecido un camino hacia la curación.

El programa de salud del doctor Young se construye sobre la base del equilibrio ácido-base, o equilibrio del pH. La excesiva acidez de nuestros fluidos corporales, generada por nuestra dieta y nuestro estilo de vida actual, es el origen de numerosas patologías; por ello, para recuperar la salud, resulta obligatorio minimizar la acidez y alcanzar un equilibrio vital. En efecto, esta teoría me recuerda a la filosofía médica de la antigua China. Hace miles de años, los médicos chinos ya sabían que el mantenimiento de un delicado equilibrio entre las fuerzas opuestas de la vida –el yin y el yang, lo caliente y lo frío, la plenitud y la deficiencia, aunque en términos abstractos– era esencial para la salud humana. Se utilizaban distintas medidas terapéuticas, como la medicina herbal, la acupuntura, la manipulación corporal (masaje) y el *qi-gong*, para recuperar estos equilibrios. Sería interesante evaluar si el equilibrio del pH es en realidad una expresión científica moderna de esta antigua filosofía médica.

Las vitaminas, los minerales, los antioxidantes y otros nutrientes esenciales de los alimentos y los suplementos se han reconocido como vitales para el mantenimiento de la salud, así como para ralentizar el proceso de envejecimiento. Este libro presta mucha atención a estas sustancias, especialmente a la luz de sus efectos beneficiosos para la diabetes. Gracias a los estudios científicos realizados en los últimos años, el envejecimiento, que suele considerarse un proceso natural inevitable, ahora puede decirse que se trata de un síndrome de múltiples deficiencias en nuestro organismo. Durante el proceso de envejecimiento se debilita el sistema hormonal (por ejemplo, por la ausencia de insulina), se pierden numerosos minerales esenciales mediante procesos naturales o artificiales, y los niveles de antioxidantes también disminuyen. En consecuencia, para recuperar la salud y retrasar el proceso de envejecimiento sería lógico concentrarse en fortalecer, suplementar y regular las funciones naturales del organismo.

Una práctica correcta de ejercicio físico debería ser parte integral de un régimen de tratamiento para la diabetes. El doctor Young ofrece en este libro una excelente revisión sobre los fundamentos subyacentes a la importancia médica de la práctica habitual de ejercicio en la diabetes. Explica cuáles son los tipos adecuados de ejercicio y lo relaciona con la circulación linfática y la purificación corporal, con lo que ofrece una dimensión especialmente clarificadora para los lectores en general.

Este libro no estaría completo sin el amplio repertorio de recetas de Shelley Redford Young, que será muy apreciado por aquellos que no pueden entender cómo alguien puede vivir siguiendo una dieta por completo vegetariana. Como persona que ha probado y disfrutado de los platos preparados con estas recetas, creo que esta sección del libro puede trasformar de manera radical los hábitos dietéticos de la gente para controlar su diabetes y trabajar en vistas a una posible cura.

Hace muchos años, cuando llegué por primera vez al Instituto Nacional de la Salud para embarcarme en mi carrera de investigación en el campo de la neuroquímica, un científico veterano me dio el consejo de que un investigador serio siempre debe atreverse a dudar de cualquier cosa, y nunca aceptar nada ciegamente sin reflexionar y evaluarlo de una manera crítica. La importancia de esta actitud inquisitiva fue también señalada por el gran fisiólogo estadounidense, el profesor Walter B. Cannon, en su libro *The Way of an Investigator*, escrito a comienzos del siglo xx. El doctor Robert Young, microbiólogo y un verdadero científico en lo que a investigación se refiere, lleva a cabo con valentía sus estudios independientes sobre la teoría germinal de las enfermedades de Luis Pasteur, y en última instancia la rechaza, poniendo en duda lo que ha constituido la base de la medicina moderna durante más de un siglo. Debido a la errónea doctrina de Pasteur –argumenta el doctor Young–, la medicina moderna considera que las enfermedades sólo son generadas por influencias externas. Por eso se ha ignorado por completo la importancia del ambiente interno del organismo. Los procedimientos terapéuticos modernos se han diseñado de acuerdo con este enfoque y tienen como objetivo contrarrestar los ataques externos. Como resultado de este planteamiento suelen tener lugar serios daños colaterales en nuestras funciones orgánicas normales. El doctor Young ha redescubierto las teorías olvidadas de grandes mentes científicas de hace más de un siglo y ha desarrollado su propia nueva biología, basada en su explicación del equilibrio ácido-base. Y hasta ahora la implementación de su teoría ha tenido un profundo impacto en el tratamiento de un gran número de enfermedades, como la diabetes, los cánceres, el síndrome de fatiga crónica, la obesidad, los cálculos de la vejiga y muchas más.

Estoy seguro de que la teoría del doctor Young, su metodología terapéutica y su dedicación al cuidado de la salud seguirán haciendo historia en los próximos años.

Doctor Chi C. Mao, *doctor en medicina*
Jefe médico

Hospitales de especialidades - Houston
Houston, Texas

Capítulo 1

Diabetes: la epidemia. Trabajar para la curación

Lo que hay tanto detrás, como delante de nosotros, son temas insignificantes en comparación con lo que hay dentro de nosotros.

Ralph Waldo Emerson

Mi camino hacia el conocimiento de la causa -y la demostración de la curación- de las diabetes tipo 1 y tipo 2 comenzó en el Caribe, a comienzos de la década de 1990. Fue allí, en Trinidad, Tobago, Granada y Barbados, donde pude comprobar las proporciones de la epidemia. Sabía, de un modo intelectual, que la diabetes era la principal causa de muerte en el Caribe (aunque la pregunta «¿por qué», hasta entonces sin respuesta, aún me incordiaba). Pero cuando me puse delante de una audiencia de mil isleños y pregunté (como parte de una serie de preguntas sobre temas de salud comunes) a cuántos afectaba la diabetes, sentí la envergadura del problema de una manera visceral. En ese mismo momento decidí que mi misión sería descubrir la causa y la cura de la diabetes.

Sólo necesité unas cuantas preguntas más sobre lo que solía comer, día tras día, la gente con la que traté para empezar a vislumbrar la raíz del problema. Las respuestas rápidamente hicieron patente que se trataba de una dieta que consistía sobre todo en hidratos de carbono -azúcares-, con mucha fruta y tubérculos comestibles como las patatas, además de pollo y un poco de pescado. Al final, se trató de buenas noticias. Aunque la medicina convencional daría a esos alimentos el visto bueno, después descubrí que no era una base sólida. Se derrumbaba bajo el peso de una cantidad ingente de refrescos, pasteles, golosinas y comidas rápidas al estilo estadounidense, una sobre la otra. Me di cuenta de que mi audiencia tenía la alimentación perfecta para padecer diabetes. Esas personas estaban esclavizadas por el azúcar, y las estaba matando.

Necesité varios años de estudio para entenderlo y demostrarlo, pero la solución era igual de directa que el problema. Pasarse a una dieta basada en alimentos naturales e integrales, en especial verduras, elegidas para mantener el equilibrio del pH del organismo (a continuación se tratará el tema), podía acabar con la diabetes y con sus numerosas consecuencias devastadoras para la salud, permitiendo que las islas volvieran a ser un verdadero paraíso, libre de esa plaga.

En realidad, era la alimentación que yo había ido a recomendar a mi audiencia para una mejor salud en general. En ese momento no me di cuenta de qué impacto podía tener específicamente sobre la diabetes.

No puedo decir que al principio me encontrase un entusiasmo unánime. Un hombre de la audiencia, tal vez hablando en nombre de gran parte de la multitud, se levantó y dijo: «Doctor, hombre, no podemos comer hierba todo el día». Ojalá en ese momento hubiera tenido los datos que ahora tengo sobre cómo «comer hierba todo el día» puede salvarnos la vida.

Le aseguré –y le aseguro también al lector– que no se trata sólo de una forma saludable de comer. Es también fácil y deliciosa, gracias a las recetas y la guía que ofrece mi mujer, Shelley. Pruébala y pronto comprobarás con tus propios ojos el buen aspecto que tienes y lo bien que te sientes cuando acabas con la mortal influencia que tienen sobre tu persona las papilas gustativas deseosas de azúcar. Dentro de poco no querrás comer de ningún otro modo. Y, tal como le sucede a la mayoría de la gente con la que he trabajado en este plan alimenticio a lo largo de los años –incluidos cuarenta participantes de dos estudios organizados–, podrás sentarte con comodidad y ver cómo tus niveles de azúcar se estabilizan, hasta el punto de que podrás reducir, o incluso eliminar, toda la medicación, incluida la insulina.

El siguiente capítulo de la historia tiene lugar en Houston, en la primavera de 1994. Fui allí para un proyecto de investigación sobre la diabetes, y como parte de él entrevisté a una mujer de veintiún años con diabetes tipo 1. Se alimentaba sobre todo a base de comida rápida y de catorce tazas de café al día. No le gustaban las hortalizas –me dijo–, y muy raras ocasiones las ingería.

Procedí de la forma habitual para analizar su sangre utilizando una técnica que denomino análisis de las células sanguíneas vivas. Es decir, observé su sangre directamente bajo un microscopio, sin utilizar los fijadores que por lo general se usan en los portaobjetos para microscopios, que matan las células. Mientras observaba, me quedé asombrado al ver cómo un glóbulo rojo se convertía en una célula bacteriana. Se movió por el plasma sanguíneo durante un tiempo, y después, ante mis ojos, volvió a convertirse en un glóbulo rojo.

Todo esto era imposible de acuerdo con todo lo que había aprendido en veintitantos años de estudio de microbiología. Nunca lo habría creído si no lo hubiera visto con mis propios ojos. Pero, sin ninguna duda, había sucedido. En ese mismo instante, todo lo que sabía sobre las células humanas y las células bacterianas cayó a un abismo. Mi vida como microbiólogo y nutricionista nunca volvería a ser la misma. Había hallado los inicios de una nueva biología. Pero aún tenía unos años por delante antes de poder entender que esos cambios celulares eran los culpables de la diabetes de la joven.

Durante dos años pensé que tal vez fuera la única persona que tenía esta visión revolucionaria, y el lector debe saber que fueron dos años de soledad. Me di cuenta de que la mía era una voz solitaria en medio de la selva, y aunque tenía un ardiente deseo de compartir con el mundo lo que había descubierto, no podía imaginarme cómo iba a abordar a quienes más me interesaba que me escuchasen para que entendieran que los gérmenes son los síntomas de la degradación celular, no la causa de ninguna enfermedad específica.

Entonces, otro microbiólogo me habló sobre la obra que el francés Antoine Bechamp había publicado a finales del siglo XIX sobre el «pleomorfismo», las numerosas formas que las células pueden adoptar. El hecho de pensar que otra investigación me podía ayudar a entender mi propio trabajo con mayor profundidad fue toda una revelación, por no hablar del alivio que supuso saber que no me hallaba solo en mis observaciones.

Sin embargo, pronto me encontré con un problema. La obra de Bechamp había sido superada en su propia época por la creación de la teoría germinal de la medicina de su compatriota Louis Pasteur, que todavía impera (aunque de manera errónea) en la actualidad. Encontré unas cuantas referencias a Bechamp consultando fuentes antiguas y oscuras, pero no pude tener los originales en mis manos. Además, esos originales estaban en francés. (Logré encontrar el único libro que se había traducido al inglés: *The Blood and Its Third Anatomical Element)*[1].

El momento crucial llegó tres años más tarde. Mi mujer, Shelley, y yo estábamos en París celebrando nuestras bodas de plata. Allí, en una de las ciudades más bellas del mundo, con el amor de mi vida, disfruté de la aventura de la Ciudad de las Luces. Pero también estaba muy interesado en algo muy distinto de la típica ruta turística: la Biblioteca Médica de la Universidad de París, que suponía que podría albergar la olvidada obra de Bechamp.

Cuando Shelley y yo subíamos las escaleras de mármol de la biblioteca, me sentía entusiasmado por lo que me podía encontrar. Sin embargo, pronto nos detuvo una empleada que nos dijo que no podíamos acceder a las estanterías sin un permiso oficial. Mi corazón se derrumbó al ver que mis súplicas de que habíamos viajado desde América no la convencieron en absoluto. Shelley y yo utilizamos nuestro rudimentario francés para intentar convencerla durante más de una hora, hasta que un francés que pasó por allí, y que hablaba un inglés fluido, nos rescató, pronunciando las palabras mágicas para obtener el mencionado permiso. Este mismo gentil caballero nos ayudó a localizar la obra de Bechamp utilizando un registro de libros antiguos escrito a mano.

Y allí estaba por fin, maravillado ante los veintisiete libros publicados y los volúmenes del material de investigación original de Bechamp, como un niño pequeño en una mañana de Navidad. Ahí estaba la notable investigación de un gran científico, desenterrada de los oscuros archivos en los que había languidecido durante más de cien años. Tenía lágrimas de alegría en los ojos cuando hojeé las páginas, atónito por los dibujos que el mismo Bechamp había realizado, donde se mostraba la trasformación biológica de un glóbulo rojo en una célula bacteriana, más de un siglo antes de que mi microscopio me revelara el mismo fenómeno en una joven de Texas. Allí estaba un hombre que había visto de verdad la magia de la vida. Yo tenía mucho que aprender.

Gracias a lo que vi –y las teorías de la nueva biología empezaron a cobrar sentido en mi mente–, comencé a ser consciente de que la diabetes no es en realidad una enfermedad del páncreas ni de las células beta productoras de insulina, ni tampoco una respuesta autoinmune. La diabetes es el resultado de una alteración del delicado equilibrio del pH (ácido-base) de los fluidos que rodean las células del páncreas. El exceso de acidez de los fluidos permite que las células se trasformen negativamente, interfiriendo (entre otras muchas cosas) con la forma en que el cuerpo produce y utiliza la insulina y el azúcar. Por el contrario, con el pH equilibrado, las células del páncreas, las células beta productoras de insulina y las células alfa productoras de glucagón funcionan en perfecta armonía, y el fenómeno de la diabetes no puede tener lugar. Los misterios de la energía, la salud, el acondicionamiento físico y la vitalidad no pueden revelarse si nos centramos tan solo en las células. El espacio negativo, los fluidos que rodean las células –que les aportan forma y funcionamiento–, son, como mínimo, también importantes. Una célula es sólo tan sana como los fluidos en los que está bañada. Escribí muchísimo sobre esto en mi primer libro, *La milagrosa dieta del pH*.

La epidemia

La diabetes, una condición caracterizada por unos niveles de azúcar en sangre elevados y por la incapacidad del organismo para producir y/o usar la insulina, es una epidemia propia de nuestro tiempo. Se estima que hay entre diecisiete y veinte millones de diabéticos en Estados Unidos,[2] aproximadamente entre el 6 y el 8 % de la población, con más de 750.000 nuevos casos cada año. Esa cifra es superior a lo nunca antes visto en nuestra historia. La diabetes tipo 1 y la diabetes tipo 2 –juntas– son la tercera causa de muerte en países como Estados Unidos, con más de 300.000 fallecimientos cada año. No obstante, estas impactantes cifras son insignificantes teniendo en cuenta que hay casi cuatrocientos millones de diabéticos en todo el mundo, una cifra que, según algunas previsiones, se duplicará en la siguiente generación.

Las mujeres, las personas mayores de sesenta y cinco años, los afroamericanos, los hispanos, los americanos nativos, los asiático-americanos y los habitantes de las islas del Pacífico tienen un mayor riesgo de padecer diabetes tipo 2. La población que vive dentro de los límites de la pobreza tiene el *triple* de probabilidad de sufrirla que la población de clase media o alta. Los estudios de la Asociación Americana para la Diabetes (ADA) muestran que esta enfermedad costó a Estados Unidos 132.000 millones de dólares en concepto de asistencia sanitaria y horas de trabajo perdidas, tan sólo en el año 2001, desde los 98.000 millones de 1997: la epidemia va en aumento.

La diabetes puede ser gravemente debilitante e incluso mortal, debido a efectos secundarios y complicaciones que incluyen enfermedades cardíacas y renales, ceguera, daños neuronales y amputaciones. Decenas de miles de personas pierden la vista cada año por culpa de la diabetes; es la principal causa de ceguera en personas de edades comprendidas entre los veinticinco y los setenta y cuatro años. Las personas con diabetes tienen una probabilidad siete veces mayor de quedarse ciegas que quienes no la padecen. Ese dato procede de un estudio realizado en 1985 por la Universidad de Emory, que también concluyó que los diabéticos tienen una probabilidad veinticinco veces mayor de padecer gangrena (que suele conducir a la amputación), once veces mayor de desarrollar enfermedades cardíacas, y casi cinco veces y media mayor de sufrir un derrame cerebral. La diabetes durante el embarazo aumenta el riesgo de parto prematuro, e incluso de muerte del feto. La conclusión de esta tragedia es que la esperanza de vida de una persona con diabetes es aproximadamente una tercera parte menor que la de la población general.

La inmensa mayoría –entre el 90 y el 95 %– de personas con diabetes tienen la variedad tipo 2. La gran mayoría –el 80 %– de quienes padecen diabetes tipo 2 son obesos, lo que, por supuesto, conlleva su propia serie de consecuencias negativas para la salud. Cada miligramo más de azúcar sanguíneo representa un aumento correspondiente de 5 kilos por término medio, tanto en hombres como en mujeres. No es de extrañar que el reciente aumento de la obesidad en este país –más de la mitad del país es ahora oficialmente gordo– venga acompañado de incrementos en la diabetes. Aproximadamente el 1 % de los estadounidenses[3] tenían diabetes hace un siglo, pero ahora la padece una de cada doce personas. Los índices de diabetes han aumentado en casi la mitad sólo en la pasada década, de acuerdo con el Centro para el Control de Enfermedades (CDC), y si continúa la tendencia actual, se puede esperar que la cifra sea de más del doble en menos de cincuenta años.

La diabetes tipo 2 solía denominarse diabetes del adulto, frente a la diabetes juvenil, a veces conocida como insulino-dependiente, y ahora llamada tipo 1. Pero esa etiqueta se ha abandonado porque se ha tornado imprecisa: la diabetes es ahora la principal enfermedad crónica entre los niños, y la que cuenta con el mayor índice de incremento en todo el mundo. (No obstante, el índice varía mucho, desde menos de 1 niño entre 100.000 en Japón y algunas partes de China, hasta más de 28 por cada 100.000 en Finlandia, el líder mundial en este campo. En Estados Unidos, casi 15 niños de cada 100.000 están afectados). Igual que la tasa de obesidad entre los niños ha aumentado dramáticamente en este país en los últimos años, también lo han hecho los índices de diabetes tipo 2 en la misma edad, cuando antes era algo desconocido. Un informe del CDC realizado en el año 2003 previó que la tercera parte de los niños estadounidenses nacidos en el año 2000 desarrollarán diabetes.

Sólo aproximadamente la mitad de las personas con diabetes ha recibido un diagnóstico oficial, según el Centro para el Control de las Enfermedades. Los síntomas de esta patología suelen hacerse evidentes poco a poco, y con rasgos que no tienen por qué estar relacionados con el azúcar en sangre: fatiga general, mareos, vértigos, pensamiento confuso, fallos de memoria, manos y pies fríos, vista nublada o borrosa. Por eso puede permanecer sin diagnosticar durante muchos años. Si no sabes que tienes diabetes, no puedes hacer (ni harás) nada para revertirla, o, como mínimo, para reducir los daños, razón por la cual los niveles de azúcar deben formar parte de las comprobaciones fisiológicas habituales cuando acudes a la consulta de tu médico. En realidad, es una de las razones por las que debes hacerte revisiones de forma regular.

Dado que ves a tu médico con cierta frecuencia, y que puede que te dé un diagnóstico de diabetes, merece la pena recordar que se ha informado que, entre los médicos, la tasa de mortalidad debida a la diabetes es un 35 % mayor que en la población general. Eso es lo que el doctor Bertrand E. Lowenstein explicó en su libro *Diabetes*, publicado en 1975, donde criticó los procedimientos de tratamiento convencionales y teorizó que los médicos tienen una probabilidad mayor de ser «buenos pacientes» –es decir, de seguir de manera estricta el programa de tratamiento–, y que, por tanto, muestran los efectos negativos de estos tratamientos con mayor intensidad.

Shelley y yo presenciamos en primera persona las consecuencias de todo esto en el Caribe, al ver cómo muchos médicos con diabetes trataban a pacientes que, a su vez, padecían esta patología. Como dice la Biblia: «Si el ciego guía al ciego, ambos caerán en el agujero» (Mateo 15:14). Encontrar un camino alternativo constituyó una gran inspiración para nosotros. Y estoy feliz de poder compartirlo contigo en este libro.

El milagro del pH

La medicina convencional ofrece poca ayuda real para la diabetes, aparte de toda una vida dominada por los fármacos y los posibles efectos secundarios devastadores. En muchos casos, lo mejor que puedes decir de las opciones de que dispones es que puedes elegir el menor de los males. Sin embargo, cuando entiendas que la diabetes es una condición del medio en que se mueven las células, y no una enfermedad de las mismas células, se te abrirá una nueva puerta y podrás utilizar el planteamiento sencillo y por completo natural que se describe en este libro para ayudar a ralentizar, detener o incluso revertir la diabetes y los daños que causa.

Por tanto, la cuestión más importante es proporcionar un medio adecuado a tus células. ¿Qué elecciones relativas al estilo de vida son óptimas para mantener el equilibrio del pH en el cuerpo, y para eliminar las dolencias y las enfermedades, incluida la diabetes? He visto resultados sorprendentes en personas que simplemente han aprendido a elegir la mejor comida, el mejor ejercicio y los mejores suplementos.

La historia de Denise

Soy una diabética tipo 2 con sobrepeso y he tenido hipertensión durante más de veinte años. Es decir, lo fui hasta que empecé a utilizar la bebida verde con gotas de pH y a comer más alimentos alcalinos (aunque hasta ahora no he podido pasarme a una dieta totalmente alcalina). En unos dos meses, el azúcar en sangre ha pasado de encontrarse entre 153 y 228 a caer a valores de entre 83 y 120. Mi presión sanguínea se ha normalizado y he perdido más de 22 kilos. Ahora ya sé por mí misma por qué la llaman la milagrosa dieta del pH.

Empecé a comprobar lo que sucedía a la sangre de mis clientes cuando adecuaban sus dietas, y vi que volvía a tener el pH equilibrado. Cuando corregían la acidez de sus cuerpos utilizando el programa de este libro, también noté cambios significativos en determinados marcadores de la salud específicos. Observé que el azúcar en sangre, la presión sanguínea, el colesterol, y, por último –pero no menos importante–, el peso, se estabilizaban. Ese cuarteto formado por la diabetes, la hipertensión, la hipercolesterolemia y la obesidad aparece con tanta frecuencia que la medicina convencional ha dado el nombre de «síndrome X» a la concurrencia de estas enfermedades. Y todas ellas desaparecían de los pacientes de mi programa cuando la sangre se volvía más alcalina y las células se estabilizaban en formas más saludables.

Al principio me costó creer que unos sencillos cambios en lo que comemos y en el modo en que vivimos pudieran influir de una manera tan drástica en los fluidos del organismo, que a su vez tienen mucho que ver con la salud de las células. Pero a medida que lo fui observando una y otra vez, me fui convenciendo del enorme poder de lo que estaba viendo. Al hacer que la gente siguiera de forma estricta la milagrosa dieta del pH –que incluye alimentos verdes, bebidas verdes, una cantidad moderada de grasas buenas y una cantidad baja de proteínas–, me daba cuenta de que revertía la diabetes tipo 2, e incluso la tipo 1. La dieta del pH era un verdadero milagro.

Aun así, lo que había conseguido hasta entonces sólo constituía «evidencias anecdóticas» a los ojos de las autoridades médicas. Sabía, en lo más profundo de mi corazón, que tenía que hacer todo lo que fuera necesario para que otros vieran lo que yo estaba viendo. No podía continuar sin desafiar los tratamientos convencionales para la diabetes que, por otra parte, no ofrecen una esperanza real de curación. Demasiadas vidas dependían de ello. Yo sabía que existía un camino mejor.

Mis estudios

En el año 2002 inicié un estudio controlado de seis meses sobre la diabetes tipo 1 y la tipo 2, y después realicé otro, durante tres meses, en el año 2003. Ambos utilizaron alimentos alcalinos adecuados, ejercicio aeróbico y suplementos nutricionales. En *todos los casos*, descubrí que los sujetos que terminaban el programa lograban reducir o dejar de tomar su medicación. Eso incluía reducir su administración de insulina en más del 50 % ciento, y en muchos casos eliminarla por completo, en sólo tres meses. Los participantes también perdían peso y reducían su presión sanguínea y su colesterol total.

Había visto resultados similares en cientos –si no en miles– de personas con las que había trabajado a lo largo de los años –casi siempre con mejoras dramáticas en las primeras setenta y dos horas–, pero en ese momento, por primera vez, disponía de un procedimiento para cuantificar esos resultados. Durante más de una década había observado cómo las personas que participaban en el programa normalizaban su azúcar en sangre y había visto a varios médicos del país recomendar el programa a sus pacientes (¡o incluso utilizarlo ellos mismos!), pero esta confirmación más rigurosa fue muy importante. En la actualidad estoy trabajando con la Universidad de Miami para organizar otro estudio controlado con más participantes, y espero obtener datos más convincentes aún.

Ambos estudios comenzaban con una fiesta líquida de dos semanas. El primer estudio continuaba con un mes de dieta alcalina estricta, y, más tarde, el resto de los seis meses totales, consistía en una dieta que era alcalina en un 80 %. El segundo estudio duró un total de sólo tres meses, y todo el tiempo se seguía una dieta estricta. Los participantes de los dos estudios cumplieron esencialmente el mismo plan descrito en este libro, evitando todos los productos lácteos, los dulces, los cereales y la carne (excepto el pescado), así como la mayoría de las frutas, y se les animó a que comieran cantidades generosas de grasas y aceites beneficiosos. Utilizaron bebidas verdes con gotas de pH y un programa de suplementos que también es similar al que el lector podrá leer en este libro: un suplemento polivitamínico-mineral a base de plantas; polvo de brotes de soja; ácidos grasos esenciales (AGE); cromo y vanadio; el suplemento conocido por las iniciales NADP;[4] un depurativo a base de plantas (un laxante ligero); una fórmula de apoyo para las glándulas adrenales; una fórmula de ayuda para el páncreas; y, en el segundo estudio, arcilla.

Las personas del estudio elaboraron informes diarios, en registros efectuados por ordenador, con todo lo que comían, los suplementos que tomaban, cuánta insulina –u otra medicación– tomaban y cuándo lo hacían, lecturas del azúcar en sangre por la mañana y por la tarde, y el peso; cada semana se tomaban la presión sanguínea. Una vez a la semana realizábamos videoconferencias para contestar las dudas que tuvieran, y establecimos un sistema de correo en el que los participantes intercambiaban consejos, colaboraciones y recetas.

Un total de veinte personas completaron alguno de los dos estudios; nueve con diabetes tipo 1 y once con diabetes tipo 2. (Otras diez abandonaron en el trascurso del mismo, en su mayor parte porque no pudieron soportar la dieta del segundo estudio). La tabla de la página siguiente ofrece una panorámica de los resultados específicos.

Todos los que finalizaron el estudio redujeron o eliminaron su medicación. Los diabéticos tipo 2 tuvieron una reducción media de un 96 % de la insulina u otros medicamentos para la diabetes, y los diabéticos tipo 1 redujeron la insulina en una media del 81 %. Las personas del tipo 2, en líneas generales, tuvieron un éxito mayor que las del tipo 1, aunque los resultados de las del tipo 1 son, no obstante, impresionantes. Con una dieta más estricta en el segundo estudio, los diabéticos tipo 1 experimentaron un mejor control de su azúcar sanguíneo que los del primer estudio. Todos los participantes que completaron alguno de los estudios conservaron el azúcar en sangre dentro de unos valores normales. Y todos perdieron peso, con una media de 15 kilos después de doce semanas.

RESULTADOS DEL ESTUDIO								
	Tipo (1 o 2)	Peso al comienzo (kg)	Peso después de 12 semanas (kg)	Pérdida de peso (kg)	Niveles más bajos de azúcar al comienzo del programa, con medicación (mg/dl)	Niveles más altos de azúcar al comienzo del programa, con medicación (mg/dl)	Niveles más bajos de azúcar después de 12 semanas de programa, sin (o con menos) medicación (mg/dl)	Niveles más altos de azúcar después de 12 semanas de programa, sin (o con menos) medicación (mg/dl)
Varón, 48	1	111	79	32	30	500	68 (reducción de insulina de un 70 %)	180
Mujer, 10	1	39	36	3	77	300	100 (reducción de insulina de un 50 %)	126
Mujer, 50	1	64	54	10	27	390	60 (reducción de insulina de un 85 %)	220
Mujer, 38	1	91	59	32	199	386	100	140
Mujer, 38	1	156	116	40	50	270	70	120
Varón, 29	1	91	66	25	20	300	60 (reducción de insulina de un 80 %)	170
Varón, 36	1	52	49	3	40	400+	64 (reducción de insulina de un 80 %)	127
Varón, 53	1	51	49	2	60	123	70	114
Varón, 32	1	52	49	3	65	129	72 (reducción de insulina de un 65 %)	111
Mujer, 55	2	154	133	21	35	215	66	115
Mujer, 38	2	120	105	15	40	125	64	110
Varón, 58	2	125	112	13	40	278	48	154
Varón, 61	2	111	97	14	48	205	76	133

RESULTADOS DEL ESTUDIO								
Mujer, 36	2	95	80	15	50	230	60	98
Varón, 53	2	121	106	15	45	300	62	105
Mujer, 55	2	139	122	17	50	127	73	110
Mujer, 34	2	82	70	12	41	262	70	127
Varón, 32	2	68	68	0	55	339	68	127
Varón, 52	2	124	101	23	60	160	80	108
Varón, 59	2	91	89	2	59	220	80 (reducción de insulina de un 50 %)	140

La historia de Stephen

Tenía veintiún años de edad, había jugado al fútbol en el colegio, tenía una salud muy buena, y, no obstante, me acababan de diagnosticar una diabetes tipo 1. Me opuse a la petición de mi novia de que buscara un tratamiento holístico, decidido a seguir las órdenes de mi médico habitual; después de todo, él era quien más sabía del tema. Seis médicos y veintisiete años después, la diabetes estaba pasando factura a mi cuerpo agotado y con sobrepeso. Había desarrollado problemas renales e hipertensión, y pasé cinco días en cuidados intensivos con un nivel de azúcar en sangre superior a 1.100.

Pero esto no era lo peor. Este año, a mi hija de nueve años le diagnosticaron diabetes tipo 1. Nos negamos a aceptar esta «sentencia de muerte diabética» para Molly, y, tras no haber dejado de rezar por mi total curación, mi mujer comenzó a buscar alternativas. Pronto descubrió la milagrosa dieta del pH, pusimos rápidamente en práctica sus principios, comenzando con una fiesta líquida acompañada de suplementos, y nos pasamos a una dieta alcalina. Mi hija y yo comprobábamos con cierta regularidad nuestros niveles de azúcar en sangre y nuestro pH.

Los resultados han sido estupendos. La necesidad de insulina de Molly se ha reducido de manera sistemática, y algunos días no necesita insulina. De igual modo, yo he podido reducir la administración de insulina en más de la mitad. También he perdido 23 kilos y he podido dejar de tomar mi medicación para la hipertensión, y todo ello en las seis primeras semanas.

Esto ha sido una gran bendición para toda mi familia. Nunca imaginé una alegría mayor que recuperar mi propia salud, pero sí lo es saber que mi hija nunca sufrirá lo que yo he sufrido.

Si esto no es un milagro gracias a la dieta del pH, no sé lo que será. Lo más bonito de todo es que en realidad no se trata de ningún milagro. Puede parecer que lo es, porque todos siempre hemos escuchado que no hay cura para la diabetes, que necesitaremos inyecciones de insulina o medicación para siempre, y que incluso en ese caso no existen muchos finales felices. Pero no hay ningún misterio. No lo hay una vez que sabemos cómo conseguir que el cuerpo vuelva a tener el pH equilibrado. Tú puedes obtener los mismos resultados en tu propia vida, igual que los participantes de mis estudios, sólo con seguir el plan de este libro. No se trata de un sustituto de la asistencia sanitaria, y tendrás que seguir trabajando de una manera muy estrecha con tu médico. Pero de esta forma, en lugar de una potencial sentencia de mala salud de por vida, en sólo doce semanas te encontrarás en el buen camino para experimentar una salud y un bienestar plenos, sin las altas dosis de fármacos que emplea la mayoría de los pacientes diabéticos. *Tu* camino hacia la curación acaba de comenzar.

Capítulo 2

¿Qué es la diabetes?

Médicos de gran fama
fueron llamados a la vez, pero cuando llegaron
contestaron, mientras cobraban su dinero,
«No hay cura para esta enfermedad».

Hilaire Belloc (1870-1953)

El término *diabetes* procede del griego y significa «desviar» o «pasar a través». Y, en efecto, una característica de la diabetes es una producción excesiva de orina (y la correspondiente e implacable sed), cuando el cuerpo intenta desesperadamente eliminar el exceso de azúcar y mantener el pH equilibrado. Areteo, un médico griego del siglo II, observó que los cuerpos de sus pacientes parecían «fundirse» en forma de orina. Repetía las palabras de Hesy-ra, un médico egipcio de la tercera dinastía que escribió en el año 1550 a. C. que la diabetes causaba un «derretimiento» y que la orina resultante atraía a las hormigas debido a su alto contenido en azúcar. En el siglo XVIII, los médicos añadieron *mellitus* al nombre del diagnóstico, que en latín hace referencia a la miel o al sabor dulce. Era como si una persona con diabetes mellitus se derritiera en forma de azúcar. El diagnóstico de la diabetes con frecuencia se confirmaba mediante «catadores de agua» que detectaban el azúcar en la orina por su sabor dulce. La sabiduría popular propuso una prueba casera para la diabetes: derramar orina en un periódico y dejar que se secara; el resultado, en el caso de que la persona tuviera diabetes, era un color brillante con cristales de azúcar.

De esta forma, los individuos que tienen diabetes no son distintos a los plátanos. Expliquémoslo. Todos sabemos que los plátanos son más dulces cuando maduran. A medida que envejecen o maduran, los plátanos incrementan su contenido en azúcar, o más bien sus células liberan sus azúcares cuando comienzan a descomponerse. Los plátanos también se reblandecen, por supuesto: se derriten en forma de azúcar. También podríamos decir que se pudren. Es interesante advertir que las manchas negras de la superficie de la piel de un plátano demasiado maduro son los ácidos procedentes de la descomposición de las células del plátano. Se trata del mismo fenómeno que tiene lugar en todas las células vegetales y animales, incluidas las humanas. A medida que envejecen (maduran, se descomponen), se desorganizan y se «derriten en forma de azúcar». Todo este proceso tal vez sea una buena noticia para los amantes del pan de plátano –que solía hacer mi madre–, pero no hay ningún aspecto positivo en lo que a los seres humanos se refiere.

Médicos y diabetes

Sin duda, tu médico no te habrá explicado la diabetes de esa manera. Tal vez habrás oído que la diabetes se debe a una ausencia parcial o total de la hormona insulina en el organismo, lo que da como resultado unos niveles excesivamente elevados de glucosa (azúcar) en sangre. Pero ¿qué causa en realidad una enfermedad degenerativa grave como la diabetes? Me refiero a qué la causa *realmente*; frases como *azúcar en sangre elevado* o *poca insulina* describen la patología, pero no la explican. ¿Qué hace que el cuerpo tenga un suministro deficiente o excesivo de estas cosas? ¿Y por qué algunas personas desarrollan diabetes, mientras que otras, en condiciones similares, no lo hacen?

A medida que circula por el cuerpo, la sangre siempre trasporta una cantidad determinada de azúcar para proporcionar energía a las células. Introducir azúcar en las células requiere insulina, que es producida por el páncreas, por las denominadas células beta. Por lo general, el páncreas genera una cantidad suficiente de insulina para manejar las necesidades corporales en todo momento. Sin embargo, en la diabetes, la insulina está ausente, hay una pequeña cantidad, o bien no es capaz de realizar su labor con eficacia. El azúcar que no puede entrar en las células se acumula en el torrente sanguíneo.

Diabetes tipo 1 y tipo 2

Los médicos consideran que la diabetes se presenta de dos formas distintas. En la diabetes tipo 1, o diabetes mellitus insulino-dependiente (DMID), las células beta del páncreas no producen una cantidad suficiente de insulina. Las personas de este grupo deben inyectarse insulina para poder vivir. La diabetes tipo 1 solía conocerse como diabetes juvenil porque normalmente aparecía en niños y jóvenes. Es el tipo más grave de diabetes, y supone entre el 5 y el 10 % de los casos.

La diabetes tipo 2 –diabetes mellitus no insulino-dependiente (DMNID)– es mucho más común, pero menos grave. Sin embargo, también puede ser mortal y, de hecho, causa estragos en la calidad de vida. En la diabetes tipo 2, las células beta sintetizan insulina, pero el organismo no la utiliza de modo eficaz. Esta condición se denomina resistencia a la insulina. Las personas con diabetes tipo 2 no suelen necesitar inyectarse insulina, aunque tal vez sí lo precisen en el caso de que no puedan controlar sus niveles de azúcar en sangre a largo plazo. Muchas personas con diabetes tipo 2 toman diversos medicamentos orales para controlar su nivel de azúcar en sangre. Cuando hay resistencia a la insulina, en un intento por manejar el azúcar de la sangre, el páncreas segrega más insulina, a la que no responde el organismo, y las células beta pueden llegar a abandonar la tarea por completo y dejar de sintetizar la hormona, o bien sintetizar muy poca como para que pueda realizar su función.

El gran problema de la diabetes –ya sea la tipo 1 o la tipo 2– no es la patología en sí misma, sino la larga lista de devastadores efectos secundarios que la acompañan. La diabetes te hace propenso a padecer cardiopatías, a tener un fallo renal, al daño en los nervios, a la ceguera, a la invalidez, e incluso a la muerte.

Aproximadamente el 80 % de las personas con diabetes tipo 2 tienen sobrepeso. Esta diabetes se solía diagnosticar a personas de más de cuarenta años. Una de las diversas tragedias del reciente aumento en los índices de obesidad en niños es que la diabetes tipo 2 en la actualidad aparece incluso en los niños pequeños. Parece que el típico estilo de vida americano (incluso en países muy distintos a éste) ha generado diabetes en proporciones epidémicas en todos los grupos de edad.

La historia de Tracy

Mi hija Tracy tenía sólo veinte años cuando le diagnosticaron una diabetes tipo 1 y le prescribieron 130 unidades de insulina diarias, que el médico dijo que necesitaría durante el resto de su vida. También le comentaron que tenía la presión sanguínea elevada, altos niveles de colesterol y de triglicéridos, y le administraron medicamentos también para todos estos problemas. Tres años después enfermó gravemente y le diagnosticaron fibromialgia y síndrome de fatiga crónica. Estaba inválida, incapacitada para trabajar o conducir. No podía dormir, y caminar unos pocos pasos suponía toda una lucha.

Como madre, era muy doloroso ver cómo una persona tan joven, enérgica y alegre sufría de esa manera, sin esperanza alguna de recuperación. Pero en todo momento Tracy siguió siendo optimista y mostrando buen humor. Ciertamente, es la persona más valiente que conozco.

Durante los siete últimos años, Tracy visitó a más de veinte médicos altamente especializados, ninguno de los cuales ofreció muchas esperanzas relativas a algún tipo de alivio real. Tracy se negó a aceptar esta forma de vida, pero dejó de buscar ayuda en la medicina convencional. Pasó por una odisea de tratamientos alternativos, decidida a encontrar una cura por sí misma. Por último, halló lo que cariñosamente llama «agua milagrosa» –una bebida verde con gotas de pH–, que empezó a tomar, junto con suplementos para ayudar al páncreas, a las glándulas adrenales y a los riñones, y además comenzó a seguir una dieta alcalina.

En sólo cinco semanas, Tracy era de nuevo una joven mujer llena de energía, radiante de vitalidad. Ha dejado de tomar todos los fármacos, incluidas las cuatro inyecciones de entre 35 y 40 unidades de insulina que se había administrado cada día durante más de siete años. Ha perdido 9 kilogramos y su último análisis de sangre ha sido el mejor que ha tenido nunca, con un nivel de azúcar en sangre inferior a 100.

Por desgracia, a mi marido, Brian, poco después le diagnosticaron una diabetes tipo 2, con un nivel de azúcar en sangre de 350. Comenzó a beber el agua milagrosa y a tomar suplementos para ayudar al páncreas. Con su recién descubierta energía empezó a hacer ejercicio de forma habitual. Hoy, su nivel de azúcar en sangre en ayunas es normal (93).

Yo me quedé tan impresionada, inspirada y asombrada con la recuperación de mi hija y de mi marido respecto a la diabetes y los síntomas relacionados que empecé a tomar la bebida verde con gotas de pH, además de comer de manera sana, y –con la energía que pronto descubrí que tenía– a hacer ejercicio. Me hice un análisis de sangre varias semanas después de empezar. Al revisar los resultados conmigo, mi médico me dijo que estaba muy sana para una mujer de veintinueve años (¡Ja, ja!). Además, es la forma más fácil de perder peso que he experimentado nunca: perdí 9 kilogramos de más en sólo treinta días. Ahora Brian y Tracy no son los únicos que tienen un aspecto estupendo y se sienten bien.

Diabetes gestacional

Otro tipo común de diabetes es la gestacional, la que tiene lugar durante el embarazo en mujeres que no han sufrido antes esta enfermedad. La diabetes gestacional tiene los mismos factores de riesgo y síntomas que la diabetes tipo 2, aunque su potencial para generar problemas es doble, por su misma naturaleza: problemas para la madre y para el niño. Los problemas se cuadruplican, ya que se afrontan todos los de la diabetes tipo 2 en general, más los especiales que surgen de ser diabética durante el embarazo.

Un estudio con veintitrés mujeres obesas embarazadas con diabetes tipo 2 mostró que tienen una probabilidad tres veces mayor que las mujeres no diabéticas de peso normal de tener niños con defectos de nacimiento, y siete veces mayor de tener un hijo con un defecto craneofacial, como el paladar hendido o un desarrollo anormal de las extremidades. Casi el 6 % de los hijos de mujeres con diabetes tipo 2 tienen problemas importantes.

La diabetes gestacional no controlada aumenta el riesgo de parto difícil o de cesárea, así como la probabilidad de que el niño nazca con el azúcar en sangre peligrosamente bajo, con ictericia o con problemas respiratorios. Los hijos de madres con diabetes gestacional suelen pesar mucho más de lo normal, y eso genera problemas de salud especiales, incluido un posible daño en los hombros durante el nacimiento. Esos niños tienen un exceso de insulina, lo que les genera un riesgo mayor de desarrollar obesidad y diabetes tipo 2.

La diabetes que aparece durante el embarazo suele cesar después de nacer el niño, pero aun así se tendrá un mayor riesgo de desarrollar diabetes tipo 2 en una fase posterior de la vida.

Medir los niveles de azúcar en sangre

El nivel normal de azúcar en sangre, medido después de ayunar al menos durante ocho horas, debe ser de 110 mg/dl, o inferior. (Si la prueba *no* se realiza con el estómago vacío, debe ser de 140 mg/dl, o inferior). Si los niveles se sitúan entre 110 y 126 en ayunas (o entre 140 y 200 sin ayunar), se sufre lo que se denomina intolerancia a la glucosa, que se considera una prediabetes. Si se tienen cifras superiores, entonces oficialmente se padece diabetes. Para confirmar el diagnóstico, el médico puede hacerte una prueba de tolerancia a la glucosa extrayéndote sangre dos horas después de haber tomado una cantidad determinada de solución de agua con azúcar. Si el nivel de azúcar en sangre es de 200 mg/dl, o superior, entonces eres diabético.

Causas de la diabetes

Según la ciencia médica tradicional, la causa de la diabetes es un tanto misteriosa. Una de las teorías más importantes defiende que la diabetes tipo 1 es un trastorno autoinmune en el que los glóbulos blancos atacan y destruyen las células beta productoras de insulina del páncreas, como si fueran invasores amenazantes. La causa de la diabetes tipo 2 se conoce mejor, y la obesidad se encuentra en el epicentro. No obstante, no se entiende de manera clara qué relación existe entre el exceso de peso y la alteración de la producción y el uso de insulina por parte del organismo. En efecto, sigue siendo una cuestión similar a la de la gallina y el huevo: ¿la obesidad causa diabetes, o la diabetes produce obesidad?

Sin embargo, al examinar el problema a través de la lente de la nueva biología se hace evidente que la diabetes *no* es una enfermedad del páncreas ni de las células beta de su interior. En su lugar, es el resultado de un desequilibrio del pH de los fluidos del cuerpo –acidosis sistémica–, que interfiere en el funcionamiento óptimo de las células bañadas en esos fluidos. Las células beta rodeadas por ácidos no pueden producir suficiente insulina. Los ácidos destruyen los sitios receptores de insulina de las membranas celulares, de forma que las células del organismo no pueden utilizar la hormona de manera adecuada. Los síntomas de la diabetes –que pueden incluir micción frecuente, sed extrema, mucha hambre, pérdida de peso, fatiga extrema, desgaste muscular y una cetoacidosis que puede resultar mortal– son todos ellos la consecuencia de un cuerpo que intenta recuperar, o mantener, el delicado equilibrio del pH de la sangre y los tejidos.

La nueva biología

Explico con más detalle los principios de la nueva biología en nuestro libro anterior, *La milagrosa dieta del pH*, y si quieres entender mejor las bases científicas de la teoría puedes repasarlas allí. Para los propósitos de este libro, sólo quiero revisar brevemente los puntos clave. Después pasaremos, sin más dilación, a los pasos que podemos dar para liberarnos de la esclavitud de la diabetes.

El indicador más importante de tu salud no es tu nivel de azúcar en sangre –ni tu peso, tu presión sanguínea, tu colesterol, ni ninguna otra cosa similar–, sino el pH de tu sangre, es decir, el grado de acidez o alcalinidad que tenga. La escala del pH va desde 1,0 (el nivel más ácido) hasta 14,0 (el nivel más alcalino), y 7,0 es el pH neutro. Igual que tu cuerpo mantiene de manera estricta su temperatura, hará cualquier cosa y todo lo que pueda para que la sangre se mantenga en un rango de pH muy estrecho, un pH ligeramente alcalino de 7,365. (Algunos sistemas orgánicos, en especial el estómago y el colon, son apropiadamente ácidos, aunque resulta demasiado fácil que esa acidez se acentúe). El nivel de pH de la sangre y otros fluidos y tejidos corporales afecta a cada célula del cuerpo. Todo el proceso metabólico depende también de la alcalinidad, y es el exceso de acidez lo que hace que estés gordo. Casi todos los síntomas negativos en los que puedas pensar –de los cuales no se exceptúan la serie de síntomas relacionados con la diabetes– aparecen cuando el cuerpo debe llegar a extremos desesperados en un intento por mantener su pH.

Uno de los efectos potenciales más devastadores de un medio ácido dentro de tu organismo es el acogedor hogar que construye para las levaduras, los hongos, los mohos, las bacterias y los virus, conocidos de manera colectiva como microformas. Aunque muchas de ellas viven de un modo benigno o beneficioso en un cuerpo sano, en un entorno ácido proliferan las más desagradables, e incluso las buenas pueden crecer en exceso y convertirse en perjudiciales. Y en ese caso nos enfrentamos a un triple problema: no sólo pueden ser peligrosas las microformas en sí mismas, sino que también pueden generar excreciones tóxicas (ácidas), exotoxinas y micotoxinas, que se producen cuando digieren –o fermentan– las fuentes de energía que nuestro organismo debería utilizar para sí mismo. Y después liberan esos ácidos en el torrente sanguíneo.

Aquí es donde entra en juego la obra de Bechamp. Lo que él descubrió –y lo que yo he visto en numerosas ocasiones en mi propio microscopio– es que las microformas nocivas *pueden proceder de nuestras propias células*. Daré una pista sobre qué tipo de medio debe existir para que suceda esto: ácido. Por no hablar del hecho de que las microformas externas (gérmenes) sólo pueden contribuir a la enfermedad cuando llegan a un entorno de ese tipo.

Como describió Bechamp hace muchos años, nuestros organismos, igual que todas las cosas vivas, contienen lo que se llama microzimas, que viven de un modo independiente en las células y los fluidos corporales. Pueden evolucionar en formas más complejas; al principio, todas las células evolucionan a partir de ellas. Y en algunos medios, las microzimas se convierten en bacterias y hongos. Las microformas perjudiciales también pueden volver a trasformarse en microzimas, un estado mucho más feliz –lo que no es de extrañar– que depende de un entorno saludable (no ácido). A medida que las microformas evolucionan, cambian de forma y función (dependiendo del medio), que es lo que yo llamo pleomorfismo. Los organismos pleomórficos nocivos no pueden evolucionar en ambientes saludables (alcalinos). Esta es la verdadera naturaleza de la materia y la forma en que se organiza y desorganiza. Las alteraciones físicas, e incluso las emocionales, pueden causar desorganización, o des-evolución, que a su vez acidifica el medio aún más, generando un círculo vicioso.

Según esta forma de ver las cosas, sólo hay una enfermedad (exceso de acidez) y una curación (recuperar la alcalinidad). La acidez en distintos tejidos del cuerpo aparece con diferentes series de síntomas, a los que la ciencia médica convencional ha puesto diversas etiquetas patológicas. Cuando la acidez tiene lugar en el páncreas, el resultado es la diabetes. Pero todos estos problemas surgen a partir del mismo origen, aunque la ciencia se ha concentrado demasiado en los árboles como para poder ver el bosque en su conjunto. La belleza de contemplar por fin el bosque completo consiste en que el camino que lo atraviesa, y que conduce a la buena salud para todos y cada uno de nosotros, se hace evidente y asequible.

¿Estás ácido?

Puedes comprobar en casa el nivel de pH de tu propia sangre con unas sencillas tiras de pH, disponibles en muchas farmacias, o con un medidor de electrones de pH accionado por batería, disponible en algunos catálogos de artículos de salud (*véase* la sección de recursos). Las tiras son bastante baratas, y sirven para comprobar el pH de la saliva y de la orina; recomiendo que compruebes el pH de la orina nada más levantarte por la mañana, después del ayuno nocturno, para obtener un resultado más preciso. Las tiras cambian de color para indicar si el resultado es ácido o alcalino, y se ponen más claras o más oscuras dependiendo de la intensidad del valor. Vienen con una tabla de colores para ayudar a traducir el color a una cifra.

La mejor forma de utilizar los medidores es con la primera orina de la mañana, aunque también pueden utilizarse para medir el valor de la saliva. Proporcionan resultados claros y precisos, pero pueden ser difíciles de encontrar y son caros.

Tu médico también puede hacerte una prueba de pH. El pH ideal de la sangre es 7,365, aunque los médicos estadounidenses aceptan 7,4, así que debes asegurarte de obtener el resultado exacto, en lugar de simplemente aproximarte a lo considerado «normal».

La nueva biología de la diabetes

Tu organismo mantiene el pH equilibrado utilizando las reservas de determinadas sustancias alcalinas, sobre todo minerales como el sodio, el potasio, el calcio y el magnesio. Luchar contra el exceso de acidez desgasta estos depósitos (y/o una mala nutrición conlleva tener unas reservas inadecuadas desde el principio), y tu organismo extrae las sustancias de lugares donde el cuerpo intenta que realicen una buena acción; por ejemplo, tomando calcio de los huesos o magnesio de los músculos. Naturalmente, esto debilita estas áreas; el páncreas es uno de los puntos más vulnerables.

Además, cuando la sangre está en exceso ácida, comienza a pasar el exceso de ácidos a los tejidos corporales y los almacena en la grasa protectora de las mamas, las caderas, el abdomen, e incluso en el cerebro, el corazón y el páncreas. Una sangre excesivamente ácida induce al sistema inmunitario a intentar liberarse de la sobrecarga, y esto puede pasar factura a tus defensas inmunitarias, con lo que de nuevo serás vulnerable a la diabetes (entre muchas otras cosas).

Todas las células corporales –incluidas las famosas células beta– deben degradarse y renovarse de una manera continua para mantenerse sanas. En un medio saludable y alcalino, las microformas están ahí para cuidar del reciclaje, por llamarlo así. Limpian los productos de desecho normales de la degradación celular y el metabolismo, para que nuestros organismos no se conviertan en vertederos tóxicos. Sin embargo, todas las apuestas están en nuestra contra en un entorno ácido. Las microformas buenas se saturan y no pueden procesar todos los desechos que las rodean; después empiezan a multiplicarse muchísimo y ellas mismas producen grandes cantidades de desechos tóxicos. Cuando esas toxinas no se eliminan, o no se eliminan con la suficiente rapidez o eficacia, el ácido queda retenido en la sangre y en los tejidos, y tiende a depositarse en las partes débiles del cuerpo. Cuando el ácido se acumula en el páncreas, el resultado es la diabetes. Todos los síntomas de la diabetes indican este origen común.

En un cuerpo sano, las microformas ayudan a renovar las células beta, pero si no logramos mantenernos en un estado alcalino, acaban predominando los fenómenos de degradación/fermentación/envejecimiento/descomposición. Después, las células beta mueren, se desorganizan o involucionan, lo cual aumenta la acidez, sin que la fase de renovación del ciclo natural revierta la situación. El ambiente ácido indica de un modo prematuro a las microzimas que el organismo ha perdido su equilibrio. Entonces pueden cambiar de función y de forma, convirtiéndose en virus, bacterias, levaduras o mohos, con una mayor capacidad de degradación celular. Si no se recupera pronto la alcalinidad, surgen enfermedades, incluida la diabetes. Pero sin acidosis no puede haber dolencia ni enfermedad; no puede haber diabetes.

 *La historia de Kevin*

He tenido diabetes tipo 1 durante treinta y tres años, desde que tenía tres años de edad. Antes de comenzar este plan, mis niveles de azúcar en sangre solían oscilar entre 300 y 400, o incluso más. Pero ahora, con la bebida verde, los suplementos y una dieta alcalina, tengo la diabetes bajo control. Después de todos estos años, ya no necesito inyectarme insulina de ningún tipo, ya que mi azúcar sanguíneo está más estable que nunca, y ahora se encuentra entre 64 y 127. ¡La diabetes tipo 1 está prácticamente eliminada!

Un juego peligroso

La ciencia médica actual defiende la teoría de que la diabetes puede ser genética; los científicos han señalado ciertas proteínas de determinadas células que parecen predisponer –a las personas que las poseen– a padecer diabetes tipo 1. Pero se debe tener esto en cuenta: aunque más o menos el 25 % de los niños estadounidenses, por ejemplo, están predispuestos de esta forma, menos del 1 % de este grupo desarrolla en realidad la enfermedad. Asimismo, cuando uno de una pareja de gemelos idénticos tiene la enfermedad, sólo en la mitad de las ocasiones el otro gemelo también la sufre. (Para problemas genéticos se espera una correlación del 100 % en gemelos idénticos).

Estas proteínas aparecen con la misma frecuencia con independencia de dónde nos encontremos, pero la prevalencia de la diabetes varía en gran medida en distintos lugares del mundo. Menos de 1 de cada 100.000 japoneses está afectado, en comparación con los 9 estadounidenses y más de 28 finlandeses (que tiene el dudoso honor de ser en la actualidad el país con la mayor tasa del mundo). Además, en algunos lugares del mundo, los índices de esta enfermedad han aumentado a un ritmo mucho mayor de lo que la herencia puede explicar. Consideremos, por ejemplo en Finlandia, el sorprendente aumento del 50 % en los casos de diabetes en niños de menos de diez años, a lo largo de los veinte últimos años.

La diabetes resulta ser un juego peligroso, no muy distinto a una ruleta rusa. La bala de la genética se dispara sólo si están presentes los factores relacionados con el estilo de vida que lo hacen posible. Los genes por sí mismos no causan la diabetes, pero vivir con el pH desequilibrado puede disparar su potencial de daño. Los últimos capítulos de este libro examinan con mayor profundidad diversas causas de la inestabilidad del azúcar en sangre: los hidratos de carbono, el alcohol, la cafeína, las dietas bajas en grasa, el ejercicio anaeróbico, el estrés psicológico, el miedo o la ira y la carencia de ciertos nutrientes. Todas estas cosas generan acidez, y el exceso de acidez, especialmente el procedente de una dieta poco saludable, hace que el páncreas aumente la cantidad de insulina que produce, lo cual le estresa y esto, a su vez, conlleva su agotamiento. De esta forma aparece la diabetes.

Entender e interrumpir este círculo vicioso mejorará la calidad y la cantidad de tu vida, porque el camino correcto se hace irresistiblemente evidente: mantener el pH equilibrado. En cuanto se controla la acidez, los síntomas desaparecen. Incluso un órgano que ha sufrido innumerables crisis –como, por ejemplo, el páncreas bajo una diabetes sin control alguno– se recuperará cuando se elimine la verdadera causa subyacente del problema. Como nos gusta decir: deshazte de tu ácido y consigue una buena salud.

Capítulo 3

Las numerosas caras de las diabetes tipo 1 y tipo 2

Lo que ya conocemos es un gran obstáculo para descubrir lo desconocido.

Claude Bernard, fisiólogo francés (1813-1878)

Hay una lista muy larga de síntomas asociados con la diabetes. El más conocido tal vez sea la alteración de los niveles de azúcar en sangre, pero eso es sólo el comienzo. En realidad, los niveles de azúcar en sangre pueden pasar desapercibidos durante algún tiempo antes de descubrirse, a menudo sólo cuando se investigan algunos de esos otros síntomas. Cuanto antes estabilices los niveles de azúcar en sangre –evitando que aparezcan los numerosos síntomas negativos–, mucho mejor. Este capítulo te muestra las numerosas señales que tu cuerpo puede enviarte para decirte que no todo va bien, de forma que puedas contestar con rapidez a esa llamada, si llega el momento. Pero nuestro más afectuoso deseo es que este capítulo no sea para ti nada más que una guía de campaña de un mundo al que nunca entrarás. Espero que anime a todos los lectores a que se decidan a comer correctamente, para procurar a sus organismos una buena salud.

Hiperglucemia e hipoglucemia

Entre los síntomas iniciales del exceso de acidez que conducen a la diabetes se encuentran la hipoglucemia (azúcar sanguíneo bajo) y la hiperglucemia (azúcar sanguíneo alto). Los dos parecen ser opuestos, pero en realidad son las dos caras de la misma moneda. Ambos tienen su origen en la adicción al azúcar y en el entorno ácido que el azúcar genera en el organismo.

La hiperglucemia indica un problema evidente relacionado con la producción o el uso de insulina: simplemente no hay, o no está realizando su trabajo (manejando el azúcar). El azúcar sanguíneo bajo, una condición muy común, en realidad indica una producción excesiva de insulina, que está trabajando más de lo debido.

El páncreas produce dos hormonas para regular el azúcar en sangre: la insulina, que sirve para asegurar que los niveles de azúcar no suban demasiado, y el glucagón, que evita que caigan a niveles demasiado bajos. La insulina contribuye a eliminar el azúcar del torrente sanguíneo, ayudando a trasportarlo a través de las membranas celulares y hacia el interior de las células, con el objetivo de utilizarlo para producir energía. Además, la insulina actúa sobre el hígado para convertir el azúcar en glucógeno y en grasa, que se almacenarán. El glucagón envía una señal al hígado, y después a los músculos, para volver a convertir los hidratos de carbono almacenados (glucógeno) en azúcar (glucosa); para convertir otros nutrientes –como, por ejemplo, aminoácidos– en glucosa, y para liberar el azúcar al torrente sanguíneo.

Tu organismo responde a un nivel bajo de azúcar como tú respondes cuando se enciende la luz de tu vehículo que indica que queda poco combustible. Llenas el depósito en cuanto puedes, con más de lo mismo. Tener que atender la tarea de procesar cada vez más azúcar genera tal estrés al páncreas que llegará a cansarse y dejará de producir insulina por completo. Los síntomas del azúcar bajo o alto pueden ser suficientemente desagradables por sí mismos (*véase* recuadro), pero más grave aún es el hecho de que este continuo cambio entre un nivel bajo y un nivel alto de azúcar sanguíneo puede producir una diabetes en estado avanzado.

Tal vez eso sea todo lo que te explique el médico. La explicación más profunda de la nueva biología tiene en cuenta que microformas negativas como las bacterias –y en especial las levaduras– tienen un apetito voraz por el azúcar. Cuando fermentan el azúcar sanguíneo, éste desciende de forma natural y en el organismo quedan los productos de desecho ácidos. Cuanto más ácido sea el medio, más les gustará a estas desagradables cosas pequeñas, que se multiplican muchísimo: habrás entrado en otro círculo vicioso. ¡Y todas ellas están hambrientas de verdad! No es que *tú* desees tomar azúcar, sino que se debe a las levaduras y las bacterias a las que albergas en tu cuerpo. Además, trasportar glucógeno desde los músculos hacia la sangre tiene un coste: el proceso incrementa la acidez y estimula el crecimiento de las levaduras.

Síntomas de unos niveles bajos de azúcar en sangre*

- Debilidad.
- Fatiga.
- Latido cardíaco rápido.
- Mareos.
- Sudoración.
- Hambre.
- Cefalea.
- Problemas en la vista; visión doble.
- Pérdida de coordinación.
- Pérdida de concentración.
- Pensamiento confuso.
- Náuseas.
- Fallos de memoria.
- Pesadillas nocturnas.
- Irritabilidad.
- Ira.
- Palidez.
- Mal humor.
- Torpeza o brusquedad.
- Confusión.
- Dificultad para prestar atención.
- Sensación de hormigueo alrededor de la boca.
- Manos y pies fríos.
- Convulsiones.
- Imposibilidad de despertarse, coma.

* Los síntomas son más severos cuanto más bajos sean los niveles de azúcar en sangre.

Síntomas unos niveles altos de azúcar en sangre

- Sensación de sed extrema.
- Micción frecuente.
- Confusión.
- Somnolencia.
- Piel seca.
- Imposibilidad de traspirar.
- Visión borrosa.
- Hambre.
- Coma diabético o cetoacidosis.
- Falta de aliento.
- Náuseas.
- Vómitos.
- Boca seca.
- Fatiga y cansancio extremos.

Los médicos utilizan, por regla general, un nivel de azúcar en sangre de 60 mg/dl como límite para lo considerado normal. Con ese nivel o inferior, es lógico observar indicios y síntomas de hipoglucemia. Tu cuerpo no puede funcionar muy bien cuando tienes muy poca glucosa (azúcar) en la sangre. Tus músculos necesitan la energía que la glucosa proporciona para poder hacer su trabajo, y con niveles insuficientes te sentirás débil, cansado y con mala coordinación, y tal vez experimentes dolor muscular, irritabilidad e inflamación. Tu cerebro necesita glucosa para dirigir el resto del organismo, por no hablar de dirigirse a sí mismo y coordinar todos los procesos intelectuales. Sin suficiente azúcar no pensarás con claridad, no te concentrarás bien, ni tu memoria será fiable. Quizá sepas lo que hay que hacer, pero serás incapaz de hacerlo.

 *La historia de Sam*

Tengo sesenta y dos años, y llevo cinco años tomando fármacos orales para la diabetes tipo 2. En sólo cuatro semanas tomando bebidas verdes y llevando una dieta alcalina, he podido reducir mis dosis entre un 50 y un 75 %, y también he conseguido los mejores niveles de azúcar en sangre que jamás he tenido. Además, he perdido 3 kilos y sigo perdiendo peso. ¡Y pensar que me dijeron que ésta era una enfermedad incurable y progresivamente debilitante!

Resistencia a la insulina

La hipoglucemia puede generar hiperglucemia debido al ansia por el azúcar y a la conversión del glucógeno, y éstas a su vez pueden producir una hiperinsulinemia (demasiada insulina) y después una resistencia a la insulina, con la consiguiente diabetes tipo 2 en estado avanzado. Con el tiempo, los picos alternativos de azúcar e insulina y el ácido generado por la fermentación del exceso de azúcares dañan los sitios receptores de la glucosa en la superficie de las células. Esas células no podrán recibir la glucosa que necesitan para obtener energía, el azúcar permanecerá en el torrente sanguíneo y se liberará cada vez más insulina. El organismo ya no responderá de manera adecuada a la insulina; no podrá realizar su misión de trasportar el azúcar a las células que podrían utilizarla. Mientras tanto, el organismo se irá volviendo cada vez más ácido, y las microformas perjudiciales se sentirán como en casa y generarán todavía más ácido.

Qué hacer cuando tienes bajo el azúcar en sangre

Seguir la milagrosa dieta del pH te librará de los niveles bajos de azúcar en sangre y de sus efectos negativos. Mientras tanto, tal vez tengas que tratar aún una cuestión. Sin duda, tu médico te habrá aconsejado ciertas cosas, pero no serán compatibles con la milagrosa dieta del pH. Comer una chocolatina o tomar un vaso de zumo de manzana –u otra cosa para que ascienda tu nivel de azúcar en sangre– puede funcionar a corto plazo –experimentarás un empujón de energía muy breve que sustituirá a la fatiga propia de un nivel de azúcar bajo–, pero el efecto a largo plazo consistirá en incrementar los ácidos procedentes de la fermentación de bacterias o levaduras, lo cual conlleva que se repita lo mismo una y otra vez. A continuación se muestran algunas buenas soluciones que no contribuirán a generar acidez:

- Tómate un vaso de leche de almendras fresca.
- Come una zanahoria o una remolacha.
- Prepárate un tazón de tomates con aguacate.
- Bebe un litro de bebida verde.

Qué hacer cuando tienes alto el azúcar en sangre

Si sigues la milagrosa dieta del pH, deberías eliminar los episodios agudos de hipoglucemia. Si tienes alguno de los graves síntomas que se han señalado, debes tratarlos de inmediato. Rehidrátate bebiendo grandes cantidades de bebida verde (1 litro por cada 15 kilos de peso corporal). Toma cromo, ya que ayuda a que se unan la insulina y la glucosa para que el azúcar penetre en la célula y se utilice como fuente de energía.

Síntomas e indicios

Además de los indicios de unos niveles de azúcar en sangre bajos o altos que se han descrito, hay otros posibles problemas que acompañan al diagnóstico de diabetes. Si la relación de efectos secundarios antes mencionados no constituye un estímulo suficiente para decidirte a mantener el azúcar en niveles saludables, ¿qué te parecen las complicaciones cardiovasculares graves, el daño en los nervios o los riñones, la ceguera u otros problemas de la vista y el alto riesgo de tenerte que amputar un miembro? Todos estos –y muchos más– se deben no sólo a unos niveles de azúcar en sangre poco saludables, sino también a un exceso de acidez en el organismo. Júntalos todos y lo que obtendrás es un envejecimiento prematuro, dado que, por decirlo sin rodeos, nuestro cuerpo se deteriora.

Corazón

Comencemos con el corazón. Tener diabetes duplica o cuadruplica la probabilidad de padecer problemas relacionados con el corazón, incluidos un infarto, aterosclerosis, angina de pecho, derrame cerebral, hipertensión, niveles elevados de triglicéridos y colesterol alto. El organismo se protege del exceso de ácido (procedente del exceso de azúcares) –que podría hacer agujeros en los vasos sanguíneos– uniéndolo a las grasas y los minerales. Pero estas grasas se acumulan en los vasos sanguíneos y en el corazón, causando aterosclerosis, angina de pecho, un infarto y derrame cerebral. Tu corazón tiene entonces que trabajar más para desplazar la sangre hacia dentro y hacia fuera del mismo, e impulsar el mismo volumen de sangre a través de unos vasos sanguíneos que se han estrechado, lo que conlleva una mayor presión sanguínea. (Casi el 60 % de las personas con presión sanguínea alta son diabéticas). Un corazón y unos vasos sanguíneos dañados y debilitados pueden hacer también que la presión sanguínea alcance su punto máximo cuando te levantas rápidamente cuando estás sentado, haciendo que te sientas aturdido o mareado. Lo mismo puede suceder cuando permaneces de pie durante un largo período de tiempo.

Tu cuerpo también aumenta el nivel de colesterol LDL para que se una a los ácidos, y el de triglicéridos para ayudar a protegerse del exceso de ácidos procedentes de la fermentación del exceso de azúcar. El denominado colesterol malo (LDL) salva literalmente tu vida del exceso de acidez a corto plazo, al coste de poner en peligro tu vida con problemas cardíacos a largo plazo.

Los ácidos son muy pegajosos y pueden hacer que las células se adhieran, por lo que causan problemas de circulación, como claudicación intermitente (dolor o insensibilidad en las extremidades inferiores mientras se camina) y falta de oxígeno, que produce manos y pies fríos, pensamiento confuso, olvidos y fallos de memoria, mareos, aturdimiento, e incluso demencia. El fallo cardíaco congestivo puede achacarse a los azúcares que se convierten en ácidos y que hacen que los músculos del corazón se deterioren.

Vista

La retinopatía diabética es el nombre que se da al daño sufrido por los vasos que suministran sangre a la retina. Puede causar ceguera. De hecho, la diabetes es la principal causa de los nuevos casos de ceguera. Muchos problemas de la vista aumentan en las personas con diabetes, incluidos el glaucoma (una presión en el ojo que limita el aporte de sangre al nervio óptico) y las cataratas (calcificaciones del ojo que causan pérdida de agudeza visual; el cuerpo utiliza calcio para neutralizar el exceso de ácido). Ambos problemas son 1,5 veces más comunes en las personas con diabetes. La diabetes también está asociada a un aumento en la tasa de edema macular (pérdida de agudeza visual) y de neovascularización (glaucoma hemorrágico), de nuevo debido al exceso de acidez.

Riñones

En un plazo de quince años, el 20 % de las personas con diabetes desarrollará alguna dolencia renal, que puede conducir a una enfermedad renal en fase terminal o a un fallo renal. Los riñones quedan agotados y dejan de funcionar después de todo ese tiempo tratando de eliminar los ácidos generados por el azúcar.

Nervios

Entre el 60 y el 70 % de las personas con diabetes tienen daños en el sistema nervioso, que pueden causar un gran número de síntomas, que incluyen hormigueo, quemazón, entumecimiento, pérdida de sensibilidad al calor y al frío y dolores punzantes o «cosquilleo», en especial en las manos y los pies, o bien problemas digestivos, sudoración excesiva, disfunción eréctil e interferencia con la presión sanguínea y el latido cardíaco. El pie caído es un ejemplo, un problema por el que el pie no puede levantarse correctamente debido al daño en los nervios de esa extremidad. La incontinencia (mal control de la vejiga) es otro. Aparece cuando los nervios de la vejiga están dañados, lo cual produce distensión de la vejiga y/o dificultad para vaciarla, lo que a su vez aumenta la incidencia de infecciones en el tracto urinario.

Amputación

Más de sesenta y siete mil piernas son amputadas cada año en países como Estados Unidos debido a problemas relacionados con la diabetes; más de la mitad podrían evitarse con una detección temprana y un estilo de vida y una dieta correctos. El problema es especialmente agudo entre los afroamericanos y los americanos nativos, quienes tienen una probabilidad hasta cuatro veces mayor de padecer diabetes que la población general. La mala circulación es una causa subyacente, y se manifiesta en primer lugar en forma de úlceras en los pies, que se infectan y después producen gangrena (tejido deteriorado y descompuesto que debe tratarse mediante extirpación quirúrgica).

Obesidad

En una situación de emergencia, en lugar de quemar grasas, al intentar por todos los medios conservarse, el organismo acumula toda la grasa y la utiliza para dejar a un lado –en un lugar seguro– todo el ácido que puede, lejos de los órganos imprescindibles para sobrevivir.

Problemas gastrointestinales

Las molestias gastrointestinales son comunes en las personas con diabetes, y pueden consistir en náuseas, vómitos, estreñimiento o diarrea. Todas ellas pueden ralentizar la acción de los músculos del estómago o del intestino, haciendo que el tracto digestivo no se vacíe de manera eficaz. La gastroparesis diabética tiene lugar cuando el contenido del estómago se vacía con excesiva lentitud en el intestino delgado, porque están dañados los nervios que controlan el ritmo del proceso. Para las personas que toman insulina antes de una comida, esto puede conllevar que su azúcar sanguíneo caiga antes de que la comida pueda ser absorbida.

Disfunción sexual

Más de la mitad de los hombres diabéticos de más de cincuenta años también padecen impotencia; los hombres con diabetes desarrollan impotencia entre diez y quince años antes, por término medio, que los hombres sanos. Más de la tercera parte de las mujeres con diabetes tienen alguna disfunción sexual de algún tipo, que puede consistir en una menor sensibilidad al contacto debido al daño en los nervios, sequedad vaginal o menor deseo sexual. La función y el deseo sexuales son productos del sistema nervioso autónomo, que puede quedar paralizado por el exceso de acidez.

Osteoporosis

El cuerpo extrae calcio de los huesos para neutralizar los ácidos y mantener el delicado equilibrio del pH. Se trata de un proceso normal, pero cuando esas reservas de calcio se utilizan en exceso, los huesos pierden densidad y se vuelven frágiles.

Desequilibrio hormonal

Las levaduras, que crecen con rapidez en un entorno ácido, hacen fermentar las hormonas; por ejemplo, reducen los niveles de DHEA. Además, generan un incontrolado desequilibrio entre todas las hormonas, lo que da como resultado síntomas como sofocos, distensión abdominal, retención de líquidos, irritabilidad y depresión.

Sudoración

Tal vez te des cuenta de que comienzas a sudar mientras comes –oficialmente se llama sudoración gustativa–, cuando tu cuerpo intenta librarse, a través de los poros de la piel, del ácido que estás ingiriendo.

Problemas articulares

Una molesta característica de la diabetes es lo que se conoce como articulación de Charcot. En su mayor parte suele afectar a las articulaciones que sostienen el peso corporal, como por ejemplo los tobillos. Los huesos se debilitan (dado que se extrae calcio para neutralizar el ácido), y, además, la sensibilidad se reduce (en especial en las extremidades) debido al daño nervioso, y por ello pueden aparecer fracturas y pasar desapercibidas a pesar de la hinchazón. Dado que esos nervios dañados detectan poco dolor, se sigue utilizando la articulación, la lesión empeora, los músculos pierden volumen y la articulación puede deformarse de manera permanente.

Quizá menos impresionante en principio, pero también muy común, es la rigidez de los dedos, que puede ser suficientemente severa como para dificultar las acciones de escribir, vestirse, ponerse una corbata o recoger pequeños objetos.

Enfermedad periodontal

Las enfermedades periodontales agresivas, las caries en el borde de las encías, la boca seca y las infecciones bucales son comunes en las personas con resistencia a la insulina y diabetes tipo 2.

Vigila tu boca

Puedes comprobar el nivel de ácido de tu boca con papel tornasol; debe encontrarse entre 6,8 y 7,2. Disminuir los azúcares y los hidratos de carbono siguiendo la milagrosa dieta del pH protegerá también tus dientes. Cepíllate los dientes después de cada comida con una pasta de dientes alcalina (cualquier dentífrico a base de bicarbonato sódico; *véase* la sección de recursos) o con un dentífrico elaborado con agua destilada y bicarbonato sódico. Asegúrate de utilizar un cepillo de nylon suave con puntas redondeadas en las cerdas, y de cepillarte también la lengua. Enjuágate la boca con una solución de silicato sódico, clorito sódico o agua con un pH alto (pH de 9,5), por la mañana al levantarte y al acostarte.

Infecciones por levaduras

Las infecciones vaginales por levaduras son sólo una manifestación evidente del excesivo crecimiento de las levaduras en el organismo, y las mujeres con diabetes las padecen con más frecuencia que las mujeres con unos niveles de azúcar sanguíneo normales.

Estoy seguro de que no querrías padecer nada de lo enumerado en esta lista si pudieras elegir. Durante años, estos problemas se han tratado como si fueran inevitables cuando existe un diagnóstico de diabetes. Por ello, no puedo dejar de decirlo bien alto y todas las veces que haga falta: mantener de forma constante un buen control sobre el azúcar en sangre puede prevenir estas complicaciones. La insulina y los fármacos orales tienen efectos secundarios, y sus beneficios pueden ser desiguales, en especial con las dietas azucaradas a las que suelen acompañar. La milagrosa dieta del pH controla el azúcar en sangre de una vez y por todas, de modo natural y sin efectos secundarios. O más bien con sólo efectos secundarios *positivos*. Con ella podrás tachar todos y cada uno de los problemas enumerados en este capítulo de la lista de cosas de las que debes preocuparte.

Capítulo 4

El ciclo de desequilibrio y equilibrio

La enfermedad nace de nosotros y dentro de nosotros.

Antoine Bechamp

Creo que la ley de los opuestos es uno de los fundamentos del universo, y que en muchos sentidos nuestra misión consiste en encontrar el equilibrio entre dos extremos. Este libro trata uno de los temas más importantes: el desequilibrio que revelan la dolencia y la enfermedad, y el equilibrio representado por la salud y la buena condición física.

Como sucede con todo en la naturaleza, el organismo intenta mantener un equilibrio de influencias en su propio paisaje o territorio interno. El más importante de los numerosos factores implicados en todo esto es el equilibrio bioquímico entre la acidez y la alcalinidad en los fluidos de la sangre y los tejidos. No necesitas conocer todos los detalles bioquímicos de esto; lo importante es saber que la acidez y la alcalinidad (o lo ácido y lo básico) son extremos opuestos, igual que el calor y el frío. Cuando se encuentran en determinadas concentraciones, se anulan el uno al otro. En tu organismo, se necesitan veinte partes de sustancia alcalina para neutralizar una parte de ácido. La relación ácido-alcalino se mide mediante el pH (iniciales de «poder del hidrógeno»).

Tu organismo tiene el pH equilibrado cuando se encuentra en 7,365, y hará cualquier cosa, incluso a expensas de los huesos y otros tejidos, para mantener la sangre en ese nivel. El nivel de pH aceptable de la orina y la saliva puede ser un poco más amplio y situarse entre

6,8 y 7,2. Esa es mi opinión; la ciencia médica convencional considera correcto un pH que se encuentre entre 5,5 y 6,5. Pero estos niveles, aunque pueden ser «normales» -en cuanto que hay más personas que se encuentran entre ellos que fuera de ellos–, en realidad son demasiado ácidos, un indicio de una cantidad excesiva de azúcares o de otros hidratos de carbono en la dieta. Cuando el pH de la orina y/o la saliva descienden por debajo de 6,0, es más que probable que el páncreas y las glándulas adrenales productoras de hormonas se estresen y que el organismo se encuentre en un estado prediabético. (*Véase* el capítulo 2 para más información sobre el diagnóstico de la diabetes al modo tradicional, mediante los niveles de azúcar en sangre).

El ciclo de desequilibrio

Imagina que no sacas la basura de casa en todo un año. Además del evidente y nauseabundo desastre en sí mismo, también tendrás todo tipo de bichos viviendo contigo. Un año viviendo y comiendo de manera peligrosa ensucia tu ambiente interno de la misma forma, y supone una cálida bienvenida para organismos microscópicos que te darán los mismos escalofríos que la idea de tener ratas o cucarachas en tu casa.

Habrás entrado en lo que yo llamo el ciclo de desequilibrio. Es el camino hacia todas las dolencias y enfermedades, incluidas la hipoglucemia, la hiperglucemia y las diabetes tipo 1 y tipo 2, y tiene cuatro fases:

Fase 1: una alteración física, o incluso emocional, en el entorno. En el caso de la diabetes, esto podría significar una megadosis de azúcar, o una dieta habitualmente alta en azúcares. Podría también significar pensamientos, palabras o actos negativos; emociones destructivas (como veremos en el capítulo 6); o un medio externo contaminado (por ejemplo, por el monóxido de carbono de los vehículos y los camiones, o por la radiación electromagnética).

Fase 2: desorganización de las células y de sus microzimas. Cuando se desorganiza la célula, se generan más ácidos, lo cual compromete aún más el medio interno.

Fase 3: a medida que las células se adaptan a un medio cada vez más ácido, comienzan a cambiar de forma y función, y se convierten en bacterias, después en levaduras, más tarde en hongos, y, por último, en microzimas.

Fase 4: estas nuevas formas biológicas fermentan la glucosa del organismo (lo cual genera hipoglucemia, y así sucesivamente), después sus grasas y, por último, su proteína, con lo que generan más ácidos debilitantes, lo cual supone un nuevo comienzo del círculo vicioso.

Los síntomas que tenemos –y que se agrupan y etiquetan como enfermedad– no son nada más que el intento del organismo por mantener su delicado equilibrio del pH y por escapar del ciclo de desequilibrio. En los primeros estados de desequilibrio, los síntomas pueden ser poco importantes, al menos al principio: dolores de cabeza, erupciones cutáneas, alergias, problemas nasales, inflamación e irritación, etcétera. Estos primeros síntomas suelen tratarse con fármacos, aunque en realidad todo ello enmascara el problema, en lugar de acabar con él. De hecho, una marcada manipulación de los síntomas contribuye a *intensificar* esos mismos síntomas más adelante.

A medida que las cosas van empeorando, los órganos y sistemas debilitados (el páncreas, por ejemplo) empiezan a fallar de modo notable. Por suerte sabemos cómo esquivar el ciclo por completo y conseguir que quede bajo nuestro control. La diabetes no se «tiene», sino que se «genera». Si haces las cosas que te sitúan y te mantienen en el ciclo del desequilibrio, amenazando el equilibrio del pH de tu organismo y obligándolo a dar vueltas en torno a todos los caminos para intentar mantenerlo, estarás «generando» la diabetes. Hay una serie de cosas que pueden hacer que formes parte de ese ciclo, y las principales son unas malas elecciones alimenticias y una mala digestión. Aprenderás más sobre estas cuestiones en los capítulos siguientes.

El ciclo de equilibrio

Por otro lado, puedes elegir el ciclo del equilibrio, mantener tu cuerpo con el pH equilibrado y unos niveles estables de azúcar en sangre. Te ayudará a reivindicar tu territorio interno y dejarás de envenenarte con ácidos debilitantes. Ese es el camino hacia la salud, la energía y la vitalidad.

El ciclo del equilibrio tiene tres fases, que son limpieza, control y construcción:

Fase 1: limpia tu organismo desde dentro hacia fuera, eliminando los desechos ácidos que proceden del desequilibrio, con unas cantidades adecuadas de agua, alimentos verdes y bebidas verdes, tal como describimos en el capítulo 7.

Fase 2: controla tus malos hábitos en cuanto a alimentación, pensamiento y estilo de vida, ya que ello acabará con el patrón de alteraciones de tu organismo.

Fase 3: construye células nuevas y sanas aportando a tu cuerpo unos cimientos fuertes, como, por ejemplo, agua, oxígeno, alimentos nutritivos, vitaminas, minerales, hierbas, sales celulares y un estilo de vida totalmente enfocado a mantener tu cuerpo en un estado alcalino. (Tendrás más datos sobre estos temas en los capítulos siguientes).

A medida que pases por estas fases, todos los sistemas de tu organismo comenzarán a trabajar juntos para conseguir armonía y equilibrio, y notarás la aparición de los indicios de una verdadera buena salud: energía, claridad mental, ojos claros y brillantes, y un cuerpo delgado y esbelto.

El agotamiento de las células beta

Aún no hemos terminado con los círculos viciosos. Como ya he mencionado, todos los síntomas de la diabetes, incluidos la obesidad, los problemas cutáneos y en los pies, las enfermedades de las encías, las enfermedades renales, la neuropatía, el daño a los nervios, la enfermedad cardiovascular, la hiper o hipoinsulinemia y la hiper o hipoglucemia, pueden detectarse en las ocho fases del agotamiento de las células beta, unos factores que se refuerzan los unos a los otros y que magnifican el resultado final:

1. Una dieta alta en azúcar genera
2. hiperglucemia (azúcar en sangre elevado), que causa
3. la liberación de insulina por parte del páncreas y, si los dos puntos anteriores persisten, una eventual hiperinsulinemia, que genera
4. insuficiencia pancreática, que incluye la degeneración de las células beta y una hipoinsulinemia, así como una menor cantidad de enzimas pancreáticas y una mayor acidez en el intestino delgado, lo que crea
5. una acidificación del organismo, que hace que
6. las células sanguíneas comiencen a degenerar en forma de bacterias y levaduras, las cuales tienen un apetito voraz por el azúcar, y fermentan rápidamente esos azúcares en forma de desechos ácidos, con lo que el pH del organismo se desequilibra cada vez más, lo cual refuerza todo este ciclo y pone las bases para
7. la resistencia a la insulina y un medio más negativo; y un azúcar sanguíneo, una liberación de insulina y una acidez más elevados aún, lo que en último término genera
8. síntomas de la diabetes.

El agotamiento de las células alfa

Cuando se acumulan el ácido y las levaduras, fermenta el azúcar sanguíneo y la hipoglucemia aparece con la desenfrenada liberación de insulina, las células alfa y las células beta se desgastan y se tornan ineficaces. Mi propia investigación siempre muestra trasformaciones biológicas de células orgánicas en bacterias y levaduras en la sangre de personas con hipoglucemia. En otro nuevo círculo vicioso, surge una serie de síntomas diabéticos secundarios, incluidos infecciones por levaduras, dolor muscular, desgaste muscular, infrapeso, fatiga y cansancio, depresión, mareos, pensamiento confuso y problemas cardiovasculares. Hay seis fases:

1. Desciende el azúcar sanguíneo.
2. Las células alfa entran en acción, convirtiendo y liberando azúcar en la sangre.
3. Aumenta el azúcar sanguíneo y los niveles de ácido (procedentes de la fermentación del azúcar).

4. Aparece la hipoglucemia y el azúcar se acumula en los tejidos.
5. Los tejidos se tornan ácidos.
6. Aparecen los síntomas de la diabetes.

La única manera de romper estos círculos viciosos consiste en abandonar todo el ciclo de desequilibrio y vivir de acuerdo con los principios descritos en los capítulos siguientes, a fin de mantener el ciclo del equilibrio.

El páncreas

La primera línea de defensa en lo relativo al mantenimiento del medio alcalino vital para tu organismo es tu páncreas. El páncreas es una glándula grande, de aproximadamente el tamaño de un puño y con un peso de unos 240 gramos, localizada en la parte posterior de la cavidad abdominal, por detrás y por debajo del estómago. Por el páncreas hay dispersos grupos aislados de células conocidos como islotes de Langerhans, que son capaces de medir los niveles de azúcar en sangre cada diez segundos, con una precisión de un 2 %. Los islotes proporcionan al páncreas su función más conocida en la diabetes, la de regular el nivel de azúcar en sangre: son el hogar de las células beta y alfa, responsables de producir insulina y glucagón, respectivamente. La insulina ayuda a trasportar el azúcar de la sangre hacia el interior de nuestros setenta y cinco billones de células, para proporcionar energía. El glucagón ordena al hígado y a los músculos cuándo deben volver a convertir el glucógeno almacenado en glucosa (un proceso llamado glucogenólisis), para que aumente el azúcar en sangre.

Pero el páncreas tiene también otra función igualmente importante en la diabetes (o en su ausencia). Dado que el estómago es, por su estructura, un medio ácido, los alimentos digeridos en parte suelen ser ácidos cuando salen de él, incluso con la más saludable de las dietas. El páncreas segrega enzimas digestivas en el intestino delgado para equilibrar la acidez y mantener un ambiente alcalino en este intestino. En la labor de digestión de las proteínas en particular, el páncreas es esencial para garantizar que el organismo tenga acceso a todos los aminoácidos (los bloques constituyentes de la proteína) que necesita para sintetizar insulina en la cantidad –y la calidad– necesaria. Esos aminoácidos son también precisos para sintetizar más enzimas digestivas.

Cuando nuestra dieta está continuamente repleta de alimentos productores de ácido (hablaremos más sobre ello en el capítulo 7), impone sobre el páncreas un estrés constante al luchar por mantener el pH equilibrado en el intestino delgado. La secreción de las enzimas alcalinizantes suele quedar inhibida en un organismo en exceso ácido. Cuando el páncreas por sí mismo se vuelve más ácido, es cada vez menos capaz de reducir la acidez y de producir insulina. En una dieta que no sea muy alcalina, cualquier alimento y cualquier bebida simplemente generan más acidez, y sin un páncreas que produzca secreciones alcalinas, el organismo (es decir, tú) estará condenado a la degeneración celular y a la muerte.

La historia de Ken

He sido diabético tipo 1 durante más de treinta años, desde que tenía cinco años. En general, he tenido una buena salud durante la mayor parte de ese tiempo gracias a la práctica de las artes marciales. Pero dejé de entrenar hace cuatro años, cuando nació mi segundo hijo. Mi salud se ha estado deteriorando desde entonces.

Sufrí una depresión. Gané peso. Siempre me encontraba agotado. Engullía cuatro tazas de café de medio litro, y a veces tomaba comprimidos de cafeína para aguantar el día. Y mientras tanto, tomaba un antidepresivo que se supone que mejoraba mi estado de ánimo.

En medio de todo esto, mi A1c (una medida del azúcar en sangre; véase capítulo 6) era de 8,3 (rango diabético). Marcaba 96 kilos en la báscula. Por último, mi médico dijo que tenía que controlar la diabetes. Si seguía como estaba, me iba a encontrar con una horrible y prematura muerte. Me dijo que perdiera un poco de peso y que hiciera más ejercicio. Me sentía tan mal que sabía que tenía razón. Tenía que hacer algo.

Por ello, el fin de semana de Acción de Gracias empecé a tomar la bebida verde con gotas de pH y a pasarme a una dieta alcalina. En tres días había dejado el café sin efectos secundarios. En tres meses perdí más de 13 kilos; he bajado a 83 kilos. Necesito un 50 % menos de insu-

lina cada día, y a veces me la salto por completo mientras sigo manteniendo bajo el nivel de azúcar. He reducido también mi dosis nocturna.

En una revisión, mi médico me dijo que todo estaba bien y que siguiera haciendo lo que estaba haciendo. Mi A1c era de 7,0, propio de una persona no diabética. Mi azúcar en sangre, que antes continuamente marcaba un promedio superior a 200 –cuando lo medía seis veces al día–, se encontraba en torno a 125, un promedio normal, no diabético. Vuelvo a tener energía y a hacer ejercicio.

Seguir este programa no es fácil. La gente me pregunta cómo puedo hacerlo de forma constante. Pero, ¿cómo no podría? Me ha dado lo que he deseado durante décadas: esperanza de una cura para la diabetes. Estoy ilusionado por tenerla bajo control. Por primera vez en mi vida, este programa me augura un brillante futuro.

Cómo produce energía nuestro organismo

Los alimentos son una compleja mezcla de hidratos de carbono, grasas, proteínas, minerales y otras moléculas que tu organismo debe convertir en energía para seguir funcionando. Tu sistema digestivo, incluido el páncreas, controla el primer paso en el camino que va desde la comida hasta la energía. Digerir los alimentos consiste simplemente en un proceso de descomposición de una serie de diversas moléculas complejas para convertirlas en un pequeño número de otras más simples. Las proteínas se descomponen en aminoácidos. Las grasas se separan en ácidos grasos y glicerol. Y los hidratos de carbono complejos y los azúcares, como por ejemplo los presentes en las frutas y los cereales, se convierten en azúcares simples como la glucosa (el azúcar con la estructura más simple).

Las células del organismo convierten el azúcar en la energía que necesitan para funcionar. Tu sistema metabólico rompe después estas moléculas simples para liberar la energía almacenada en ellas y capturarla en forma de moléculas de ATP (trifosfato de adenosina). El azúcar se oxida –se procesa con la adición de oxígeno– produciendo agua, dióxido de carbono y ATP. El organismo necesita oxígeno para completar la trasformación de manera beneficiosa, del mismo modo que el fuego necesita oxígeno. Sin oxígeno, el metabolismo se convierte en un proceso de fermentación, y el resultado final es ácido láctico y ácido carbónico, en lugar de energía en forma de ATP. (Éste es un punto importante que hay que recordar cuando lleguemos al capítulo 9, que trata sobre el ejercicio, porque el exceso de ejercicio genera un estado de privación de oxígeno en el organismo. Comer mucho azúcar conlleva el mismo resultado). El exceso de ácido, por supuesto, compromete el delicado equilibrio del pH de tus fluidos corporales.

Aunque el azúcar suele quemarse tal como se ingiere, la grasa principalmente se almacena. Una parte lo hace a corto plazo, pero la mayoría no se utiliza de inmediato y se almacena en forma de reservas destinadas a durar mucho tiempo. Se tarda poco tiempo en convertir la grasa de los alimentos en grasa corporal. Existen muchos depósitos de almacenamiento por todo el cuerpo, y hay tejido graso en todos los órganos (de forma que, si es preciso, pueda llegar adonde se necesita). ¡Nada de esto será una sorpresa para cualquiera que haya observado últimamente los cuerpos de los estadounidenses!

La grasa almacenada puede quemarse para proporcionar al organismo la energía que necesita, y la grasa corporal en realidad se está formando y descomponiendo constantemente. Pero siempre que haya azúcar disponible, el organismo lo utilizará como fuente de energía. Si dejaras de comer –y, por tanto, de suministrar azúcar–, el organismo comenzaría a vivir utilizando la grasa almacenada. Este tipo de metabolismo quemador de grasa te proporcionará más o menos el doble de energía que el metabolismo del azúcar a base de hidratos de carbono. Quemar grasa para obtener energía requiere menos energía. Además, quemar grasa es una fuente de energía mucho más limpia que los hidratos/azúcares, y genera menos contaminación ácida, y menos estrés en las células beta y alfa del páncreas. Parte de los productos de degradación de la grasa dietética pueden utilizarse para generar energía en forma de ATP, pero saltándose la fase productora de ácido propia de los procesos a base de azúcar. Aun así, tu cuerpo no utilizará esta ruta si hay azúcar disponible que haga posible tomar un camino distinto.

Capítulo 5

Tienes un exceso de ácido, no un exceso de peso

Entendamos en primer lugar los hechos, y después podremos buscar la causa.

Aristóteles

Los estadounidenses, por ejemplo, nunca han tenido tanto sobrepeso. Estadísticas recientes revelan que un alarmante 64 % de los adultos –120 millones de personas– pesan demasiado. Se trata de la mayor tasa jamás registrada y un aumento de más del 60 % sólo desde el año 1991. El 31 % de las personas de más de veinte años son obesas (15 o más kilos por encima del peso corporal saludable, calculado en relación con la altura, o más del 20 % por encima del peso corporal ideal); el grupo restante, más de uno de cada tres estadounidenses, «sólo» tienen sobrepeso (entre 5 y 15 kilos por encima del peso corporal saludable). El 5 % de los adultos son extremadamente obesos, con más de 25 kilos por encima del peso corporal saludable, desde un 3 % que había hace sólo una década. Y los investigadores de uno de los mayores estudios que hacen un seguimiento de estas estadísticas creen firmemente que sus cifras en realidad *sub*estiman el problema.

Nos encontramos con una epidemia de obesidad.

Hay más mujeres obesas que varones (el 33 frente al 28 %). Y las mujeres negras como grupo cuentan con las estadísticas más dramáticas en este ámbito: el 50 % de las mujeres de color son obesas (el 15 % extremadamente obesas), en comparación con el 40 % de mujeres estadounidenses de procedencia mexicana y el 30 % de mujeres blancas. (No hay prácticamente diferencia en las tasas de obesidad de los varones, basándonos en la raza). La tasa está creciendo por encima de la media en el grupo de personas que tienen entre treinta y cuarenta años de edad (más del 70 % en el trascurso de la década de los 1990), y en personas con al menos alguna formación universitaria.

Peor aún es que estas cifras tal vez aumentarán más: el 13 o el 14 % de los niños y adolescentes estadounidenses ya tienen sobrepeso –nueve millones de niños–, y otros siete millones se consideran «en riesgo» de entrar en ese grupo. La tasa de niños con sobrepeso ha crecido rápidamente en los últimos años –en realidad se ha triplicado en las dos últimas décadas–, y quizás siga aumentando. La tasa de obesidad en los adolescentes ha aumentado con más rapidez que en los adultos de edad media. Los niños con sobrepeso tienen una probabilidad mayor de sufrirlo cuando sean adultos, y el incremento es el mismo en lo referente a los riesgos para la salud.

La obesidad está alcanzando rápidamente al tabaco como la mayor amenaza para la salud de este país, según el cálculo reciente del CDC sobre las causas reales de muerte en Estados Unidos.

Todo esto conlleva graves consecuencias para los índices de enfermedad cardiovascular y de diabetes en el país –ya tan abrumadoras–, además de una serie de devastadoras consecuencias en las que el peso influye de manera directa. Los riesgos médicos aumentan con el peso, incluido el riesgo de padecer diabetes y todos los problemas asociados con ella. Los niños con sobrepeso tienen un riesgo mayor de sufrir un gran número de problemas de salud, entre ellos la diabetes tipo 2, que era casi desconocida en niños hasta hace más o menos treinta años. Más de la mitad de las muertes entre las mujeres estadounidenses pueden atribuirse a la obesidad. El exceso de peso es responsable de más de 325.000 muertes prematuras cada año en este país, sólo por detrás de aquellas relacionadas con el tabaco (430.000 muertes cada año). Pero las muertes causadas por el tabaco al menos están disminuyendo. Sin embargo, la tasa de obesidad se ha triplicado, y este problema se está convirtiendo rápidamente en la principal causa de muerte en Estados Unidos. Y los estadounidenses son cada vez más gordos, en apariencia ignorando más de cuarenta años de consejos médicos sobre perder peso comiendo menos y haciendo más ejercicio.

La grasa puede salvarte la vida

Puede parecer que nuestra grasa nos está matando. Y está lejos de mi voluntad dejar de criticar el hecho de llevar un exceso de equipaje en nuestros cuerpos. Pero la verdad es que toda esa grasa probablemente esté *salvándote* la vida. Eso se debe a que el organismo utiliza la grasa para unirse al exceso de ácidos y neutralizarlos, protegiendo así todos los tejidos y órganos vitales del daño causado por el ácido. El ácido, unido a la grasa, puede después eliminarse o -ahora viene la explicación- almacenarse. Almacenar ácido en la grasa lo mantiene alejado de los órganos vitales, pero esos depósitos de grasa causan sus propios problemas de salud a largo plazo. Aun así, esto ayuda a explicar por qué las personas delgadas no necesariamente están más sanas que las gordas: la grasa proporciona un lugar donde poner los ácidos, que en las personas delgadas pueden quedar libres para descomponer los tejidos corporales y producir una serie de síntomas. La próxima vez que tengas envidia de esas personas que todos conocemos, que pueden comer de todo sin ganar un solo kilo, tal vez quieras pensártelo dos veces: en realidad están afrontando un grave problema porque el sistema de defensa de la grasa no funciona de manera adecuada.

De este modo, el sobrepeso y el infrapeso (que es común en la diabetes tipo 1) son dos caras de la misma moneda. Pero, en general, cuanto más ácidos sean tu estilo de vida y tu dieta, más gordo estarás. Al tener que enfrentarse a todos los azúcares y los ácidos que le inundan cada día, el organismo sólo tiene una opción para protegerse: la grasa. La correspondiente buena noticia es que, cuanto menos ácidos sean tu estilo de vida y tu dieta, más delgado estarás tú, puesto que tu cuerpo no necesitará toda esa grasa almacenada para librarte de la acidez. Para ir a la raíz del asunto, tus problemas no provienen de tener sobrepeso, sino de tener un cuerpo demasiado ácido.

Hay una larga lista de diversas funciones beneficiosas de la grasa en el organismo. En primer y principal lugar, la grasa es la mejor fuente para obtener energía limpia. (Los capítulos siguientes enseñarán a comer correctamente para conseguir que tu organismo queme grasa para obtener energía, en lugar de azúcar). La grasa almacenada bajo la piel aísla nuestros cuerpos y ayuda a mantenernos calientes.

La grasa que hay alrededor de las articulaciones y los nervios –y entre las fibras musculares– protege de las lesiones. La grasa ayuda a mantener algunos órganos, como los riñones, en su posición correcta dentro del cuerpo. Además, es la base de la producción de todas las hormonas.

Todo esto sirve para mostrar que la grasa es tu amiga. Pero tiene que ser el tipo correcto de grasa. Y lo mismo que sucede con todo lo demás, conviene evitar una cantidad excesiva de las cosas buenas.

El colesterol puede salvarte la vida

Tenemos casi tanto miedo a un nivel elevado de colesterol como a la grasa. Pero el colesterol es otra sustancia que se une a los ácidos dentro del organismo. El modo de autoconservación que adopta el cuerpo al afrontar el exceso de acidez conlleva generar, a partir de la grasa, el colesterol LDL (lipoproteínas de baja densidad), o «colesterol malo», para librarse del ácido. El exceso de LDL se acumula en tus arterias e interviene en las enfermedades cardiovasculares. La conclusión te parecerá familiar: elimina tu estilo de vida y dieta ácidos, y ayudarás a reducir el colesterol.

(El colesterol en realidad sirve para numerosas funciones importantes en el organismo, y el presente en la piel, por ejemplo, puede convertirse en vitamina D cuando se expone a la luz solar. Las sales biliares se obtienen del colesterol. El colesterol está implicado en la producción de hormonas sexuales y hormonas esteroides por parte de la glándula adrenal, especialmente en momentos de grave estrés. Resumiendo: los científicos han llegado a la conclusión de que el colesterol es necesario para la salud óptima de la persona en general, y eso ha sucedido antes de que se haya reconocido como una forma de defenderse contra el ácido).

Los riesgos de la obesidad

Esta sección podría llamarse «los riesgos de la acidez». En mi opinión, es prácticamente lo mismo. No debes echar a tu grasa la culpa de tus problemas de salud; sin ella serían mucho peores. Perder peso puede reducir algunos de tus riesgos, pero hasta que soluciones el problema subyacente –hasta que te libres del ácido–, no encontrarás el modo de tener una buena salud real y duradera. Algunos de los principales riesgos por lo general asociados a la obesidad, que también están inextricablemente asociados a la acidez, son la hiperglucemia, la hipoglucemia, las enfermedades cardiovasculares, la artritis, los problemas hepáticos, las enfermedades renales, los problemas cutáneos y, por supuesto, la diabetes.

 La historia de Pat

Tengo diabetes tipo 2, que controlo sólo mediante la dieta, gracias a las bebidas verdes con gotas de pH y a la ingesta de alimentos alcalinos. Mis médicos me recomendaron medicamentos orales, pero de esta manera mantengo por mí misma mis niveles de azúcar en sangre bajo control, y también he reducido mi presión sanguínea. Y he perdido 14 kilos; por no hablar de la energía y sensación de bienestar que obtengo con las bebidas verdes.

Ya hemos examinado cómo la hipoglucemia y la hiperglucemia están relacionadas con la acidez. No son las únicas, por supuesto. La artritis, por ejemplo, surge del uso que el organismo hace del calcio para unirlo a los ácidos. Las microcalcificaciones resultantes se acumulan en las articulaciones, volviéndolas rígidas y haciendo que moverlas resulte doloroso. El hígado es un importante filtro de las toxinas del organismo, incluidos los ácidos, y puede manejar sólo cierta cantidad antes de colapsarse. Cuando el hígado no puede controlar los ácidos, los riñones son la siguiente línea de defensa, y también ellos pueden sobrecargarse y dejar de funcionar adecuadamente. Cuando el hígado y los riñones no pueden mantener el ritmo necesario de excreción del ácido de nuestro organismo, el ácido sale directamente a través de nuestro «tercer riñón» –la piel–, lo cual genera acné, manchas, rash cutáneo, eczema, psoriasis y muchos problemas más.

Cetonas y cetoacidosis

En las personas con diabetes tipo 1, una complicación grave que preocupa es la cetoacidosis, o glucosa sanguínea muy alta y con grandes cantidades de cetonas en la sangre. Las cetonas son ácidos producidos por el metabolismo de la grasa (cetosis), cuando el organismo no tiene suficiente insulina y ya presenta un exceso de ácido. Pero cuando comemos correctamente, la cetosis es en realidad algo bueno.

Sin insulina, o sin suficiente cromo para que ésta se una al azúcar, éste no puede entrar en las células. De este modo, el organismo no puede alimentarse a base de azúcar y necesita una fuente de energía alternativa, así que empieza a quemar grasa y entra en estado de cetosis. Esa es la buena noticia, dado que el metabolismo de la grasa es la forma más saludable de generar energía y produce el doble de energía que el metabolismo del azúcar o de la proteína, con la mitad de productos de desecho. Si comes para mantener equilibrado el pH del organismo, la pequeña cantidad de desechos producida será rápida y fácilmente eliminada de tu organismo. Sin embargo, si tu cuerpo se encuentra en estado de acidez, las cetonas resultantes no se eliminan (mediante el colesterol, el calcio u otros amortiguadores) y pueden acumularse en la sangre, con lo que ponen en peligro el delicado equilibrio del pH y hacen que entre en estado de cetoacidosis. Y eso *no* es bueno. El organismo entra en modo de conservación y utiliza fluidos para diluir y neutralizar el ácido, lo cual origina náuseas, vómitos, deshidratación, respiración acelerada y dolor muscular. Si no tratas adecuadamente la cetoacidosis, puede causar coma diabético y producir la muerte.

En estado de cetoacidosis, los azúcares de la sangre suelen estar por encima de 300 mg/dl, o 16,6 mmol/litro, y el 2 % –o más– de la orina será azúcar. En una farmacia puedes comprar productos para comprobar las cetonas presentes en la orina, sin necesidad de receta médica. Hay también instrumentos de precisión, como el llamado Precision XTra, que comprueban las cetonas en sangre. Revisa tu nivel de cetonas por la mañana o por la noche, antes de acostarte, siguiendo las instrucciones que adjunte el producto que elijas, y asegúrate de que el momento sea el más idóneo. Si no hay un cambio de color en la tira que mide las cetonas, es que no estás quemando cetonas/grasa, sino que sigues quemando azúcar para obtener energía. Tendrás que incluir más grasas buenas para ayudar a tu cuerpo a dejar de recurrir al azúcar. Si la tira comienza a cambiar de color y se aproxima al beis o al marrón, entonces estarás quemando grasa en lugar de azúcar.

Si las pruebas indican que hay cetonas en tu orina, y tu azúcar en sangre se encuentra por encima de 300 mg/dl, o ha subido en las últimas doce horas, y/o tienes náuseas o vómitos, llama a tu médico, empieza a superhidratar el cuerpo con líquidos alcalinizantes (*véase* capítulo 7) y vuelve a medir tus niveles de azúcar y de cetonas media hora más tarde.

A largo plazo, puedes ayudar a prevenir la cetoacidosis comiendo correctamente, por supuesto, y también tomando cromo y vanadio para facilitar que la insulina se una a la glucosa, y ayudando al páncreas y a las glándulas adrenales con suplementos nutricionales (*véase* capítulo 8).

 *La historia de Erica*

Había estado ganando peso de forma continua e inexplicable durante años, hasta que por fin me diagnosticaron resistencia a la insulina. Empecé a tomar una bebida verde con gotas de pH y sentí una notable mejoría en mi nivel de energía; incluso perdí unos cuantos kilos. También me di cuenta de que no padecía el habitual síndrome premenstrual y alergia al polen. Al ser consciente de que podía mejorar más, empecé a añadir grandes cantidades de hortalizas crudas y frescas a mi dieta. Antes de que pudiera darme cuenta, mi peso estaba reduciéndose y mi azúcar en sangre había bajado 15 puntos. Ya estaba motivada de verdad y decidí implicarme más, por lo que hice una fiesta líquida de cuatro días. Después de ella me sentí mucho mejor (me di cuenta de que ya no necesitaba antiinflamatorios después de estar sentada todo el día en mi escritorio) y perdí más peso aún. Con siete semanas de programa he perdido 5 kilos y, lo que es más importante, mi azúcar en sangre está en 80. Y, además, he podido dejar (con la supervisión de mi médico) de tomar los antidepresivos que había tomado durante los últimos cinco años. Oficialmente ya no tengo resistencia a la insulina y me siento entusiasmada.

Grasa y diabetes

Aunque aún deba demostrarse una relación causal, lo que resulta evidente es que la obesidad y la diabetes van de la mano. Un estudio de grandes dimensiones, publicado en la revista *Journal of the American Medical Association*, que hizo un seguimiento de la creciente tasa de obesidad en Estados Unidos –y que detectó un aumento del 5 % sólo entre los años 2000 y 2001–, también descubrió un aumento de más del 8 % en el índice de diabetes en el mismo período de tiempo. (Otros problemas de salud relacionados con el sobrepeso –entre ellos las enfermedades cardiovasculares, el derrame cerebral y el cáncer, por nombrar sólo unos pocos– también han aumentado, lo cual no es de extrañar. El exceso de peso causa al menos 300.000 muertes cada año, por no hablar de los más de 117.000 millones de dólares gastados en asistencia sanitaria).

Podemos ver de manera clara la relación que existe entre el sobrepeso y la diabetes también en los niños. A medida que la obesidad infantil se ha hecho cada vez más frecuente, los médicos han detectado una mayor incidencia de diabetes tipo 2, cuya edad media de aparición era de *sesenta* años no hace mucho tiempo. Más de 300.000 niños estadounidenses tienen ahora diabetes tipo 2, con su correspondiente riesgo de complicaciones graves, incluidos la ceguera, el fallo renal y el derrame cerebral. La cuarta parte de los niños obesos de menos de diez años y la quinta parte de los adolescentes obesos tienen intolerancia a la glucosa, el primer paso en el camino hacia la diabetes. Es evidente que a la dolencia se la llama diabetes tipo 2 porque el término *diabetes del adulto* ya no tiene sentido.

En el año 2001, la revista *New England Journal of Medicine* publicó un estudio que hizo un seguimiento de más de 84.000 mujeres de más de dieciséis años, llevando el control de su peso, dieta, ejercicio y consumo de tabaco y alcohol. En el trascurso del estudio, 3.300 mujeres desarrollaron diabetes tipo 2, y el sobrepeso fue el factor predictivo más importante entre las mujeres, seguido por la falta de ejercicio, una mala dieta y el consumo de tabaco. Los resultados completos del estudio indicaron que más del 90 % de los casos de diabetes tipo 2 podrían prevenirse si todo el mundo adoptase un estilo de vida saludable que incluyera una buena dieta (*véase* capítulo 7), práctica regular de ejercicio (*véase* capítulo 9), el mantenimiento de un peso adecuado y la ausencia de consumo de tabaco.

El 80 % de los diabéticos están demasiado gordos. Todos tienen un estado de acidez excesiva. Irónicamente, lo que suelen necesitar es *más* grasa, pero del tipo correcto y en los lugares adecuados. Cómo asegurarse de ello es la lección del capítulo 7: añadir grasas buenas a la dieta, eliminar el exceso de azúcares y enseñar al organismo a que queme grasa en lugar de azúcar. Renovar tu metabolismo de este modo permitirá al cuerpo curar el páncreas, lo que llegará a revertir e incluso curar la diabetes. Ahora la elección está en tu mano: ¿la grasa te matará o te salvará la vida?

regular de ejercicio (véase capítulo 9), el mantenimiento de un peso adecuado y la ausencia de consumo de alcohol.

El 80 % de los diabéticos [illegible]

[illegible]

Capítulo 6

La milagrosa dieta del pH para las diabetes tipo 1 y tipo 2

El hombre no puede aprender nada, a no ser que proceda desde lo conocido hacia lo desconocido.

Claude Bernard

Revertir la hiperglucemia, la hipoglucemia y las diabetes tipo 1 y tipo 2 es tan sencillo como mantener equilibrado el pH de tu organismo. Si reduces de manera significativa el ácido que tu organismo recibe y sintetiza procedente de tu alimentación y tu estilo de vida, proporcionarás el medio alcalino adecuado que tu cuerpo necesita para una verdadera salud.

Deja que este capítulo sea tu invitación oficial para cambiar tu organismo –y tu vida– para siempre con el plan de la milagrosa dieta del pH. Esto *no* es un tratamiento, sino una forma de vida, de comer, e incluso de pensar. Si quieres librarte de verdad de la diabetes, tendrás que cambiar. El cambio en muchas ocasiones será drástico. Sólo tú puedes decir si merece la pena. Pero te desafío: pon un precio a la vida, a una vida repleta de verdadera energía y buena forma física, así como de alegría, armonía y amor. Puedes tener todo el dinero del mundo, pero sin salud es como si no tuvieras *nada*.

Este capítulo describe los pasos básicos del plan dietético de la milagrosa dieta del pH, aunque trataremos la dieta, los suplementos y el ejercicio más detalladamente en capítulos posteriores. Cuando leas los 10 pasos para la curación, recuerda lo que Jesús dijo sobre todas las cosas que son posibles para aquellos que creen. Ten fe en la certeza de que la única constante de la vida es el cambio. Cuando cambies el medio, todo lo que hay dentro de ese nuevo entorno también lo hará. Del mismo modo que colocar una bola de nieve sobre la encimera de tu cocina y ver cómo se trasforma completamente con el cambio del entorno, seguir estos pasos te permitirá presenciar el profundo cambio en ti mismo a medida que cambies el ambiente interno de tu organismo.

10 pasos para una cura: el estilo de vida y la milagrosa dieta del pH

Nada menos que una autoridad de tanto prestigio como la revista *New England Journal of Medicine* declaró que nueve de cada diez casos de diabetes tipo 2 podrían prevenirse si la gente hiciera más ejercicio, comiera menos, dejara de fumar y adoptara otras conductas saludables. Yo he establecido unos objetivos más elevados aún para que tú los pongas en práctica. Con el plan dietético de la milagrosa dieta del pH, el objetivo será prevenir, o incluso revertir la diabetes -incluida la tipo 1.

Los componentes básicos son hidratarse (grandes cantidades de agua alcalina), comer alimentos alcalinos, tomar suplementos y hacer ejercicio (correctamente). Este programa completo se divide en diez fases o pasos. A continuación voy a mencionar brevemente todos ellos, de forma que puedas hacerte una idea general. Entraré en más detalles en el resto del capítulo, y algunos pasos son capítulos por sí mismos:

1. Visitar a tu médico para que examine todo tu organismo.
2. Comprobar cada día tus niveles de azúcar.
3. Efectuar una fiesta líquida de catorce días.
4. Seguir una dieta alcalina.
5. Comenzar un programa de suplementos nutricionales.
6. Beber las verduras.
7. Hacer ejercicio (correctamente) todos los días.
8. Controlar el estrés.
9. Vigilar tus progresos.
10. Intentar tener una actitud positiva.

La historia de Arthur

Me diagnosticaron diabetes tipo 1 poco después de cumplir nueve años de edad, por lo que tengo más de veinte años de experiencia con ella. Nada me había preparado para los increíbles resultados que iba a conseguir con la milagrosa dieta del pH, ni para el breve período de tiempo que iba a tardar en lograrlos.

Observé un dramático descenso en mi necesidad de insulina y en mis niveles de azúcar en sangre cuando empecé con la fiesta líquida. Cuando la estaba terminando, aún estaba reduciendo mis dosis de acuerdo con la menor necesidad de administrar insulina artificial a mi cuerpo. En la actualidad he reducido la cantidad de insulina en más del 80 %, en comparación con la que tomaba cuando empecé.

Pero eso no es todo. Me siento especialmente agradecido por el hecho de que estoy venciendo todos los efectos secundarios de un azúcar en sangre y unos niveles de insulina fuera de control, igual que estoy ganando la guerra a la diabetes. He perdido no sólo mi odiosa barriga, sino también los 22 kilos que la acompañaban. Mis gustos han cambiado, y no puedo creer lo deliciosas que están todas esas maravillosas hortalizas y especias. Además, ya no tengo esa terrible ansia por los hidratos de carbono. Mi nivel de colesterol ha mejorado. Y mi vista también.

Y lo que es más importante, ahora me resulta fácil levantarme de la cama por la mañana y tengo bastante energía durante el día. Mis alergias y continuas infecciones nasales han desaparecido. Aún sigo esperando que vuelva a aparecer el herpes labial que me salía cada cierto tiempo desde la adolescencia, pero no lo hace. Ya no me resfrío con tanta frecuencia.

En lo que a mí respecta, la del pH ha sido realmente una dieta milagrosa.

Paso 1: Hazte una revisión médica

Tu primera parada debería ser la consulta de tu médico para que te realice un examen físico completo. La Asociación Americana para la Diabetes recomienda que todos los adultos de más de cuarenta y cinco años comprueben si tienen diabetes, aunque yo animo a todas las personas a que lo hagan, en especial si presentan otros síntomas. La prueba clave es una comprobación de los niveles de glucosa en sangre en ayunas, es decir, un análisis de sangre después de haber ayunado al menos durante ocho horas. Unos niveles de 110 mg/dl, o inferior, se considera normal, y si te encuentras por debajo de ese margen, las pautas de la ADA afirman que sólo debes hacerte la prueba cada tres años. Si el resultado se encuentra entre 110 y 125 mg/dl, considera que tienes un riesgo elevado de padecer diabetes. Si tienes más de 126 mg/dl, habrás conseguido un diagnóstico oficial de diabetes.

Cualquiera que tenga síntomas prediabéticos también debe hacerse una prueba de tolerancia a la glucosa. En primer lugar, tendrán que extraerte sangre después de haber ayunado al menos durante ocho horas, a fin de establecer un valor de partida. Después tomarás una solución de agua con azúcar (recomiendo una que puedes prepararte tú mismo mezclando 350 mililitros de agua destilada, 40 gramos de azúcar y 1 gramo de potasio), y treinta minutos después te volverán a analizar la sangre, con lecturas adicionales cuarenta y cinco minutos más tarde, y, por fin, veinte minutos después de la última. (Para saber cómo interpretar las curvas resultantes se puede consultar este mismo libro).

La diabetes no afecta sólo al azúcar en sangre, sino que los efectos también se dejan sentir en todo el organismo. Todo el mundo debería llevar el control de su salud en términos generales, y esto es especialmente importante cuando hay un problema concreto, como, por ejemplo, la diabetes. En consecuencia, es recomendable someterse a un reconocimiento físico general y completo. Debe incluir la comprobación de la presión sanguínea, el ritmo cardíaco, la tasa respiratoria, la temperatura, los ojos, los oídos, la nariz y la garganta (incluida la tiroides). También deberías interesarte por los resultados de diversos análisis:

- *Un recuento sanguíneo completo (RSC)* mide la cantidad de diversos tipos de células presentes en la sangre, en especial los glóbulos rojos y blancos. Un nivel alto de glóbulos blancos indica un nivel elevado de trasformaciones biológicas, como, por ejemplo, levaduras y bacterias y sus productos de desecho asociados (ácidos).

Un nivel bajo de glóbulos rojos indica una alimentación alta en alimentos ácidos y demasiado baja en alimentos alcalinizantes, especialmente alimentos y bebidas a base de verduras, así como el correspondiente exceso de acidez en los ocho metros de intestinos, sobre todo en las vellosidades intestinales donde se forman los glóbulos rojos.

- *Un perfil sanguíneo químico estándar* incluye una batería de entre doce y veinticinco indicadores químicos de la salud, como, por ejemplo, enzimas hepáticas, nitrógeno ureico en sangre (BUN),[5] creatinina, fosfatasa alcalina, calcio y sodio. El potasio es vital para mantener el pH en sangre en el valor adecuado de 7,365, por lo que tu médico tal vez quiera comprobar que tienes una cantidad suficiente: entre 4,5 y 5,5 mEq/litro. Unos niveles bajos de magnesio en los glóbulos rojos indican una ausencia de alimentos verdes en la alimentación. El nivel de triglicéridos servirá para evaluar la cantidad de magnesio. El rango normal de triglicéridos se sitúa entre 90 y 110 mg/dl; los niveles elevados conllevan un nivel bajo de magnesio. Los niveles bajos de fosfatasa alcalina también muestran una deficiencia de magnesio. Los valores normales para los varones se encuentran entre 90 y 239 u/litro; para las mujeres de menos de cuarenta y cinco años, entre 76 y 196 u/litro, y para las mujeres de cuarenta y cinco o más años, entre 87 y 250 u/litro. Los niños suelen tener niveles tres veces mayores que los adultos.
- *Un perfil de lípidos* mide las sustancias grasas –lípidos– en la sangre, incluidos el colesterol HDL, el colesterol LDL y el colesterol total, así como los triglicéridos. Un nivel alto de colesterol LDL es el indicio de que existe un sistema excesivamente ácido.
- *Una prueba de péptido-C en suero* mide el péptido-C, una proteína producida por las células beta del páncreas siempre que se sintetiza insulina. El nivel de péptido-C en sangre, por tanto, es un indicador de la cantidad de insulina que producimos. Los diabéticos tipo 1 tienen un nivel de 0, y los que tienen diabetes tipo 2 de carácter leve, o resistencia a la insulina, suelen hallarse dentro del nivel «normal» o por encima de él. Los niveles elevados indican que las células beta reaccionan en exceso a los incrementos en el azúcar en sangre.

- *Una prueba de homocisteína* mide un aminoácido (homocisteína) que suele ser abundante en las personas con diabetes, así como en individuos cuyos organismos están demasiado ácidos.
- *Un perfil de riesgo de trombosis* mide si tienes tendencia a producir coágulos sanguíneos de manera inadecuada, lo que puede suceder en caso de acidez excesiva debida a un azúcar en sangre elevado. La culpa es de los ácidos, que forman una especie de pegamento molecular que hace que las células se adhieran entre sí, llegando incluso a interferir en la circulación sanguínea normal.
- *Un perfil de riesgo renal* mediante una angiografía o una tomografía computerizada de los riñones valora tu riesgo de enfermedad o disfunción renal, otro posible efecto secundario de llevar años con un exceso de acidez en el organismo.
- *Una prueba del pH de la orina y la saliva, y una prueba del pH de la sangre* pueden advertir de si te encuentras fuera de los valores normales (entre 6,8 y 7,2, y 7,365, respectivamente). Un pH en sangre elevado es síntoma de la presencia de ácido en los tejidos, porque el organismo intenta mantener el pH equilibrado eliminando el exceso de ácido de los tejidos, para que el sistema linfático se haga cargo de él. Un pH en sangre bajo es el indicio, por supuesto, de la presencia de ácidos en la sangre.

CURVAS DE pH DE LAS MUESTRAS DE ORINA			
	Ideal	Prediabetes	Diabetes severa
En ayunas	6,8-7,2	6,5	5,8
30 minutos después de comer	5,6-5,8	5,8	5,6
+ 45 minutos	6,0-6,4	6,0	5,5
+ 20 minutos	6,6-6,8	6,2	5,3-5,4

- *Una prueba de hemoglobina A1c (o HgbA1c, HbA1c, o prueba de glucohemoglobina)* mide la cantidad de glucosa (azúcar) que se adhiere a los glóbulos rojos. Te ofrece el promedio estimado de moléculas de hemoglobina que contienen azúcar, durante la vida de un glóbulo rojo (120 días). Considéralo una media de todos los azúcares en sangre durante ese período de tiempo. El valor normal suele encontrarse aproximadamente entre el 4 y el 6 %, por lo que debes preguntar a tu médico el rango en el que deberías estar. Por lo general, se considera aceptable hasta el 7 %, y un 8 %, o superior conlleva un diagnóstico de diabetes. Las personas con diabetes deben hacerse una prueba de hemoglobina A1c cada tres meses. Todo el mundo debe realizársela, al menos como punto de partida para contar con unos valores.

Quienes tengan diabetes también deben someterse a pruebas neurológicas de forma habitual, para comprobar la sensibilidad de los pies y de los dedos de los pies, los reflejos en las extremidades y los ojos, la memoria a corto plazo y la fuerza muscular. También deben hacerse un examen ocular completo cada uno o dos años, revisiones dentales frecuentes y acudir al podólogo para que les examine los pies.

Curar las úlceras de los pies

Las úlceras de los pies, que son la consecuencia de una mala circulación y del daño en los nervios, son un efecto secundario común de la diabetes. Seguir el plan de la milagrosa dieta del pH permitirá curarlas y/o prevenirlas. Si en la actualidad tienes úlceras, intenta poner en remojo los pies en un baño alcalino de bicarbonato sódico o clorito sódico.

Paso 2: Vigila tu azúcar en sangre

Si tienes diabetes, debes controlar tus niveles de azúcar en sangre cada día, pero no sólo por los motivos habituales que tu médico te comentará. Vigilar tus niveles atentamente cuando sigas el plan de la milagrosa dieta del pH te permitirá observar cómo tus niveles de azúcar en sangre caen de manera significativa, lo cual influye en la cantidad de insulina que necesitas. No te sorprendas si tu necesidad de insulina se reduce en más del 50 % en las primeras setenta y dos horas después de seguir una dieta baja en hidratos de carbono, baja en proteínas y alta en grasas *buenas*, como la milagrosa dieta del pH. Las personas con diabetes tipo 2 o gestacional también se beneficiarán si comprueban habitualmente su azúcar en sangre.

Las pautas de la Asociación Americana para la Diabetes para interpretar los resultados del azúcar en sangre son las siguientes:

PAUTAS DE LA ADA PARA EL AZÚCAR EN SANGRE			
	En ayunas	1,5-2 horas depués de comer	Hora de acostarse
Normal	Menos de 110 mg/dl	Menos de 140 mg/dl	Menos de 120 mg/dl
Aceptable	80-120 mg/dl	Menos de 80 mg/dl	100-140 mg/dl
Necesita mejorar	Menos de 80 mg/dl; más de 140 mg/dl	Más de 200 mg/dl	Menos de 100 mg/dl; más de 160 mg/dl

Comprueba tu nivel de azúcar en sangre antes de todas las comidas, entre una y dos horas después de cada comida, antes de acostarte y –si padeces diabetes tipo 1– a las 2 o las 3 de la madrugada. Lo ideal es que tus niveles de azúcar en sangre se asemejen a lo siguiente: 80 mg/dl en ayunas; 130 treinta minutos después de comer; 110 cuarenta y cinco minutos más tarde; y 100 otros veinte minutos después de este último momento; y, a partir de ahí, debe recuperar con rapidez el valor de 80. En la tabla siguiente puedes observar la comparación entre valores normales, diabéticos y prediabéticos:

RESULTADOS DEL AZÚCAR EN SANGRE DE LA MUESTRA			
	Ideal	Prediabetes	Diabetes severa
En ayunas	80	80	140
30 minutos después de comer	130	205	275
+ 45 minutos	110	200	285
+ 20 minutos	100	180	300

Tal vez quieras hacerte las pruebas con más frecuencia si estás enfermo, si sospechas que tienes el azúcar bajo, antes de conducir, en caso de que tomes insulina o sulfonilureas para reducir el azúcar en sangre, si eres físicamente activo, si tienes frecuentes reacciones a la insulina en poco tiempo, si estás modificando tu plan de inyecciones de insulina, si ganas o pierdes peso, si crees que estás embarazada o estás pensando en quedarte embarazada, si tus niveles de azúcar en sangre han sido peligrosamente bajos o altos, y/o si sigues una terapia de insulina intensiva.

Los dos métodos disponibles para comprobar tus niveles de azúcar en sangre son los glucómetros y las tiras de lectura visual de la glucosa. Los glucómetros son máquinas que funcionan con baterías, que tienen un tamaño que se sitúa entre el de un bolígrafo y el de una calculadora y que pesan muy poco. Se coloca una gota de sangre en una tira de papel y ésta se introduce en el aparato, que después muestra una lectura numérica. Las tiras de lectura visual de la glucosa son tiras delgadas de plástico con dos pequeños bloques de color en ellas. Cuando pones una gota de sangre sobre los bloques de color, cambian de color dependiendo de la cantidad de azúcar que contenga la sangre. Puedes conocer tu índice comparando el color del resultado con una tabla de colores. De esta forma no obtienes una cifra exacta, sino más bien una lectura como «baja», «aceptable» o «demasiado alta». Cualquier glucómetro o tira visual te proporcionará una lectura precisa del azúcar en sangre, suponiendo que sigas las instrucciones con cuidado.

Paso 3: Fiesta líquida

Para conseguir el cambio más importante en tu vida y tu salud, y a fin de obtener el mayor beneficio del plan de la milagrosa dieta del pH, debes comenzar con una «fiesta líquida» de entre catorce y veintiún días de duración. Considérala una especie de limpieza primaveral. La idea de la fiesta líquida, o depuración, es librar a tu organismo del exceso de ácido acumulado durante años de mala alimentación y de alimentos con altos niveles de azúcar, librarte de las microformas negativas y sus desechos tóxicos, desintoxicar tu sangre y tus tejidos, normalizar tu azúcar en sangre y comenzar el proceso de curación de tu páncreas. También normalizará la digestión y el metabolismo, ayudando a recuperar el equilibrio del pH.

Otro motivo por el que la consideramos una limpieza te resultará evidente en cuanto comiences: este régimen tendrá un efecto laxante sobre tu sistema (que es justo lo que te conviene). Los desechos ácidos que se encuentran en tu organismo no se limitarán a desparecer como si nada, sino que el cuerpo tiene que expulsarlos. Hasta que veas cómo reacciona tu organismo a la fiesta líquida, intenta estar cerca de un baño, ya que la mayoría de las personas necesitan entre seis y diez visitas diarias.

La duración exacta de la fase de fiesta líquida oscilará de persona a persona, dependiendo de lo que necesite tu organismo y de cómo reaccione a ella. Por lo general, dos semanas te darán el punto de partida que necesitas para revertir la diabetes, aunque tres se considera óptimo.

Debes tener en cuenta que no se trata de un ayuno. En realidad, comerás la cantidad y con la frecuencia que necesites. Come hasta que te sientas satisfecho, no hasta que estés demasiado lleno. La idea es ingerir sobre todo alimentos verdes (verduras) y tomarlos, en esta primera fase, en forma líquida: purés, batidos o zumos. También puedes tomar algunos productos que no son verdes: tomate, limón, lima, pimiento o jícama, además de aceites saludables.

En caso de que sintieras punzadas como consecuencia del hambre, recuerda que el principio suele ser lo peor; llegará un momento en que cesarán, y en realidad puede que experimentes un incremento de energía gracias a todos los alimentos y bebidas alcalinos.

Debes beber al menos cuatro litros de bebida verde al día, incluido (o además de) un litro de agua pura y cuatro vasos de 240 mililitros de zumo de hortalizas verdes frescas (diluido en una cantidad de agua diez veces mayor). Intenta exprimir pepinos, coles, brécoles, apios, lechugas, berzas, quimbombós, pasto de trigo, cebada silvestre, perejil, repollo, espinacas y brotes de alfalfa. Si tienes bajo el azúcar en sangre, puedes añadir un poco de zumo de zanahoria o de remolacha, pero recuerda que esas hortalizas tienen un alto contenido en azúcar, que, además, se concentra al exprimirlas, por lo que debes utilizarlas sólo si lo necesitas, y evitarlas por completo si tienes hiperglucemia.

En eso consiste la denominada «fiesta». Se llama «líquida» porque todo lo que vas a ingerir en esta fase debe ser en forma de puré o zumo. De esta forma los alimentos requerirán muy poca energía para ser digeridos. Por lo general, en la digestión se utiliza más de la mitad de la energía diaria. Eliminar ese consumo de energía durante un tiempo significará que tu cuerpo podrá utilizar la mayor parte de su energía para regenerar sus setenta y cinco billones de células. Convertirlos en puré o en zumo también permite que los nutrientes de los alimentos estén veinte veces más disponibles. De ese modo tu organismo también recibirá más agua.

Lo que ofrecemos a continuación es el plan de un día típico de fiesta líquida, más un plan dietético para guiarte durante estas dos o tres primeras semanas. Encontrarás muchos más detalles sobre los alimentos y el agua en el capítulo 7, y sobre los suplementos en el capítulo 8; el capítulo 10 te ofrece las recetas que necesitarás. No obstante, en general, un día normal sería así:

7 de la mañana (o después de despertarse)
    1-1,5 litros de bebida verde o batido verde
    (*véase* inicio del capítulo 8)
    Suplementos

8 de la mañana
    Sopa
    Suplementos

9 de la mañana
    Suplementos

9 de la mañana - mediodía
    1-1,5 litros de bebida verde

10 de la mañana
    Suplementos

11 de la mañana
    Suplementos

1 del mediodía
    Sopa
    Suplementos

2-5 de la tarde

1-1,5 litros de bebida verde
Suplementos

6 de la tarde

Sopa
Suplementos

7-9 de la noche

1-1,5 litros de bebida verde, o agua destilada sola con clorito sódico y limón
Suplementos

Puedes adecuarlo a tus necesidades para que concuerde con tu propio plan diario. Asegúrate de tomar suplementos en cápsulas con las comidas y suplementos líquidos antes de las comidas. Todas las sopas deben hacerse puré con una batidora o un procesador de alimentos. Si en algún momento del día sientes hambre, siempre puedes tomar más sopa o bebida verde. También puedes exprimir hortalizas frescas (no hay que tomar zanahorias ni remolacha durante esta fase debido a su alto contenido en azúcar, excepto que tengas bajo el azúcar en sangre). Consulta la sección de bebidas y batidos del capítulo 10 para conocer algunas recetas. Puedes maximizar el efecto alcalinizante del zumo de hortalizas verde diluyéndolo con una parte de zumo y diez partes de agua destilada, y añadiendo cinco gotas de clorito sódico o silicato sódico. Tal como verás en el capítulo 9, también debes reservar todos los días un poco de tiempo para hacer ejercicio.

Sigue cada día el mismo esquema básico que hemos descrito, con una disposición rotatoria de las sopas y los batidos por la mañana, al mediodía y por la tarde, del siguiente modo:

Día 1

Sopa cremosa de brécol
Sopa Popeye
Sopa curativa

Día 2

Batido súper verde de aguacate
Gazpacho Madrid (del libro *La milagrosa dieta del pH*)
Sopa de espárragos, rica en zinc

Día 3

Sopa de apio
Gazpacho Madrid
Sopa de espárragos, rica en zinc

Día 4

Sopa cremosa de hortalizas (durante la fiesta líquida, utiliza 1,5 tazas de leche de almendras frescas en lugar de tofu)
Sopa de guisantes partidos (del libro *La milagrosa dieta del pH*)
Sopa de menestra de verduras (del libro *La milagrosa dieta del pH*)

Día 5

Sopa de apio/coliflor
Sopa de hortalizas en trocitos (del libro *La milagrosa dieta del pH*)
Sopa de crema de brécol (del libro *La milagrosa dieta del pH*)

Día 6

Sopa Popeye
Sopa curativa
Batido súper verde de aguacate

Día 7

Sopa cremosa de brécol
Sopa de menestra de verduras (del libro *La milagrosa dieta del pH*)
Cóctel de poder verde (del libro *La milagrosa dieta del pH*; durante la fiesta líquida, emplea apio o pepino en lugar de remolacha)

Día 8

Sopa de brécol/coliflor
Gazpacho Madrid (del libro *La milagrosa dieta del pH*)
Batido súper verde de aguacate

Día 9

Sopa verde cruda
Sopa cremosa de brécol
Sopa curativa

Día 10

Sopa Popeye
Sopa de apio/coliflor
Sopa cremosa de hortalizas (durante la fiesta líquida omite el tofu, o, en su lugar, utiliza leche de almendras frescas)

Días 11-21

Repite el ciclo, comenzando en el día 1

De nuevo, puedes personalizar todo a tu gusto, a medida que sea necesario. No hay nada mágico en el hecho de qué plato se toma en una u otra comida, así que si quieres elegir uno de tus favoritos para tomarlo cada mañana, saltarte uno que no te gusta o utilizar las hortalizas que tienes a mano, hazlo sin problemas.

Paso 4: Una dieta alcalina

El capítulo 7 se ocupa de este tema en profundidad, así que por ahora tan sólo quiero recomendar un plan alimenticio bajo en hidratos de carbono y proteínas y alto en grasas buenas. Los detalles concretos sobre qué alimentos puedes comer con total libertad y cuáles debes evitar se explican en el capítulo siguiente. Igual que en la fiesta líquida, siempre que te muevas dentro de los parámetros de los alimentos alcalinos, podrás comer todo lo que quieras y con la frecuencia que te apetezca. Nunca debes sentir hambre. Pero consume pequeñas cantidades muchas veces cada día (de hecho, deberían ser al menos seis), en lugar de tres comidas copiosas diarias. Menos y con más frecuencia es preferible que más con menos frecuencia.

La milagrosa dieta del pH es en realidad un plan para toda la vida, más un estilo de vida que tan sólo una dieta. No puedes limitarte a vencer la diabetes siguiendo los consejos de este libro y después volver a comer y vivir de la forma en que lo hacías antes, a no ser que quieras volver a tener diabetes. No obstante, de todas formas, una vez que experimentes lo bien que te sientes con un cuerpo realmente sano, no creo que quieras volver a tus antiguas costumbres.

El propósito de todo esto es que cambies tu vida por completo, y el plan de la milagrosa dieta del pH llegará a convertirse en algo que haces de forma natural, sin tener que pensar en ello. Aun así, debes empezar con un planteamiento más estructurado. Eso es oficialmente la milagrosa dieta del pH, un programa de entre doce y dieciséis semanas. Se necesitan unos tres o cuatro meses para enseñar a tus células una nueva forma de vida. Y eso sin tener en cuenta que tienes que aprender un nuevo modo de comer, pensar y vivir. Ninguna de esas cosas tiene lugar de la noche a la mañana. Se trata de un proceso, no de un acontecimiento puntual.

Paso 5: Suplementos

El capítulo 8 explica todo lo que necesitas saber sobre el uso de suplementos nutricionales –vitaminas, minerales, sales celulares y plantas– para revertir la diabetes con el plan de la milagrosa dieta del pH. Utilizar los suplementos de una manera correcta te ayudará a efectuar el proceso de cambio, a limpiar tu organismo y a construir células nuevas y sanas. Los suplementos contribuirán a neutralizar, enlazar y eliminar los ácidos, y a que las bacterias y las levaduras vuelvan a convertirse en microzimas, lo cual hará que tu organismo, de forma natural, recupere un estado de armonía y equilibrio interior.

Paso 6: Es fácil tomando la bebida verde

El capítulo siguiente también examina con mucho más detalle la importancia de mantener tu cuerpo hidratado con una buena cantidad de agua –el tipo correcto de agua– y con «bebida verde». La mayoría de las personas necesitan al menos cuatro litros de bebida verde cada día. Recomiendo un litro diario por cada 15 kilos de peso corporal. Este punto es muy importante, ya que permite al organismo eliminar los residuos ácidos y conseguir que su medio interno sea más alcalino, en vistas a la curación y la regeneración.

Bebida verde

Mezcla un litro de agua destilada con dieciséis gotas de clorito sódico o silicato sódico y una cucharadita de polvo verde. Puedes añadir una cucharadita de brotes de soja en polvo, aunque es opcional. (O bien tomar una cucharadita de brotes de soja en polvo, e inmediatamente después tomar la bebida verde). Añade un poco de zumo de limón fresco, si lo deseas.

 *La historia de Henry*

He tenido diabetes tipo 2 desde 1997. Tomaba 2,5 miligramos de glipizida (un medicamento oral) y daba paseos diarios para controlar el azúcar en sangre, pero aun así era demasiado elevado; hasta que empecé a usar una bebida verde con gotas de pH. Comencé a hacer una gráfica con un seguimiento de mis niveles para ver si podía detectar alguna diferencia. En dos días, mis lecturas se encontraban en niveles aceptables, y así han permanecido desde entonces, incluso cuando dejé de tomar la glipizida. Mi diabetes está bajo control, y parece que he recuperado el buen funcionamiento del páncreas. ¡Es todo un milagro!

Paso 7: Ejercicio

Necesitas ejercicio diario para mantener tus células sanas y tu organismo alcalino, pero el ejercicio puede acidificar el cuerpo. Los secretos para hacer ejercicio correctamente se explican en el capítulo 9. La buena noticia es que se necesitan sólo quince minutos diarios para trabajar todo el cuerpo de modo que se potencie la circulación sanguínea, se reduzca el azúcar en sangre, se eliminen los ácidos del organismo y tú estés más fuerte, más flexible y, lo más importante, más sano.

Paso 8: Controla el estrés

Tus emociones –buenas, malas o indiferentes– tienen una fuerte influencia sobre el equilibrio del pH y los niveles de azúcar en sangre. Tu psicología influye en tu fisiología, y ésta en tu psicología.

En condiciones de estrés –incluido el estrés propio de poderosas emociones negativas como el odio, la tristeza y el miedo–, las glándulas adrenales liberan la hormona adrenalina, característica de las situaciones de lucha o huida, para ayudar a sostener tus niveles de energía. La adrenalina ordena al organismo que aumente los niveles de azúcar en sangre, lo cual induce al páncreas a liberar más insulina para que se una a ese azúcar y que entre en las células para aportar energía. Todo eso es bueno, y está diseñado para proporcionar un empujón de energía que permita salir de los apuros y solucionar los problemas.

Sin embargo, si ese estrés prosigue de forma ininterrumpida, agotarás tus glándulas adrenales y no tendrás recursos a los que acudir cuando la situación resulte realmente difícil. Las células de tu organismo se descompondrán para obtener azúcar que satisfaga las demandas de energía, y la consecuencia será que tu organismo se volverá más ácido al entrar en el ciclo de resistencia a la insulina y de hipoglucemia e hiperglucemia, tal vez con uno o más de los síntomas mencionados (mareos, vértigos, dolores, cefalea, problemas estomacales) y, en última instancia, diabetes.

Todos tenemos estrés en nuestras vidas diarias, en mayor o menor grado, y en muchas ocasiones controlarlo es más fácil de decir que de hacer. Recomiendo el libro *Practicing the Power of Now,*[6] de Eckhart Tolle, a aquellos que deseen aprender a controlar el estrés.

Para ofrecerte un ejemplo de cómo está relacionado el estado de ánimo con la diabetes, consideremos un reciente estudio japonés que demuestra que los diabéticos procesaban mejor el azúcar que consumían durante las comidas si lo hacían mientras estaban contentos. Los participantes que comían mientras veían una comedia más tarde tenían unos niveles de azúcar en sangre más bajos que los que escuchaban una conferencia aburrida, y el fenómeno se detectó tanto en quienes tenían diabetes tipo 2 como en quienes no tenían diabetes. Los investigadores propusieron la teoría de que reír puede reducir el azúcar en sangre porque aumenta el consumo de energía, o porque la risa influye en el sistema neuroendocrino, que controla los niveles de azúcar en sangre.

Paso 9: Vigila tus progresos

Puede ser difícil saber hasta dónde has llegado si pierdes de vista tu punto de partida, por no hablar de los detalles del proceso. Mantenerlo todo documentado es muy importante en tu tarea de revertir la diabetes. Te recomiendo que lleves un registro diario.

En primer lugar, anota todas las lecturas del azúcar en sangre, de forma que puedas ver cualquier patrón que surja y observar cómo se estabilizan gracias a tus esfuerzos. De ese modo tendrás una motivación constante para seguir este programa. Asimismo, anota lo que comes y bebes, así como los suplementos nutricionales que tomas, para que puedas compartir esta información con tu médico y ver cómo se relaciona con tus niveles de azúcar en sangre.

Además, si decides llevar un diario como un recurso para controlar el estrés (*véase* superior), tal vez quieras incluirlo también aquí. Tal vez te sorprendas al descubrir que puedes llevar un seguimiento de tus estados de ánimo y de tu nivel de estrés en relación con tus niveles de azúcar en sangre.

Entre otras cosas, unos registros adecuados te permitirán comprobar los buenos y rápidos resultados que dan los esfuerzos que estás haciendo. Muchos de mis clientes han tenido que reducir la cantidad de insulina que toman en un 50 %, en tan sólo las primeras setenta y dos horas.

Registro diario

Fecha:
Peso (semanalmente):
Azúcar en sangre por la mañana:
Azúcar en sangre por la tarde:

Medicamentos:	Nombre	Dosis	Hora

Suplementos: (indica la hora en que los tomas)

Bebida verde ______
Gotas de pH ______
Brotes de soja en polvo ______
AGE ______
Polivitamínico ______
Cromo/vanadio ______
NADP ______
Magnesio ______
Zinc ______
Depurativo herbal ______
Apoyo al páncreas ______

Otros:

______
______

Comida:

Desayuno: ______
Almuerzo: ______
Cena: ______
Tentempiés: ______
Agua/zumo: ______

Ejercicio:

Tipo: ______
Duración: ______

Notas:

Paso 10: El poder del pensamiento positivo

Tu éxito en la curación de tu diabetes dependerá en gran parte de tu capacidad para mantener una actitud positiva. Los pensamientos y las emociones son muy poderosos, y sólo tú puedes controlarlos. Los pensamientos y emociones positivos ayudan a mantener la armonía y la homeostasis en tu interior, tanto física como psíquicamente, mientras que los negativos fomentan la degradación de las células, la liberación de azúcares y la acumulación de un exceso de ácido.

La mejor forma de estar emocionalmente equilibrado (y alcalino a nivel físico) es concentrarte en el presente, en el momento que estás viviendo, en lo que te está sucediendo ahora. Intenta no vivir en el pasado ni en el futuro, y disfruta y aprecia el aquí y ahora. Los buenos pensamientos, las buenas palabras y los buenos hechos energizan y alcalinizan tu organismo.

Además, tal vez necesites tu actitud positiva para llevar este plan por buen camino, al menos al principio. El cambio nunca es fácil, y en este momento estarás haciendo modificaciones muy importantes. El comienzo de la fiesta líquida en particular puede ser difícil porque tu organismo se tiene que deshacer de muchos desechos tóxicos que tenía acumulados. Pero creo que descubrirás que el plan pronto empezará a aportar pensamientos positivos, ya que sentirás el éxito en tu interior. Tiene lugar en un nivel tan profundo, y de una manera tan abrumadora, que te dice todo lo que necesitas saber sobre la idoneidad de este plan para tu persona. Muy pronto no necesitarás esforzarte para tener una actitud positiva hacia él de modo consciente, ya que su naturaleza positiva se manifestará por completo por sí misma, y la consecuencia será que te sentirás positivo de una manera natural.

Capítulo 7

Que el alimento sea tu medicina...

Que el alimento sea tu medicina, y que la medicina sea tu alimento.

Hipócrates

No existe ninguna complicación en el hecho de comer para estabilizar el azúcar en sangre. Ingiere una buena cantidad de alimentos poco ácidos y elimina aquellos que sean muy ácidos. Debes comer grandes cantidades de hortalizas verdes, agua (de calidad) y (buenas) grasas. *No* debes tomar azúcar ni almidones. Tienes que comer con frecuencia, y debes *dejar* de comer cuando te sientas satisfecho.

En eso consiste todo. Sigue estas pautas y todas tus células podrán obtener y utilizar toda la energía que necesitan, sin verse amenazadas por el azúcar. La diabetes y la serie de problemas de salud que la acompañan serán cosa del pasado. Tendrás que proporcionar a tu organismo suplementos nutricionales y un ejercicio adecuado, pero el núcleo central de la milagrosa dieta del pH es la comida. Sólo recuerda que cuando llenes tu depósito de combustible, te mereces lo mejor. No te molestes en tomar comida basura; cíñete a la abundancia integral de la naturaleza para tener una salud buena y radiante.

El estudio sobre la diabetes tipo 1 del Instituto Nacional de la Salud (NIH), de una década de duración, descubrió que quienes mantuvieron sus niveles de azúcar próximos a lo normal redujeron su riesgo de daño ocular, renal y nervioso hasta en un 70 %. Sin embargo, los niveles de azúcar no controlados aumentaron el riesgo de ceguera, cardiopatías, derrame cerebral, fallo renal, daño nervioso, problemas cutáneos y muchos más. El emblemático ensayo clínico Programa de Prevención de la Diabetes, del NIH, realizado en el año 2001, mostró de forma concluyente que la dieta y el ejercicio reducen el riesgo de padecer diabetes tipo 2 hasta en un 58 %.

Y eso con un planteamiento dietético muy convencional. Mis propios quince años de experiencia, investigación y dos estudios controlados recientes demuestran que el plan de la milagrosa dieta del pH permite conseguir mucho más. Y ayuda a prevenir, mejorar o revertir no sólo la diabetes tipo 2, sino también la tipo 1. Además, el tipo y calidad del combustible que introduces en tu organismo determina si pasarás –o no– de tener hipoglucemia o hiperglucemia a padecer diabetes. Una dieta ácida hará que el cuerpo cruce la línea divisoria, mientras que una dieta alcalina te ayudará a evitar que escuches ese diagnóstico.

Y todo eso gracias, sobre todo, a las verduras y a las grasas buenas.

El metabolismo de la grasa

La idea subyacente de todo esto es enseñar a tu organismo a que queme grasa para obtener energía, en lugar de azúcar o proteína. Con la dieta americana estándar, tu cuerpo funcionará sobre todo a base de azúcar. Pero la grasa es una fuente de energía mucho más limpia, y no deja los residuos tóxicos que deja el metabolismo del azúcar. Utilizar el metabolismo de la grasa también concede a tu páncreas un descanso, y permite que el organismo pueda empezar a curar el páncreas y sus células beta productoras de insulina. Cambiar de manera radical la manera en que comes puede ayudar a prevenir y revertir la diabetes (además de las cardiopatías y otros efectos secundarios negativos de la diabetes).

Menos es más

No es sólo *lo que* comes, sino también *cómo* comes, lo que resulta importante para tener una buena salud. Debes comer todo lo que tu cuerpo necesita para alimentarse, todo lo que quieras. Pero tienes que aprender a dejar de comer cuando te sientas satisfecho, y sentirte satisfecho cuando ya no tengas hambre, no cuando estés atiborrado de comida. Tienes que tomar entre seis y nueve pequeñas comidas diarias: comer menos, pero con más frecuencia. Nunca debes tener hambre.

Y lo más importante de todo, come en forma cruda todo lo que puedas. Cocinar destruye las enzimas de los alimentos, que son importantes catalizadores de reacciones bioquímicas por todo el organismo. Cuantas más enzimas proporciones a tu cuerpo, menos energía tendrá que gastar en sus numerosas funciones.

Las comidas que sí ingieres debes calentarlas el menor tiempo posible, y preferiblemente a no más de 48 °C.

Cuida tu lado espiritual

Cuando empieces a seguir una dieta más alcalina experimentarás cambios físicos. Ésa es la idea principal a fin de cuentas, ya que el principal cambio que te propones es mejorar tu diabetes. Pero debes saber que, cuando cambies físicamente para bien, estarás mejorando también a nivel psicológico; los dos aspectos se refuerzan el uno al otro, como una calle de dos sentidos. Cuando te conviertas física y emocionalmente más fuerte, pensarás mejor y actuarás mejor, y podrás contactar con tu verdadero yo. Eso es espiritualidad, aunque pueda venir con mil disfraces distintos. Ésa es la clave para la salud, la forma física, la energía, la vitalidad, el amor y la felicidad definitivos.

Es sólo una forma más de decirte: ¡cómete las verduras! Te prometí que no era complicado. Pero, por supuesto, hay algunas pautas que debes conocer antes de emprender el camino. Este capítulo explica los principios básicos con un poco más de detalle, con la esperanza de que comprender su importancia te facilite el viaje. Los hechos deben servirte de motivación cuando las cosas resulten difíciles. El conocimiento te hará libre.

Elimina el azúcar

Reduce todos los alimentos que contengan niveles moderados o altos de azúcares. Eso incluye la mayoría de las frutas y los zumos de fruta, los cereales, las hortalizas que contienen almidón como las patatas, los boniatos y el maíz, y los productos lácteos, así como cualquier cosa que tenga azúcares añadidos, incluidos los azúcares «naturales» como la miel y el jarabe de arce. Tu organismo no hace distinciones en el modo de reaccionar ante los distintos tipos de azúcares; todos ellos aumentan tu nivel de glucosa en sangre, y, por tanto, la acidez de tu sangre y tus tejidos.

¡Los estadounidenses, por ejemplo, consumen más de 150 gramos de azúcar cada día! La diabetes se ha incrementado en más del triple desde 1958, y nuestro consumo de azúcar ha aumentado de igual manera. El lector no necesita que le explique la relación entre las dos cosas. El consumo de azúcar está estrechamente relacionado con la obesidad. Por poner sólo un ejemplo, estudios recientes demuestran que tomar un refresco edulcorado con azúcar cada día aumenta el riesgo de padecer obesidad en un 60 % en niños y adolescentes (y sin tener ningún interés en asustar, aproximadamente un 65 % de las chicas adolescentes y un 74 % de los chicos adolescentes toman ese refresco diario).

Un edulcorante natural que no aumentará tu azúcar en sangre

La estevia es un edulcorante vegetal que puedes encontrar en cualquier establecimiento de productos de salud. Es extremadamente dulce y por completo natural, y no aumentará tus niveles de azúcar en sangre. Tiene un buen historial como tratamiento de la diabetes tipo 2 y puede ser útil para reducir la dependencia de la administración de insulina. Los científicos han demostrado también que es segura, no carcinógena. Y es nutritiva, ya que contiene varias vitaminas y minerales, entre ellos vitamina A, rutina, zinc, magnesio y hierro. En términos generales, cuanto antes te pases a ella y abandones el consumo de azúcar o los edulcorantes artificiales, mucho mejor.

Otros estudios demuestran que la estevia puede reducir la presión sanguínea, disminuir la incidencia de resfriados y gripes, suprimir las ansias por el tabaco y el alcohol, y reducir el apetito (lo cual ayuda a perder peso). También se usa para tratar las infecciones sistémicas por levaduras, e incluso, de forma tópica, el cáncer de piel.

Sin embargo, lo más importante es su efecto sobre la diabetes. Los médicos holísticos llevan muchos años utilizando estevia para regular los niveles de azúcar en sangre. Prueba a tomarla en forma de gotitas con las comidas, para que los niveles de azúcar se aproximen a lo que se considera normal.

Dos estudios daneses recientes con ratas y ratones demostraron que un extracto de estevia llevó los niveles de azúcar en sangre a un rango considerado normal. Un trabajo realizado en Brasil examinó a voluntarios que se hicieron una prueba de tolerancia a la glucosa. Los que tomaron extractos de estevia tuvieron unos niveles de azúcar en sangre significativamente más bajos que quienes no los tomaron.

Cualquier azúcar, con independencia del nombre que se le dé, puede ser –o no– igual de dulce, pero por supuesto será igual de perjudicial para ti. Por ello, busca en las etiquetas de los alimentos: jarabe de maíz, dextrina, dextrosa, dulcitol, fructosa, glucosa, miel, lactosa, levulosa, maltosa, manitol, manosa, melaza, sacarosa, sorbitol, sorgo, azúcar turbinado, xilitol y xilosa. Recuerda que cualquier cosa que termine en *-osa* es un azúcar (aunque no todos los azúcares terminan en *-osa*). Evita también azúcares artificiales como la sacarina y el aspartamo, sea cual sea su marca. Suelen tener un 96 % de glucosa y un 4 % de edulcorantes artificiales. Éstos pueden fermentar y formar ácidos –entre ellos el formaldehído– que son devastadores para el páncreas y las células beta productoras de insulina.

¿Contiene azúcar?

Si no estás seguro de si algo contiene –o no– azúcar, puedes comprobarlo con las tiras de prueba de marcas como Clinistix o Keto-Diastix (aunque no funcionan con los productos lácteos). Con independencia de lo que midas, debe ser líquido, por lo que tal vez tengas antes que hacerlo puré o exprimirlo, o bien masticarlo. Puedes adquirir Clinistix o Keto-Diastix en la mayoría de las farmacias. El color más claro de las tiras de prueba indica una concentración muy baja en azúcar. También puedes utilizar Clinistix o Keto-Diastix para medir los niveles de azúcar de tu orina.

Reduce los hidratos de carbono

Tu organismo trasforma con rapidez en azúcares incluso los hidratos de carbono complejos, por lo que debes seguir una dieta a base de alimentos con un bajo contenido en hidratos de carbono. Debes concentrarte principalmente en las hortalizas verdes, y abandonar en la medida de lo posible cereales como el trigo, el arroz, la cebada, la avena, y, sobre todo, el maíz, así como los cereales en general, las pastas, los productos de pastelería y muchos otros alimentos elaborados con ellos. En efecto, esto contradice la famosa pirámide alimentaria del Departamento de Agricultura y Alimentación de Estados Unidos, con su extensa base formada por el pan, los cereales, el arroz y la pasta. Todo lo que puedo decir es que creo que esa pirámide es una receta para el desastre para todo el mundo, en especial para los diabéticos. Es una buena forma de bombardear tu organismo con azúcares y de situarte en el camino directo hacia el exceso de acidez.

Piensa en esto: cuando los ganaderos quieren engordar sus reses para el matadero, las ponen a una dieta casi exclusivamente a base de cereales, la cual se ganaría el visto bueno de los creadores de la pirámide alimenticia. Los azúcares de esos cereales (maltosa) fermentan en forma de ácidos, y las vacas sintetizan grasa corporal para que se una a los ácidos y mantenga el pH equilibrado. Si vivieran lo suficiente, serían vacas con diabetes tipo 2.

Cualquier cantidad de azúcares adicionales en el cuerpo, tanto hidratos de carbono como otros azúcares, que no sea necesaria para obtener energía inmediata para las células, será fermentada por las bacterias y las levaduras, lo cual generará una mayor acidez en el organismo. Pero cuando se reducen los hidratos de carbono y todos los azúcares no sólo se limitan los niveles de azúcar y la acidez, sino también los niveles de colesterol.

Alimentos prohibidos

Para que tu organismo tenga un pH equilibrado, debes evitar lo siguiente:

- Bebidas ácidas como el café, el té rojo y los refrescos. La cafeína es un ácido, y ordena al organismo que aumente los niveles de azúcar en sangre como si fuera una montaña rusa. El café descafeinado es igual de perjudicial, porque el proceso de eliminación de la cafeína añade dos ácidos a la mezcla, y uno de ellos es el formaldehído.
- Alcohol (un ácido), incluidos la cerveza y el vino.
- Chocolate. Además de cafeína, el chocolate contiene otros dos ácidos tóxicos.
- Setas y otros hongos comestibles, así como las algas.
- Levaduras, tanto la de panadería como la de cerveza.
- Productos malteados.
- Alimentos y condimentos fermentados o curados, incluidos la salsa de soja, el vinagre, el glutamato monosódico (y cualquier cosa elaborada con salsa de soja, vinagre o glutamato monosódico, como aliños de ensalada o adobos), el chucrut, el yogur, el *miso*, el *tempeh*, las aceitunas, los pepinillos, los rábanos picantes, el *tamari*, la mayonesa, la mostaza, el kétchup, la salsa para filetes y la salsa barbacoa.

Lácteos

Creo que una dieta rica en productos lácteos es una de las principales causas de diabetes. Consideremos el ejemplo de Finlandia: tiene el nivel más alto de consumo de leche de vaca y la mayor incidencia de diabetes tipo 1. Un estudio de 1992, publicado en la revista *New England Journal of Medicine,* comparó a niños finlandeses diabéticos con otros que no lo eran, y descubrió que los niveles de anticuerpos de ciertas proteínas de la leche de vaca eran *siete veces mayores* en los niños diabéticos. Un estudio francés obtuvo resultados similares, y también detectó unos niveles elevados de estos anticuerpos en la quinta parte de los niños con prediabetes.

Un estudio de 1984 relacionó de manera clara la dieta con la diabetes al hacer un seguimiento de poblaciones del oeste de Samoa y Singapur –comunidades sin apenas diabetes tipo 2–, cuando se trasladaban a Australia o Nueva Zelanda. Las tasas de diabetes se dispararon en una o dos generaciones, y alcanzaron con rapidez las de los nativos de Australia o Nueva Zelanda. De todos los factores ambientales que cambiaron en las vidas de estos emigrantes, la dieta fue claramente la más sospechosa. El caso de los habitantes de Samoa fue bastante dramático. Dos pilares de la dieta occidental son muy escasos en el oeste de Samoa: el trigo y la leche de vaca.

Más datos sobre la relación entre los productos lácteos y la diabetes proceden de los humanos más jóvenes. Varios estudios, tanto epidemiológicos como clínicos, muestran que una alimentación a base de leche materna (y el correspondiente retraso en la exposición a las fórmulas para bebés, la mayoría de las cuales se elaboran a base de leche de vaca) reduce el riesgo de padecer diabetes. Cuanto más tiempo se alimenta a los bebés con leche materna, y más tarde tiene lugar la primera exposición a las citadas fórmulas, menor es el riesgo de padecer diabetes.

Comer cantidades excesivas de productos lácteos sobrecarga el organismo con lactosa –un azúcar, al fin y al cabo–, que demanda más insulina e inicia todo el círculo vicioso. Al ser fermentada por las levaduras, la lactosa genera una acumulación de ácido láctico en el organismo. Para devolver tu cuerpo a un equilibrio alcalino tendrás que eliminar los productos lácteos.

La historia de Joel

Hace poco me diagnosticaron diabetes tipo 2. Tenía el azúcar en sangre en ayunas a 178, y aumentaba a 345 dos horas después de tomar el desayuno. Decidí probar el programa de la milagrosa dieta del pH para controlar la diabetes. Ya había estado tomando un litro de bebida verde al día, y en ese momento añadí suplementos para el páncreas y para ayudar a las glándulas adrenales, una cucharada sopera de cada uno, tres veces al día. También tomé cromo, vanadio, vitamina C y calcio.

Asimismo, modifiqué mi dieta, aprendí a evitar el azúcar y los hidratos de carbono, y me convertí en cliente habitual del establecimiento de productos dietéticos de mi localidad. Empecé a leer las etiquetas de los alimentos más que antes. Me pasé de la avena al trigo sarraceno para desayunar, y de la leche de vaca a la leche de soja. Reduje todos los productos lácteos y compré pan y galletas crujientes de centeno sin levadura. Siempre he comido muchas hortalizas, pero aumenté la cantidad aún más. Lo asombroso es que con todas las excelentes recetas no echo de menos en absoluto la forma tradicional de cocinar. El secreto es que la comida es interesante, colorida y sabrosa.

En los dos meses posteriores al comienzo del programa perdí 12 kilos; sólo me sobran 3 para llegar a 90 kilos, el mismo peso que tenía en mi época de deportista en la universidad. Mi nivel de azúcar en sangre en ayunas era de 111. Mi médico se sorprendió de esas mejoras tan rápidas y dramáticas. Yo sabía que había experimentado un verdadero milagro del pH en mí mismo.

Carne

¿Recuerdas las vacas engordadas con grano? No viven lo suficiente (porque se sacrifican para el consumo humano) para sufrir los problemas que les causaría su alimentación, pero todo el ácido acumulado en sus músculos y en su grasa pasa a tu organismo cuando ingieres su carne. Incluso sin esa última explosión de hidratos de carbono, los alimentos de origen animal generan una gran cantidad de ácido cuando se digieren. La carne es difícil de digerir, y en el proceso se tarda hasta un día completo, lo suficiente para que se descomponga en el tracto digestivo. (Eso ya es desagradable por sí mismo, pero recuerda que también significa que la carne es acidificante). Hasta la mitad del gasto energético del organismo puede utilizarse en la tarea de digerir las proteínas animales.

Debido al modo en que se crían, se sacrifican y envejecen los animales que proporcionan carne en algunos países como Estados Unidos, la carne también suele tener unos niveles elevados de bacterias, levaduras y hongos, además de las toxinas y los ácidos asociados a ellos. La carne curada para el consumo humano en realidad está parcialmente fermentada, y como tal estará repleta de ácidos y microformas que producen ácido. Se ha demostrado que el ácido úrico generado en el proceso causó diabetes en los animales estudiados en el año 1954; el ácido sulfúrico generado tiene efectos similares. En 1989, los científicos documentaron que la alimentación de los animales era una fuente importante de toxinas en los animales que proporcionan carne: los desechos de microformas encontrados en el maíz, los cacahuetes, la semilla de algodón, la cebada, la avena y el trigo aparecieron en el tejido animal comestible. Y se descubrió que las toxinas eran resistentes al calor, es decir, no se eliminaban al cocinarlas. Además, las dietas altas en proteína animal pueden causar un incremento del azúcar en sangre.

¿Aún sientes tentaciones?

Si necesitas más motivos para evitar la carne, añadiré más cosas a la lista. La carne (y la proteína animal en general) es:

- Alta en colesterol.
- Normalmente está repleta de antibióticos y hormonas.
- Relacionada con un mayor riesgo de padecer cáncer, enfermedades cardiovasculares, colitis, obesidad y muchas otras patologías, de las cuales la diabetes no es la menos importante.
- Agresiva para el medio ambiente. Se necesitan doscientas veces más tierra y diez veces más agua para producir medio kilo de carne de vaca que para obtener medio kilo de aguacate o de cualquier otro alimento vegetal; el pastoreo ocasiona el agotamiento de los recursos del suelo y la erosión, y en algunos lugares produce deforestación; los desechos animales (incluido el gas) contaminan el aire, la tierra y el agua.

Los seres humanos no estamos diseñados para ser carnívoros de ningún modo. Nuestro tracto digestivo es largo y complejo, y está pensado para la absorción lenta de alimentos vegetales complejos y estables. Los verdaderos carnívoros tienen unos intestinos cortos y simples, para un tránsito muy breve. También tienen una flora intestinal diferente a la de los seres humanos, por no hablar de los dientes y las mandíbulas destinados a desgarrar la carne animal.

Qué comer

Dicho todo esto, no me gustaría insistir demasiado en las cosas que no debes comer. Más importante es la gloria de la prodigalidad de la naturaleza al proporcionarnos alimentos que nutren de verdad cada célula de nuestro organismo. La sección siguiente, por tanto, dará al lector una visión general de las opciones más saludables que puede introducir en su organismo. Elige siempre alimentos integrales, naturales, orgánicos, no procesados y no refinados. Y cómelos crudos, en la medida de lo posible.

Ingiere grasa

Sí, grasa. Lo que «todo el mundo sabe» sobre seguir una dieta baja en grasa para la salud cardíaca es incorrecto. O al menos está equivocado en parte. Es cierto que comer demasiadas grasas saturadas y parcialmente hidrogenadas no es bueno. Sin embargo, no son los verdaderos culpables, o al menos no actúan solos. Es la pobreza nutricional de la dieta de la que forman parte –rica sólo en azúcar y grasas no saludables– lo que constituye el verdadero problema. La grasa y el aceite no son por sí mismos nada malo. La verdad es que tu organismo necesita, sin duda, grasas para tener una buena salud. Las grasas son necesarias para disponer de hormonas, articulaciones amortiguadoras y músculos protectores, para defenderse de los ácidos, estimular el cerebro, sintetizar nuevas membranas y aportar energía al organismo. ¡Una dieta baja en grasa es peligrosa! No obstante, debes elegir las grasas con sensatez. Las grasas *buenas* serán el alimento más importante que podrás ingerir para regular y controlar el azúcar en sangre y la insulina.

La grasa monoinsaturada es importante para revertir la diabetes. Tomar aceite de oliva es un buen ejemplo: un estudio publicado en 1994 en la revista *Journal of the American Medical Association* hizo un seguimiento de cuarenta y dos pacientes con diabetes tipo 2 durante casi seis meses, y descubrió que una dieta con mayor contenido en aceite de oliva/grasa monoinsaturada reducía el azúcar en sangre, la insulina y los triglicéridos, en comparación con una dieta baja en grasa y alta en hidratos de carbono. La prestigiosa Asociación Americana para la Diabetes también recomienda una dieta rica en grasas monoinsaturadas para mejorar la tolerancia a la glucosa y reducir la resistencia a la insulina, en vistas a un mejor control de la diabetes. La grasa monoinsaturada se une con el ácido para proteger el organismo, incluidos el corazón y los vasos sanguíneos.

Las mejores fuentes de grasa monoinsaturada son el aceite de oliva, los frutos secos crudos y el aguacate. Las grasas monoinsaturadas no se descomponen en ácidos grasos trans (*véase* inferior) cuando se calientan, por lo que son tu mejor apuesta para saltear ligeramente hortalizas o pescado. La mayor parte de los beneficios del aceite de oliva se eliminan cuando se refina, así que debes asegurarte de adquirir aceite de oliva virgen prensado en frío. Aporta beta-caroteno y vitamina E (ambos excelentes amortiguadores de los ácidos gastrointestinales y metabólicos), junto con una serie de sustancias beneficiosas para la salud menos conocidas, con funciones como crear glóbulos rojos sanos, limitar la absorción del colesterol de los alimentos, reducir la inflamación, estimular el flujo de bilis para ayudar a alcalinizar los alimentos que salen del estómago, producir enzimas para digerir la grasa y reducir la cantidad de colesterol circulante.

Las grasas que debes evitar son las grasas saturadas (presentes en las carnes y los productos lácteos) y –más nocivos– los ácidos grasos trans, también conocidos como grasas trans. Las grasas trans son aceites vegetales que se conservan sólidos de manera artificial a temperatura ambiente, como los que hay en la manteca y la margarina. Eso es lo que significa la expresión «aceites vegetales parcialmente hidrogenados» de las etiquetas de los alimentos. Las grasas trans se utilizan para cocinar la mayoría de las patatas fritas y otras comidas rápidas, y están presentes también en los productos de pastelería industrial, donde actúan como conservantes. Las grasas trans aumentan el colesterol LDL y reducen el HDL, con un efecto sobre la proporción entre los dos que es el doble de perjudicial que el ejercido por la grasa saturada. Creo que nuestro creciente consumo de grasas trans es el responsable de la epidemia actual de enfermedades cardiovasculares.

Las grasas poliinsaturadas –como por ejemplo los aceites de lino, de borraja, de primavera, de pepitas de uva y de cáñamo– también son buenas. Las otras grasas buenas sobre las que debes saber más son los ácidos grasos esenciales (AGE). El nombre procede del hecho de que son esenciales para la salud humana, pero deben aportarse mediante la alimentación (o suplementos), porque el cuerpo humano no puede sintetizarlas por sí mismo.

Obtenemos AGE principalmente de los aceites de pescado y de diversos aceites de semillas. Los dos tipos principales de omega-3 son el EPA[7] (ácido eicosapentaenoico) y el DHA[8] (ácido docasahexaenoico), presentes en los pescados de aguas frías. El ALA[9] (ácido alfa-linolénico), que el cuerpo convierte en EPA y después en DHA, puede encontrarse en fuentes vegetales. Puede almacenarse en el organismo hasta que se necesita. (El EPA y el DHA no se almacenan). Los dos tipos principales de omega-6 son el LA[10] (ácido linoleico) y el GLA[11] (ácido gamma-linolénico), que se obtienen de determinadas plantas.

Los AGE realizan muchas funciones beneficiosas en el organismo. La principal de ellas, desde el punto de vista del diabético, es su capacidad para unirse a los ácidos y neutralizarlos en la sangre, y para aumentar la tasa metabólica (ayudando a perder peso). Los AGE son útiles para tratar la degeneración nerviosa en la diabetes tipo 2. Mi propio trabajo ha demostrado que tomar AGE puede incluso reducir la cantidad de insulina que necesitan los diabéticos.

Los omega-3 y omega-6 son necesarios para construir las membranas de todas las células del organismo. Los AGE también lubrican las articulaciones, aíslan el cuerpo de la pérdida de calor y evitan que la piel se seque. Reducen el riesgo de padecer un infarto y un derrame cerebral al reducir la arteriosclerosis, los triglicéridos, el colesterol total, el colesterol LDL y los coágulos sanguíneos (incluidos los coágulos de sangre que pueden causar gangrena y ceguera en los diabéticos). El organismo necesita AGE para sintetizar prostaglandinas, y éstas son esenciales para numerosas acciones hormonales, respuestas inflamatorias y para la estabilidad cromosómica. Estudios con animales indican que los AGE pueden inhibir el crecimiento y la metástasis de los tumores. Un estudio que hizo un seguimiento, durante cinco años, de diabéticos a los que les habían diagnosticado recientemente la enfermedad demostró que la mitad del grupo que recibió una dieta enriquecida con LA tenía menos problemas cardiovasculares que quienes siguieron la típica dieta americana. Estudios de mayor tamaño han establecido que los esquimales tienen una incidencia extremadamente baja de enfermedades cardiovasculares y derrame cerebral, a pesar de su dieta en extremo alta en grasas, que proceden principalmente del pescado y están repletas de AGE. Dado que los diabéticos tienen con mucha frecuencia unos niveles elevados de colesterol y triglicéridos, deberían alegrarse por la realización de estudios como el de la Universidad de Ciencias de la Salud de Oregón, que mostró que los pacientes que tomaban suplementos de aceite de pescado durante cuatro semanas tenían, por término medio, un descenso de un 46 % en el colesterol (de 373 a 207), y un descenso más destacado en los triglicéridos, de 1.353 mg/dl a 281.

La típica dieta americana no contiene demasiados omega-3. La mejor fuente es el pescado. El ALA está presente en los aceites de semillas de lino, de cáñamo, de nuez y de alubias de soja; la mejor apuesta es el aceite de semillas de lino, que tiene un 57 % de AGE (y más o menos un 16 % de omega-6). Los omega-6, por otro lado, se obtienen con facilidad porque están presentes en más aceites vegetales de consumo frecuente, en los frutos secos y en las semillas, incluidos las semillas y los aceites de girasol y sésamo. Aun así, las mejores fuentes se alejan de lo común: borraja, primavera, cáñamo y grosella negra, además del aceite de girasol. El aceite de semillas de borraja contiene hasta un 24 % de AGE, más del doble que el de primavera –para tener una referencia–, y también más o menos un 34 % de LA.

Tu organismo necesita un equilibrio entre los omega-3 y los omega-6. Muchos expertos consideran que tres partes de omega-6 por una parte de omega-3 es la ingesta ideal. La proporción en el cerebro es de aproximadamente 1:1, en el tejido graso más o menos de 5:1, y en otros tejidos de 4:1. Una proporción de 3:1 en lo que ingerimos permitirá conseguir esas proporciones en el organismo. El aceite de cáñamo es el que más se aproxima a la relación ideal, porque contiene tres partes de omega-6 por cada parte de omega-3. Sin embargo, la típica dieta americana es bastante desequilibrada y aporta una proporción de veinte o treinta a uno.

Recomiendo a todos mis pacientes no vegetarianos que coman pescado fresco varias veces por semana, y eso es totalmente esencial para las personas con diabetes. Hay que elegir pescado fresco (no de piscifactoría) y graso, como, por ejemplo, salmón, caballa, trucha, sardinas, atún, anguila, halibut y pez espada. Además de ser muy rico en AGE, el pescado es también bajo en ácidos y una buena fuente de todos los aminoácidos esenciales, las vitaminas A y D, varias vitaminas del complejo B y muchos minerales, incluidos el calcio y potasio, así como de minerales traza como el flúor, el yodo, el zinc y el hierro.

También deberías utilizar aceite de oliva, aceite de lino, linaza molida y otros aceites ricos en AGE, y mezclas de aceites como, por ejemplo, los productos a base de aceites esenciales fabricados por diversas empresas especializadas en este campo. Deberías añadirlos a las hortalizas hervidas, las sopas y los aliños de ensaladas, en cantidades de una o dos cucharadas soperas diarias. Elige aceites prensados y no refinados, y mantenlos lejos del calor, la luz e incluso el aire, para evitar que se estropeen (lo que no sólo hace que tengan mal sabor, sino que también reduce sus propiedades beneficiosas). Come frutos secos y semillas, en especial almendras, avellanas, nueces y nueces pacanas, y también semillas de sésamo, lino y girasol, sin sal y crudas, no tostadas. (Sin embargo, evita los cacahuetes, que se estropean con mucha rapidez y suelen contener un gran número de levaduras y hongos). También puedes disfrutar de las «leches» de frutos secos, como, por ejemplo, la leche de almendras, siempre que no estén edulcoradas. E ingiere generosas cantidades de aguacates, al menos uno al día por cada 25 kilos de peso corporal. También puedes tomar suplementos de AGE, de los que ofrecemos más información en el capítulo siguiente. Las grasas saludables de tu dieta deben constituir entre el 40 y el 65 % de tus calorías diarias.

Creo que las personas con diabetes sufren una deficiencia de AGE. El azúcar en sangre elevado hace que los AGE de los tejidos grasos no estén disponibles para el organismo. Mis estudios indican que cantidades generosas de AGE en la dieta –60 gramos diarios– marcan una gran diferencia en la cantidad de insulina oral o inyectable que necesitan los pacientes diabéticos.

Mejores fuentes de grasas buenas en tu alimentación

- Pescado
- Frutos secos
- Semillas
- Aguacate
- Aceite de coco
- Aceites saludables

Agua

La mejor forma de eliminar el ácido de tu cuerpo es diluirlo. El mejor modo de diluirlo consiste en tomar bastante agua para que cumpla ese cometido.

El cuerpo humano está compuesto principalmente por agua: es agua en un 70 %, para ser exactos. El agua constituye el 70 % de los músculos, el 25 % de las grasas, el 75 % del cerebro y más del 80 % de la sangre. El agua regula la temperatura corporal, amortigua y protege órganos vitales, colabora en la digestión, trasporta nutrientes al interior de las células y reduce los desechos ácidos. Simplemente no podemos vivir sin ella. Podemos vivir mucho más tiempo sin alimentos que sin agua. Incluso una leve deshidratación puede causar mala concentración, dolores de cabeza, irritabilidad, fatiga y letargia. Mantener una hidratación adecuada es esencial para la salud de tu páncreas, así como para la de tu organismo en su conjunto.

Pero no necesitas solamente agua, sino el tipo correcto de agua. En principio, el agua debe estar limpia y no contaminada, por supuesto. El agua también debe ser alcalina. Para garantizar ambas cosas, debe purificarse, destilarse, o tal vez incluso ionizarse, reducirse o microionizarse. (Proporcionaremos más información sobre este tema más adelante). Lo ideal sería que bebieras agua de lluvia pura, o agua recién salida de un manantial. Cuanto más se aleja de su lugar de origen y cuanto más atraviesa campo abierto, medios impuros, fuentes de contaminación, o simplemente tuberías de canalización, más ácida se vuelve el agua, más impurezas hay disueltas en ella y más electrones pierde.

Se presta poca atención a este último factor, pero es de vital importancia. Cuantos más electrones tenga el agua, más energía contendrá. Cuanta más energía contenga, más energía aportará a nuestro organismo. El agua con una adecuada cantidad de electrones (llamada, de manera muy desafortunada, agua «reducida», debido a una confusión científica sobre el flujo de corriente eléctrica) combate el estrés oxidativo, lo mismo que hace que las vitaminas antioxidantes sean tan importantes. Además, los ácidos están saturados con protones (partículas con carga positiva), a los que se unen los electrones, con carga negativa, para neutralizarlos.

Las fuentes más comunes de agua están muy oxidadas (bajas en electrones), el organismo tiene que añadir grandes cantidades de electrones para equilibrarse con el nivel de electrones necesarios en la sangre, y después pierde con rapidez esos electrones cuando se eliminan del organismo en forma de orina. Se trata de un fenómeno especialmente notable en los diabéticos, porque no sólo producen un exceso de orina, sino que también tienen un cuerpo tan ácido que su orina suele estar cargada de electrones unidos a los protones de los ácidos. Esto supone un enorme desgaste de reservas de energía e impone mucho estrés sobre el páncreas (entre otras cosas).

Estudios recientes realizados en Noruega y publicados en la revista *Diabetes Care* sugieren que existe una relación entre el consumo de agua potable ácida y la diabetes tipo 1. Los investigadores evaluaron muestras de agua corriente de las casas de más de trescientos niños, y descubrieron que los niños cuya agua era ácida tenían una probabilidad 3,5 veces mayor de que les diagnosticaran diabetes que los que tomaban un agua menos ácida.

Dado que la mayoría de nosotros no tenemos fácil acceso a un agua de manantial de montaña que salga directamente de la fuente, la mejor opción es un agua que se haya purificado mediante filtración o destilación por ósmosis inversa, y que después haya pasado por un proceso de microionización electromagnética para que tenga más electrones. Debes asegurarte de utilizar un aparato con depósito, en el que el agua se exponga a una corriente directa durante varios minutos, para que retenga electrones; las máquinas por las que fluye el agua (que se fijan directamente al grifo del agua fría y que dispensan el agua de forma inmediata) no dejan que el agua se cargue durante suficiente tiempo. (*Véase* la sección de recursos). Sé que parece difícil, pero en realidad todo lo que necesitas es el equipamiento adecuado. Después es tan simple como llenar un filtro de agua normal: tan sólo llenar el purificador/ionizador, dejarlo funcionar y beber. Si vuelves a llenarlo y lo haces funcionar cada vez que se vacíe, tendrás agua saludable lista para salir del grifo siempre que la necesites.

Los adultos pierden, por término medio, unos diez vasos –aproximadamente 2,5 litros– de agua cada día a través del sudor, la respiración, la orina y los movimientos intestinales. Las personas muy activas pierden más, y la mayoría de los diabéticos pierden cuatro litros diarios más en la tarea de eliminar el exceso de ácido. Por tanto, necesitas, como mínimo, reponer lo que pierdes. Sin embargo, una salud radiante requiere más líquido. Si sólo bebes lo suficiente para cubrir tus pérdidas, no aportarás suficiente agua para eliminar todos los ácidos. Lo mires como lo mires, los estudios siguen demostrando que los estadounidenses no beben lo suficiente.

Las hortalizas están constituidas por un 90 % de agua, aproximadamente, por lo que una dieta basada en los vegetales, como la milagrosa dieta del pH, te situará en el buen camino para mantenerte hidratado. Aun así, debes beber al menos cuatro litros de agua alcalina y energizada al día. He visto cómo mis clientes conseguían resultados con tan poco como un litro diario de agua preparada del modo descrito en esta sección, pero de ese modo no obtendrás todos los beneficios que podrías conseguir. No obstante, es una forma sensata de empezar para muchas personas, aumentando gradualmente la cantidad que beben, para convertirlo en un cambio con el que vivir durante toda la vida.

Asegúrate de que el agua sea alcalina y de que tenga un pH de 8,0 o superior, añadiendo al agua destilada dieciséis gotas por litro de clorito sódico o de silicato sódico al 2 % (*véase* capítulo 7). Aún mejor: añade verduras en polvo, 1 cucharadita por litro, y quizás también 1 cucharadita de brotes de soja en polvo por litro. Eso es lo que yo llamo «bebida verde». Un poco de zumo de limón fresco también ayuda, tanto para la alcalinidad como para el sabor. Asimismo, puedes exprimir hortalizas y beberlas mezcladas con agua en una proporción de 1:10. Si necesitas eliminar el ácido con rapidez, puedes utilizar también 10 gramos (3 cucharaditas pequeñas) de bicarbonato sódico en un litro de agua destilada.

La historia de Kimberly

He luchado durante casi veinte años con mi diabetes tipo 1 para obtener unos niveles de azúcar en sangre normales. A lo largo del proceso he probado diversos regímenes, pero siempre ha sido una batalla perdida. Cuando seguía lo que recomienda la pirámide alimentaria tradicional, tan sólo lograba tener unos niveles normales de manera continuada si hacía ejercicio hasta el agotamiento. He probado el vegetarianismo, el yoga, comer de acuerdo con principios ayurvédicos y una serie de plantas y vitaminas que me dijeron que ayudan a regular el azúcar en sangre. Hiciera lo que hiciera, siempre tenía un ansia insaciable por ingerir más alimentos –saludables y no saludables–, una y otra vez me apartaba de la rutina, y después, a consecuencia de ello, tenía unos valores de azúcar cada vez más altos. Puedo asegurar que nunca pensé que pudiera existir un procedimiento para curar la diabetes.

Ya había abandonado cualquier tipo de esperanza cuando me informé del programa de la milagrosa dieta del pH, no para mí, sino para mi marido, con la idea de que el hecho de reducir el ácido supondría para él cierto alivio de las terribles indigestiones ácidas que ha sufrido durante la mayor parte de su vida. Para mi sorpresa, después de comer y beber de esta manera equilibrada durante sólo un breve período de tiempo, mi azúcar en sangre normalmente estaba bajo y necesitaba comer cada vez más para mantener el nivel de insulina que me administraba. (Siempre me he preguntado si la insulina –pensando en las reacciones a esta sustancia– podía ser más peligrosa para la vida que la diabetes en sí misma, al menos a corto plazo). Finalmente se me ocurrió: ¿por qué no reducir la dosis de insulina en lugar de comer más de lo que necesitaba/quería? Para alguien que ha sido diabético durante dos décadas, la idea parecía absurda, además de milagrosa. A los cinco meses de comenzar el programa había reducido la insulina en más de la mitad, a la vez que mostraba, de forma continua, valores de azúcar en sangre normales o bajos, día tras día. No tenía tampoco trazas de microalbúmina en mi orina, aunque siempre las había tenido antes de comenzar este programa. Y lo que es más importante, mi colesterol se redujo a 177, desde un valor inicial de 233. Mi peso no varió mucho –siempre suelo conservar mi peso ideal, de todas formas–, pero ya no tenía un ansia física por los alimentos perjudiciales para mi or-

ganismo (aunque admito que luché contra ellos durante algún tiempo). Al final decidí probar una fiesta líquida, y después de unos pocos días mis niveles de azúcar en sangre eran por completo normales, sin tomar nada de insulina. Espero haber visto ya la última de esas inyecciones.

Además de todo esto, mi marido no tuvo indigestiones de ningún tipo mientras comía y bebía de esta forma, y perdió 7 kilos.

Esto no es nada complicado. Consiste simplemente en tomar alimentos más saludables, verduras crudas y agua pura, además de comer cuando se siente hambre y hacerlo hasta sentirse satisfecho; pero de todas formas no ha sido fácil. No obstante, soy consciente de que mi salud –¡mi vida!– se encuentra en mis manos. Ha requerido toda la fuerza de voluntad y la disciplina que tengo –y algo más–, pero he creado mi propio milagro, y ¿puede haber algo más maravilloso que eso? Pagaría cualquier precio por lo que he recibido: no más preocupaciones por mi salud física, y la promesa de vivir bien y de manera sensata hasta el día de mi muerte. Me siento eternamente agradecida por este programa y el modo en que ha trasformado mi vida.

Hortalizas

Uniéndose a las grasas saludables, para construir los cimientos de la nueva casa de salud que estás erigiendo, se encuentran las hortalizas, especialmente las verdes. Las hortalizas suelen ser bajas en calorías, bajas en azúcar y ricas en nutrientes. Prácticamente todas las vitaminas, minerales y micronutrientes que tu organismo necesita pueden encontrarse en las hortalizas, que también pueden proporcionar macronutrientes, como, por ejemplo, las proteínas y las grasas (saludables). Aportan grandes cantidades de fibra, que regula la digestión y ayuda a absorber los ácidos, así como sales alcalinizantes que neutralizan los ácidos y protegen de la proliferación de microformas. Las hortalizas son una fuente excelente de enzimas, mientras que los fitonutrientes que dan a las plantas su color (como el amarillo y el naranja) también neutralizan los ácidos y ayudan a prevenir la diabetes, las enfermedades cardiovasculares, la obesidad, el colesterol alto y mucho más.

Debes evitar las hortalizas que forman ácido al digerirse, pero, en líneas generales, comer hortalizas es la clave para mantener tu organismo alcalino y tu nivel de azúcar en sangre equilibrado.

Haz que la mayor parte de tu plato consista en hortalizas. Céntrate en todas las hortalizas verdes que crecen en la tierra. Come la cantidad que desees de hortalizas verdes bajas en hidratos de carbono, como, por ejemplo, espinacas, brécol, apio, col, pepino, verduras, aguacate y pimientos verdes. Para ampliar la cantidad de sabores, también te interesará tomar una cantidad generosa de pimientos rojos, naranjas y amarillos, además de tomates. El universo de las hortalizas es de una variedad asombrosa, y puedes comer todas sin ningún tipo de problemas, excepto unas cuantas. (Entre las excepciones se encuentran las legumbres –menos las germinadas; *véase* inferior– y los tubérculos comestibles azucarados: zanahorias, remolachas, patatas y boniatos). Ahora dedicaré algunas páginas a examinar con mayor atención algunas de las más destacadas.

Soluciones rápidas para el azúcar en sangre bajo

Hay un momento en que el azúcar de las hortalizas con almidón puede ser útil: si tu nivel de azúcar en sangre desciende por debajo de 50 mg/dl y necesitas que aumente con rapidez. No eches mano del devastador zumo o la golosina que tal vez te hayan recomendado los médicos convencionales. En su lugar, recurre a una solución natural:

- Toma un vaso de leche de almendras frescas (*véase* capítulo de recetas, bebidas y batidos).

- Come una zanahoria, una remolacha o una patata roja o nueva, o toma un zumo de hortalizas recién preparado, y añade un poco de zumo de zanahoria o de remolacha (asegúrate de diluir el zumo en agua pura con una proporción de 1:10). También puedes agregar una cucharadita de polvo verde y gotas de pH.
- Toma un tazón de trozos de tomate y aguacate con brécol.
- Bebe un vaso de batido súper verde de aguacate (*véase* capítulo de recetas, bebidas y batidos).
- Toma una cucharadita de brotes de soja en polvo y mézclalos con un litro de bebida verde con gotas de pH.

Aguacates

Los aguacates son en realidad una fruta grasa, pero los incluyo porque la mayoría de la gente los considera una hortaliza. De cualquier modo, son el alimento casi perfecto. Están repletos de proteínas y grasas monoinsaturadas saludables (que les proporcionan su delicioso sabor y su textura suave). Están también repletos de fibra y agua, que ayudan al cuerpo a eliminar los ácidos. Los aguacates se digieren rápidamente, por lo que no se pudren en el estómago o en los intestinos de la forma en que lo hacen las grasas y las proteínas animales, y generan el doble de energía utilizable de la que necesitan para digerirse. Tienen un efecto alcalinizante en la sangre y en los tejidos cuando se metabolizan, y, no obstante, no contienen almidón y sí muy poco azúcar, por lo que no aumentan el nivel de azúcar en sangre.

Además, los aguacates están repletos de compuestos químicos que reducen el colesterol (fitosterol), amortiguan los ácidos (glutatión) y protegen contra las cataratas, la degeneración macular y ciertos tipos de cáncer (luteína), hasta el triple o el cuádruple de lo que contienen otras hortalizas y frutas muy comunes. Los aguacates contienen catorce minerales –entre ellos hierro y cobre–, y más potasio y sodio que los plátanos, sin todo su azúcar. Los aguacates son también una de las mejores fuentes de vitamina E.

Por todas estas razones, el aguacate será uno de los alimentos más importantes que comerás cuando tu cuerpo se pase del metabolismo del azúcar al metabolismo de la grasa. Mi investigación demuestra que comer cantidades generosas de aguacates ayuda a normalizar los niveles de azúcar en sangre. Recomiendo ingerir entre tres y cinco al día.

Cuidar los aguacates

Los aguacates maduran tras su recolección. Debes dejar entre cuatro y diecisiete días para que se ablanden, dependiendo de la variedad, la temperatura ambiente y la humedad. Conserva aguacates sobre la mesa o la encimera, y pellizca la parte superior y la parte inferior cada mañana; cuando cedan a la presión en ambos extremos significará que están maduros. Conserva en el frigorífico los que no vayas a consumir. Guarda en el frigorífico el aguacate que ya esté preparado, envuelto en film trasparente para que se conserve su frescor.

Tomates

Los tomates son también técnicamente una fruta, aunque solemos clasificarlos como una hortaliza. Son muy bajos en azúcar y ayudan a eliminar los ácidos del organismo, en especial el úrico y el sulfúrico, procedentes de las carnes. Los tomates también depuran el hígado, para que pueda seguir cumpliendo con su trabajo de limpiar los desechos del cuerpo.

Los tomates procesados –como, por ejemplo, las salsas o los zumos envasados o embotellados– son ácidos, pero los tomates frescos son alcalinos cuando entran en el torrente sanguíneo.

Brécol

Esta hortaliza contiene compuestos que combaten el cáncer, de acuerdo con la investigación de medicina convencional de la Universidad

Johns Hopkins y otros laboratorios. El brécol es una buena fuente de vitamina C –se ingiere el 97 % de la cantidad diaria recomendada con sólo 30 gramos–, mejor que cualquier cítrico. También aporta folato, vitamina A, potasio, vitamina B_6, magnesio y riboflavina. Mis propios estudios han demostrado que el brécol y los brotes de brécol se quelatan con los ácidos metabólicos; aportan clorofila para la depuración celular, y proporcionan glucorafanina, que actúa como un antiácido en la sangre y los tejidos. El brécol reduce y/o equilibra el azúcar en sangre, así como el colesterol, y ayuda a perder peso, entre otras cosas. Por todo ello, ingiérelo en cantidades generosas e intenta que sea uno de los ingredientes de tu bebida verde.

Pepinos

Los pepinos tienen poco azúcar y mucho potasio, y contienen una gran cantidad de agua, lo que los convierte en uno de los mejores agentes alcalinizantes que puedes tomar. Recomiendo los pepinos en lugar de las zanahorias como base de los zumos, a fin de evitar todo el azúcar que contienen estas últimas. Los pepinos son refrescantes, en especial cuando se utilizan en zumos o en agua, y pueden incluso usarse en el baño para eliminar los ácidos a través de la piel. Entre los diversos beneficios fitoquímicos, los pepinos contienen monoterpenos, que ayudan a reducir y neutralizar los ácidos gastrointestinales y metabólicos, así como a disminuir la producción de colesterol.

Cebolla y ajo

Junto con la jícama y el jengibre, las cebollas y el ajo forman el grupo de los tubérculos beneficiosos. El ajo y las cebollas trabajan en el organismo reduciendo de manera significativa el azúcar en sangre, gracias a su contenido en alicina y alil-propil-disulfuro (APDS). Es probable que sus flavonoides también ayuden. El APDS y la alicina ayudan a incrementar la insulina, lo que reduce el azúcar en sangre.

Las cebollas ayudan a metabolizar la glucosa, a aumentar la insulina y/o a prevenir la destrucción de insulina. Las investigaciones han demostrado que cuanta más cebolla tomes, más se reducirá tu azúcar en sangre, pero los efectos beneficiosos se han detectado incluso a niveles suficientemente bajos como para formar parte de tu dieta habitual.

Las cebollas y el ajo también aportan beneficios cardiovasculares, que son incluso más importantes para las personas con diabetes. Reducen el colesterol y la presión sanguínea, y evitan la acumulación de placa en tus arterias. Además de todo eso, las cebollas y el ajo contienen una gran cantidad de azufre y son buenos amortiguadores del ácido, por lo que te ayudarán a mantener un pH equilibrado y saludable en tu organismo.

Pasto de trigo y cebada silvestre

Estas hierbas son buenas para la salud por todas las razones por las que las hortalizas verdes son opciones excelentes, pero les dedicamos una sección propia porque son también una fuente estupenda de proteínas, más que la carne roja, la carne de ave, el pescado o los huevos. Éste es el secreto de algunos de los animales más fuertes y musculosos del mundo. Elefantes, gorilas, osos, caballos, vacas: todos son herbívoros. Todos ellos ingieren hierba.

Las hierbas se encuentran entre los alimentos más bajos en calorías y azúcar y más ricos en nutrientes del mundo. El pasto de trigo contiene más de cien nutrientes, incluidos todos los minerales y minerales traza identificados, y todas las vitaminas B, incluida la B_{12}, que por lo general se considera disponible sólo en los alimentos de origen animal. Es rico en vitaminas C, E y K, y tiene uno de los mayores índices de vitamina A de todos los alimentos. Además, es proteína en un 25 % y tiene grandes cantidades de un antifúngico/antimicotoxina llamado laetrilo. El pasto de trigo tiene una cantidad de vitamina C siete veces mayor que las naranjas, y de tiamina (vitamina B_1) cuatro veces mayor que la harina de trigo y treinta veces mayor que la leche. Las hierbas contienen más hierro que las espinacas.

Las hierbas ayudan a equilibrar los niveles de azúcar en sangre; tan sólo 90 gramos de pasto de trigo o de cebada silvestre exprimidos en un litro de agua destilada normalizarán en quince minutos los niveles altos o bajos de azúcar. Además, estas hierbas son amortiguadores naturales de los ácidos metabólicos.

Pero el elemento más poderoso de las hierbas quizás sea la clorofila, la «sangre» de la planta. La clorofila ayuda a la sangre humana a que distribuya oxígeno por todo el organismo. Reduce los ácidos uniéndose con el ADN, y descompone el oxalato cálcico para ayudar a neutralizar y eliminar el exceso de ácido.

La estructura molecular de la clorofila es prácticamente idéntica a la de la hemoglobina (un trasportador del oxígeno) de la sangre humana. Ambas están compuestas de los mismos cuatro elementos –carbono, hidrógeno, oxígeno y nitrógeno–, aunque la hemoglobina se dispone alrededor de un solo átomo de hierro, mientras que la clorofila lo hace en torno a un solo átomo de magnesio. Creo que la clorofila ayuda a sintetizar unas células sanguíneas sanas, con lo que regenera nuestro organismo a nivel molecular y celular.

La clorofila es lo que hace que las plantas sean verdes, y todas las plantas verdes (verduras) la contienen. Las dos mejores fuentes para los seres humanos son el pasto de trigo y la cebada silvestre. La mejor manera de incluirlas en tu dieta no es comiéndolas tal como se presentan en la naturaleza (dejemos eso a las vacas rumiantes), sino exprimiéndolas para obtener un extracto y condensar su poder curativo, de forma que tu organismo pueda beneficiarse de él.

Espinacas

La espinaca es otra maravillosa hortaliza que debe estar presente a menudo en tu plato, así como en tu bebida verde. Es rica en vitamina A, folato, hierro, magnesio, calcio, vitamina C, riboflavina, potasio y vitamina B_6, por no mencionar que es una buena fuente de fibra. Las espinacas contribuyen a mejorar la presión sanguínea y los niveles de colesterol, ayudan a perder peso y suelen ayudar a reducir el ácido que se encuentra en el organismo y a luchar contra la diabetes (además de muchas otras cosas).

Judías de soja

Las judías de soja son otra buena fuente de proteína –más que el pescado, los huevos o los productos lácteos–, sin colesterol ni grasa saturada. Tienen el honor de ser el único vegetal que contiene los ocho aminoácidos esenciales necesarios para sintetizar proteínas. Consideradas un alimento completo debido a eso, además de por su contenido en hidratos de carbono y grasas, las judías de soja también proporcionan un gran número de minerales y vitaminas, incluidos el calcio, el hierro, el fósforo, el magnesio, la tiamina, la riboflavina, la niacina, e incluso la vitamina B_{12} (que por lo general se consideraba que sólo se obtenía de los alimentos de origen animal). Además, las judías de soja aportan AGE omega-3 y omega-6. Las judías de soja también contienen muchos fitoquímicos potentes y beneficiosos –como, por ejemplo, las isoflavonas, de las que tal vez hayas oído hablar– que son potenciales agentes anticancerígenos.

Por ese motivo, la soja es un componente tan importante del plan de la milagrosa dieta del pH para la diabetes. Debes evitar los productos de soja fermentados –*miso, tempeh,* salsa de soja, *tamari*–, aunque el *edamame* (judías de soja integrales), el tofu y los brotes de soja (hablaremos más sobre ellos más adelante) deben aparecer de forma habitual en tu dieta. El aceite de judías de soja y la lecitina son también buenas opciones. La mayoría de las leches de soja están edulcoradas con jarabe de arroz, pero si puedes encontrar (y te gusta) leche de soja sin edulcorar, también será un buen añadido a la dieta.

Brotes

Se encuentran entre los mejores alimentos que puedes ingerir. Tienen en su interior todos los nutrientes de la planta ya desarrollada, pero concentrados y energizados con la chispa de la vida, por lo que cada pequeño ejemplar está literalmente repleto de un material excelente: una concentración de nutrientes entre treinta y cincuenta veces mayor que la de las plantas maduras. Los brotes están repletos de vitaminas (incluida la vitamina B_{12}, presente sobre todo en los alimentos de origen animal), minerales y proteínas completas, y tienen un alto contenido en enzimas y ácidos nucleicos. Los brotes de alfalfa contienen 7 gramos de proteína por cada ración de 30 gramos, por ejemplo, y si deshidratas los brotes de soja (como en el polvo de brotes de soja que hay en una bebida verde) para concentrar aún más las proteínas, las grasas y los minerales, obtendrás entre veinte y treinta veces más de lo que hay en los brotes en sí mismos. Los brotes contienen compuestos vegetales que ayudan a la digestión, promueven la organización celular y alcalinizan el proceso de la digestión. Las proteínas y las grasas de los brotes se descomponen en aminoácidos y ácidos grasos de fácil asimilación, y sus almidones se descomponen en azúcares vegetales suaves que no aumentan los niveles de azúcar en sangre.

Puedes cultivar brotes en tu propia cocina a partir de judías, lentejas, cereales, semillas y frutos secos, para tener una producción orgánica y fresca en cada temporada. O bien, por supuesto, puedes comprarlos. Puedes comerlos solos, en ensaladas, ligeramente hervidos con otros vegetales, o bien añadirlos a las sopas. Empieza con brotes de judías, frijoles mungo, brécol, soja, rábanos y girasol. Independientemente de lo que tomes y de cómo lo hagas, debes ingerirlos todos los días.

Valores nutricionales de las hortalizas y de los brotes

Estas hortalizas ayudan al funcionamiento del páncreas, a reducir la glucosa y el colesterol en sangre y a perder peso; además, aportan fibra para neutralizar los ácidos del sistema. Obviamente, no disponemos de espacio para tratar todas las hortalizas alcalinas, pero esta muestra de datos nutricionales te dará una idea de por qué son excelentes para comerlos solos o para incluirlos en la bebida verde.

DATOS NUTRICIONALES DE HORTALIZAS ALCALINAS	
Hortaliza	***% de la CDR en una ración de 30 gramos***
Brotes de alfalfa	Folato: 3 %
Brécol	Vitamina C: 97 % Folato: 20 % Vitamina A: 11 Hierro: 7 % Potasio: 6 % Vitamina B_6: 6 % Magnesio: 5 % Riboflavina: 5 %

DATOS NUTRICIONALES DE HORTALIZAS ALCALINAS	
Hortaliza	***% de la CDR en una ración de 30 gramos***
Hojas de diente de león	Vitamina A: 61 % Vitamina C: 16 % Calcio: 9 % Hierro: 9 % Riboflavina: 5 %
Col rizada	Vitamina C: 57 % Hierro: 13 % Vitamina A: 13 % Calcio: 11 % Magnesio: 11 % Potasio: 5 %
Kelp	Folato: 25 % Magnesio: 10 % Hierro: 8 % Calcio: 6 %
Quimbombó	Vitamina C: 22 % Folato: 18 % Magnesio: 13 % Vitamina B_6: 8 % Potasio: 7 % Tiamina: 7 % Calcio: 6 %
Perejil	Vitamina C: 45 % Folato: 25 % Hierro: 19 % Vitamina A: 16 %
Espinaca	Vitamina A: 74 % Folato: 66 % Hierro: 32 % Magnesio: 22 % Calcio: 15 % Vitamina C: 15 % Riboflavina: 12 % Potasio: 11 % Vitamina B_6: 11 %
Tomate	Vitamina C: 39 % Folato: 9 % Vitamina A: 8 % Potasio: 7 % Hierro: 6 %
Berro	Vitamina C: 12 % Vitamina A: 8 %

DATOS NUTRICIONALES DE HORTALIZAS ALCALINAS	
Hortaliza	***% de la CDR en una ración de 30 gramos***
Hierba de avena	Tiamina: 9 % Magnesio: 8 % Hierro: 6 %
Brotes de judías de soja	Folato: 30 % Vitamina C: 9 % Tiamina: 8 % Hierro: 7 % Magnesio: 7 %
Apio	Folato: 8 % Vitamina C: 7 %
Repollo	Vitamina C: 30 % Folato: 8 %

Fruta

Las frutas más conocidas están repletas de azúcar, y, por tanto, son contraproducentes para una dieta destinada a luchar contra la diabetes. Pero hay algunas deliciosas excepciones.

Limones, limas y pomelos

A pesar de parecer ácidos, estos cítricos se convierten en alcalinos cuando se digieren, gracias a su contenido en potasio y sodio. Estas frutas bajas en azúcar no aumentan de manera significativa el azúcar en sangre, por lo que puedes comerlas sin problema. El pomelo rosa tiene un poco más de azúcar que el blanco, pero ambas son buenas opciones. Puedes utilizar zumo de limón o de lima, o bien zumo de pomelo sin edulcorar, en cualquiera (o todas) de tus bebidas de agua/verdes, ya que no sólo potenciará el sabor, sino que también ayudará a equilibrar el pH de tu organismo.

Coco

El coco tiene mala fama debido a su elevado contenido en grasa. La realidad es, sin embargo, que el coco es una estupenda fuente de grasas *buenas*, así como de proteínas y minerales que ayudan a disminuir los niveles altos de azúcar en sangre; asimismo, reducen el colesterol, construyen unos huesos y una sangre sanos y proporcionan combustible para que el organismo pueda producir energía.

Es cierto que los aceites de coco procesados, después de refinarse e hidrogenarse, nos perjudican con sus letales grasas trans. Pero el coco natural es algo completamente distinto.

Los estudios muestran que las poblaciones (como las de las islas tropicales) que consumen mucho coco no tienen un riesgo mayor de padecer las enfermedades cardiovasculares que aparecerían con la exposición a una gran cantidad de grasas trans. No tienen el colesterol elevado, tasas altas de enfermedades cardiovasculares, ni tasas de mortalidad elevadas. Las investigaciones con ratas indican que utilizar grasa de coco tuvo mejores efectos sobre los niveles de colesterol que el aceite de girasol. Y cuando se añade leche de coco integral no edulcorada, o aceite de coco, a una dieta que por lo demás es típicamente americana, en realidad se produce una pequeña disminución en los niveles de colesterol.

La leche de coco elaborada licuando la carne blanca es un alimento proteico completo, cuando se toma en su forma natural. De hecho, es similar a la leche materna en lo relativo a su equilibrio químico. Es una fuente excelente de fósforo, calcio y hierro. El coco contiene compuestos antifúngicos. Ayuda a reducir el ácido, lo que a su vez disminuye la necesidad del organismo de producir más colesterol para que se una al ácido.

Por tanto, continúa investigando, descubre por ti mismo los beneficios (por no mencionar el delicioso sabor) que supone añadir coco orgánico no edulcorado, leche de coco y aceite de coco a tu dieta. Prueba a añadir copos sin edulcorar a tus sopas, ensaladas o pescado.

Sal

Aquí tenemos otra oportunidad para desafiar la sabiduría convencional: debes asegurarte de tomar una cantidad suficiente de sal. Es una idea que puede parecer graciosa en relación con la típica dieta americana, ya que los alimentos procesados y refinados son muy salados. Pero cuando te nutras exclusivamente de alimentos naturales y orgánicos, también tendrás que añadir unas cuantas sales naturales o sodio. El organismo utiliza el sodio para sintetizar el potasio, y el equilibrio entre el potasio y el sodio a niveles más bien elevados es importante para mantener el pH equilibrado. Las sales (las clases adecuadas, al menos) alcalinizan en gran medida el organismo. Una buena salud requiere una ingesta de sal que sea suficiente (aunque razonable). La presión en favor de las dietas bajas en sal a veces puede tener sentido para tratar la típica dieta americana, por ejemplo, pero las investigaciones actuales revelan muy pocos problemas de salud relacionados con la sal. En realidad, el mayor problema de salud relacionado con la sal tal vez no esté recibiendo suficiente atención.

En forma de cloruro sódico, la sal juega un papel muy importante en la digestión y absorción de los nutrientes, activando las enzimas que inician el proceso, y más tarde generando ácido clorhídrico en el estómago y liberando secreciones enzimáticas y biliares desde la vesícula biliar para que continúe el proceso. En presencia de sal, la comida parcialmente digerida puede desencadenar la liberación de bicarbonato sódico de forma natural -obtenido a partir del cloruro sódico–, por parte del páncreas, para amortiguar los ácidos que salen del estómago. Sin sal no puede haber digestión.

Sin embargo, no sólo necesitamos sodio, sino sodio junto con los diversos minerales con los que interactúa, entre ellos el cloruro, el clorito, el potasio, el silicio y el hidrógeno. En consecuencia, hay que utilizar cantidades abundantes de sal marina, que contiene muchos minerales. En Estados Unidos existen las marcas Celtic Salt y RealSalt, por ejemplo.

En realidad eres lo que comes

Realizar las elecciones correctas es incluso más importante de lo que puedas pensar, si piensas en la diabetes a la manera de la medicina tradicional y concentrándote en evitar el azúcar. Es más importante aún de lo que puedes creer si tienes unas miras más amplias y tu objetivo es contrarrestar los peligrosos efectos secundarios para el corazón que suelen acompañar a la diabetes.

Esto se debe a que nuestros cuerpos son, casi de manera literal, una trasformación biológica de los alimentos que comemos y los líquidos que tomamos. Es cierto que nos convertimos en aquello que comemos. En nuestro sistema gastrointestinal, los alimentos se digieren y se absorben como describe la fisiología moderna, sin duda, pero ahí no acaba todo. En el paso final, lo que ingerimos se convierte, en último término, en glóbulos rojos.

Teniendo en cuenta de nuevo la fisiología moderna, sabemos que los glóbulos rojos trasportan oxígeno a las células y dióxido de carbono (un ácido) fuera de las mismas. Sin embargo, eso sólo es parte del conjunto total. Esos glóbulos rojos circulan por el organismo y se trasforman en células orgánicas, como, por ejemplo, hepáticas, musculares, grasas, cerebrales, óseas, cardíacas y –lo que es más importante para este libro– en células pancreáticas, e incluso en células beta productoras de insulina. Los glóbulos rojos son el material fundamental de todas las células de nuestro organismo.

Para tener células orgánicas sanas, debes tener unos glóbulos rojos sanos. Para sintetizar glóbulos rojos sanos necesitas grandes cantidades de alimentos verdes y de grasas buenas. He advertido mejoras significativas en la calidad y la cantidad de los glóbulos rojos de mis pacientes cuando empiezan a tomar alimentos y bebidas con un alto contenido en clorofila y grasas buenas constructoras de membranas celulares. Desde el punto de vista de la diabetes, un páncreas sano y unas células beta productoras de insulina también sanas están determinados por la calidad y la cantidad de glóbulos rojos, lo que a su vez está determinado por lo que comes y bebes. Si quieres un páncreas que funcione de manera adecuada, tienes que sintetizar sangre y aportar un medio alcalino correcto.

Una dieta basada en alimentos verdes y grasas buenas aportará todo lo que tu cuerpo necesita para poner esto en marcha. Las microzimas se organizan en forma de aminoácidos. Las células eligen los aminoácidos específicos que necesitan y los utilizan para construir nuevas células sanguíneas, que se convertirán en células orgánicas (tejidos y órganos).

La clave para prevenir y revertir las diabetes tipo 1 y tipo 2, y todos los síntomas relacionados, está en la sangre. La clave de una sangre sana se encuentra en los alimentos. La clave de una buena alimentación se encuentra en tu persona. Todo lo que tienes que hacer es elegir de una manera saludable.

Escucha lo que dicen los expertos... y no lo hagas

A pesar de las recomendaciones dietéticas mínimas oficiales –la famosa pirámide alimentaria, la campaña «5 al día» para animar a consumir frutas y verduras–, la mayoría de los estadounidenses, y otras muchas personas del mundo occidental, no viven de acuerdo con ellas. Por término medio, entre el 40 y el 45 % de nuestras calorías proceden de la grasa refinada, y entre el 20 y el 25 % del azúcar blanquilla. Además, gran parte del 30-40 % restante procede de los alimentos procesados: hortalizas envasadas o congeladas, carnes congeladas y procesadas, panes elaborados con harina refinada, y así sucesivamente. La mayoría de los estadounidenses, por ejemplo, toma tan poco como entre 10 y 15 gramos de fibra al día, a pesar de las recomendaciones de ingerir entre 30 y 60 gramos. La revista *Journal of the American Medical Association* informó en 2002 que, aunque la dieta estadounidense media puede ser suficiente para prevenir las enfermedades por deficiencia de vitaminas, como, por ejemplo, el escorbuto, la mayoría de los estadounidenses aún tienen niveles de vitaminas inferiores a lo considerado óptimo, lo que conlleva un riesgo mayor de padecer enfermedades crónicas como la diabetes, las enfermedades cardiovasculares y el cáncer. No cabe la menor duda: nuestros organismos no obtienen lo que necesitan comiendo de la forma en que lo hacemos la mayoría. Ingerimos cantidades excesivas de alimentos (unas 500 calorías más de lo recomendado, casi 900 calorías diarias más que la media de hace veinte años), y, no obstante, estamos en gran medida –¡y digo en gran medida!– mal nutridos en lo referente a lo necesario para mantener una buena salud.

Tenemos que hacerlo mejor. Pero muchos expertos en realidad no ayudan. La pirámide alimentaria del Departamento de Agricultura de Estados Unidos tiene muchos puntos débiles, y con su énfasis en los hidratos de carbono creo que en realidad contribuye a la aparición de diabetes. Incluso las pautas oficiales de la Asociación Americana para la Diabetes hacen el mismo énfasis en los almidones: la revista *Diabetes Food and Nutrition Bible*, que publica la asociación, recomienda convertir los almidones en «la parte principal de la alimentación». Los médicos convencionales que siguen esta misma política suelen aconsejar que entre el 45 y el 60 % de las calorías procedan de los hidratos de carbono (que, como he mencionado, el organismo trata prácticamente como si fueran azúcar). De hecho, en 1994, la ADA anunció que las personas con diabetes debían seguir las mismas pautas dietéticas que las demás, y que incluso el azúcar podía formar parte de su dieta.

Estas personas no están locas, por supuesto, al decir a los diabéticos que la mitad de su dieta la constituya el azúcar. Están preocupadas por la letal plaga de problemas cardiovasculares que afrontan las personas con diabetes, y a consecuencia de ello insisten en una dieta baja en grasa. La proteína supone una señal de alarma para los preocupados por las enfermedades renales, otro problema común en la diabetes. Básicamente lo que queda son los hidratos de carbono.

Pero no tiene ningún sentido aconsejar hidratos de carbono a personas que padecen sobre todo un problema de intolerancia a ese principio alimenticio. Sabemos con seguridad que el azúcar (y los hidratos de carbono de los que procede) no es saludable para los diabéticos. Y no hay evidencia de que las personas que padecen diabetes, pero que por otra parte están sanas, sufran problemas renales por ingerir proteínas, mientras que los problemas cardiovasculares sólo se han asociado con ciertos tipos de grasa (procesada, saturada o trans) que puede evitarse fácilmente. Las personas con diabetes que mantienen normales sus niveles de azúcar en sangre, en cualquier caso, evitan todas estas complicaciones.

Otros expertos, en especial los del Instituto Americano para la Investigación del Cáncer (AICR), han empezado a desarrollar pautas más útiles que hacen énfasis en las hortalizas, las frutas, los cereales integrales y las legumbres: el AICR quiere que esos alimentos cubran al menos dos terceras partes del plato, por ejemplo. Científicos de la Escuela de Salud Pública de Harvard han desarrollado su propia pirámide de alimentación saludable, que insiste en aumentar los alimentos a base de cereales integrales, hortalizas y aceites vegetales, y han observado que las mujeres que la siguen tienen un 28 % menos de enfermedades cardiovasculares que las que siguen la pirámide estándar del Departamento de Agricultura.

El plan de la milagrosa dieta del pH toma la iniciativa al alejarse de los hidratos de carbono y aproximarse a los alimentos vegetales y las grasas buenas, pero lleva el plan aún más lejos, para no sólo reducir el riesgo, sino (en muchos casos) eliminarlo por completo. ¿Por qué conformarse con menos que una salud buena y radiante? En especial cuando se puede conseguir mientras se disfruta de las cosas buenas de la naturaleza.

El plan de la milagrosa dieta del pH para la diabetes

Así que aquí tienes un camino mejor, en pocas palabras: cubre tu plato de hortalizas. Entre el 70 y el 80 % de tu alimentación debe proceder de las hortalizas frescas, las hierbas, los brotes, las frutas bajas en azúcar y las grasas buenas (en especial del aguacate y el coco). Al menos la mitad de esos alimentos deben estar crudos. Cuando cocines, hazlo lo más rápidamente posible, manteniendo la comida a 48 °C, o menos (debes poder introducir el dedo en la sopa sin tener que sacarlo de inmediato debido a la temperatura), y los aceites que no sean de oliva o de pepitas de uva añádelos al plato ya preparado, puesto que nunca deben calentarse.

El restante 20-30 % de alimentación debe estar constituida por pescado fresco, frutos secos y semillas, además de cereales que sean sólo ligeramente ácidos: mijo, trigo sarraceno y escandia. Siempre que elijas de una manera sensata y que los limites a un máximo del 20 % de tu alimentación, puedes también decidir incluir algunos alimentos en cierta medida ácidos, quizás otros cereales, o patatas dulces o nuevas.

Evita las comidas procesadas, y elige, en la medida de lo posible, alimentos orgánicos para asegurarte de que tu comida alcanza niveles óptimos de nutrientes, de que mantiene todos sus nutrientes y de que no está contaminada con los agresivos productos químicos de los fertilizantes y los pesticidas. Los productos orgánicos pueden tener un contenido tres veces mayor de nutrientes que los no orgánicos.

No te preocupes: comer grandes cantidades de hortalizas crudas no significa que vayas a vivir a base de lechuga iceberg acompañada con una rodaja de tomate. Las recetas de Shelley del capítulo 10 permitirán que todo esto sea muy fácil –¡y delicioso!– de implementar.

Nuestro primer libro, *La milagrosa dieta del pH*, ofrece muchos más detalles sobre cómo comer de esta manera, incluidos los útiles necesarios, aprender algunas nuevas técnicas de preparación de alimentos –como, por ejemplo, la germinación y la deshidratación–, comprar alimentos y mantener la despensa bien surtida. Contiene también muchas otras deliciosas recetas. Ese libro también ofrece una guía sobre cómo hacer la transición, desde una dieta convencional hasta el cumplimiento de este programa. No se trata de una dieta de moda, sino de una forma de comer para gozar de una vida larga y saludable, y tomarte un poco de tiempo para estudiarla facilita que sigas en el camino que has elegido.

Capítulo 8

Suplementos nutricionales

La absorción y organización de la luz solar, la misma esencia de la vida sobre este planeta, proceden casi exclusivamente de las plantas. Las plantas son, por tanto, una acumulación biológica de luz. Dado que la luz es la fuerza impulsora de cada célula de nuestro organismo, por eso necesitamos a las plantas.

Doctor Bircher Benner

La típica dieta americana, por ejemplo, aunque se puede extender a otras muchas típicas del mundo occidental, es, por desgracia, insuficiente en vitaminas, minerales y otros nutrientes esenciales, por lo que no nutre adecuadamente nuestro organismo, a la vez que aporta un exceso de calorías y de grasas no saludables. Aunque pertenezcas al 20-30 % de personas que de verdad cumplen el (decididamente mínimo) objetivo de cinco raciones diarias de frutas u hortalizas, aun así podrías no obtener todo lo que necesitas para una buena salud de base. La calidad de los alimentos ha disminuido de manera considerable en las últimas décadas. Los nutrientes se destruyen al cosechar, almacenar, cocinar, refrigerar y recalentar los alimentos -por no hablar de la farsa de procesarlos hasta que resultan difíciles de reconocer–, y gran parte de nuestro suministro de alimentos tiene lugar en suelos empobrecidos que son deficientes o carecen de nutrientes, como punto de partida. Aunque sigas el plan de la milagrosa dieta del pH, no puedes estar seguro de obtener todo lo que deberías de tus alimentos. A fin de nutrir tu organismo lo suficiente para revertir la diabetes, necesitarás aún más. Precisas un programa de suplementos nutricionales diseñado específicamente para que tu organismo se torne más alcalino. (Consulta con tu médico antes de iniciar cualquier programa de suplementos nutricionales).

Eso es justo lo que ofrece este capítulo. No debes preocuparte, ya que no requiere que tomes muchísimas pastillas durante todo el día. Sin embargo, tampoco hay una o dos píldoras mágicas. Pero las recomendaciones básicas para todo el mundo son muy razonables: tres suplementos mezclados en una bebida, más otros dos tipos de suplementos. Además de eso, hay dos niveles de recomendaciones que puedes utilizar a fin de diseñar un régimen para tus condiciones específicas. Si comes de manera correcta, unas cuantas elecciones bien hechas proporcionarán todo lo que necesitas para equilibrar tu organismo, conservar la alcalinidad y olvidarte de la diabetes. Si *no* comes correctamente, ningún suplemento del mundo va a proporcionarte una buena salud por completo. La combinación adecuada de dieta y suplementos es la mejor forma de prevenir y revertir la diabetes, así como de vivir con una buena salud.

Los cimientos

Con tus bebidas verdes diarias ya tomarás tres de los cinco suplementos más importantes para prevenir y revertir la diabetes: hortalizas verdes y polvo de hierbas, brotes de soja en polvo y gotas de pH. Se necesita más de medio kilo de productos para preparar tan sólo 30 gramos de **polvo verde**, y esta increíble concentración conlleva que esté repleto de vitaminas y minerales, incluidos los que más necesita el páncreas para protegerse y curarse, junto con clorofila, enzimas vegetales y fitonutrientes, además de macronutrientes como proteínas y fibra. Al proporcionar una buena fuente de sustancias alcalinas (como sodio, potasio, calcio y magnesio) para mantener un nivel de pH saludable en tu organismo, el polvo verde asegura que aquél no elimine estos minerales a sistemas orgánicos específicos (como, por ejemplo, el páncreas) que los necesitan.

Todos los ingredientes del polvo verde que elijas deben estar cultivados orgánicamente, y después conservados mediante deshidratación a bajas temperaturas. Y, por supuesto, debes mezclarlo con un tipo de agua adecuada: destilada, purificada e ionizada, lo que hayas decidido siguiendo las explicaciones sobre el agua del capítulo 7.

Mezcla una cucharadita de polvo verde en un litro de agua para preparar la bebida verde, y toma al menos entre tres y cuatro litros diarios.

Polvo verde

Busca muchos de estos ingredientes (que pueden tomarse también como suplementos) en cualquiera de los polvos verdes que elijas; todos son útiles para combatir la diabetes:

- Apio
- Barba de maíz
- Berro
- Betacaroteno
- Brécol
- Brote de soja
- Citronela
- Cola de caballo
- Concentrado de aloe
- Corteza de olmo rojo
- Corteza de pau d'arco
- Corteza de sauce blanco
- Cúrcuma
- Equinácea
- Escaramujo
- Espinaca
- Filipéndula
- Grama
- Hierba de avena
- Hierba de cebada
- Hierba kamut
- Hoja de alfalfa
- Hoja de arándano
- Hoja de boldo
- Hoja de col rizada
- Hoja de diente de león
- Hoja de frambuesa roja-Hoja de fresa
- Hoja de gaulteria
- Hoja de hidrastis
- Hoja de hierbabuena
- Hoja de mirtilo
- Hoja de nuez negra
- Hoja de papaya
- Hoja de plátano macho
- Hoja de romero
- Lecitina
- Pasto de trigo
- Perejil
- Quimbombó
- Raíz de malvavisco
- Raíz de pau d'arco
- Repollo
- Salvia
- Tomate
- Tomillo
- Zumo de alfalfa concentrado

Los brotes de soja en polvo son incluso más densos que el polvo verde, y son ricos en proteínas, enzimas, isoflavonas y otros nutrientes que contienen componentes vegetales que previenen, reducen y/o ralentizan el incremento de los niveles de azúcar en sangre, y que combaten la acidez que puede acabar en diabetes. Las isoflavonas, ya famosas por ayudar a reducir el colesterol, inhiben la aterosclerosis, previenen la osteoporosis y alivian los síntomas de la menopausia; son también de gran ayuda para el páncreas y ayudan a equilibrar los niveles de azúcar en sangre. Las enzimas ayudan a prevenir el daño celular y contienen adaptógenos naturales, los cuales ayudan al organismo a manejar el estrés (un estrés que puede generar diabetes). Los estudios han demostrado que la soja es una forma natural de equilibrar la actividad hormonal, evitar las infecciones, depurar el organismo e incluso inhibir los agentes promotores del cáncer. La planta de la soja contiene compuestos protectores únicos que contrarrestan el proceso de fermentación, a medida que el organismo utiliza los alimentos para producir energía.

Vitaminas y minerales de la bebida verde

Los nutrientes de esta lista, presentes en las hortalizas y las hierbas del polvo verde y/o en los brotes de soja en polvo, son buenos para prevenir o revertir la diabetes. Si puedes encontrar un polivitamínico que incluya todas estas cosas, sería casi tan potente como la bebida verde, aunque le faltaría el poder de la clorofila.

- Alcaloides
- Aluminio
- Antimonio
- Arginina
- Bario
- Bismuto
- Boro
- Calcio
- Cerio
- Cobalto
- Cobre
- Cromo
- Disprosio
- Erbio
- Estaño
- Europio
- Fenilalanina
- Flavonoides
- Gadolinio
- Galio
- Germanio
- Hafnio
- Hierro
- Holmio
- Inosina
- Iridio
- Iterbio
- Itrio
- Lantano
- Lisina
- Litio
- Lutecio
- Manganeso
- Magnesio
- Molibdeno
- Neodimio

• Niobio	• Tirosina	• Uranio	• Vitamina C
• Níquel	• Titanio	• Vitamina A	• Vitamina E
• Oro	• Torio	• Vitamina B_1	• Yodo
• Paladio	• Tulio	• Vitamina B_2	• Zinc
• Sulfato de vanadio	• Tungsteno	• Vitamina B_6	• Zirconio

Añade un cucharón de brotes de soja en polvo a cada litro de bebida verde o de agua, o bien toma un cucharón poniéndolo directamente en la boca, tres o cuatro veces al día.

Añadir **gotas de pH** (la manera en que yo llamo al clorito sódico y/o el silicato sódico) a tus bebidas verdes (y al agua sola) aumenta las propiedades beneficiosas del agua, del polvo verde y de los brotes de soja en polvo, haciendo que sean más alcalinizantes y oxigenantes y que equilibren mejor el pH. Las gotas de pH actúan como catalizadores del oxígeno y de los electrones, y permiten que entre más cantidad de éstos en la sangre, y, por tanto, en todas las células del organismo, que los necesitan para un rendimiento óptimo. Las gotas se unen con las sustancias químicas del organismo para liberar una forma muy activa de oxígeno, lo que facilita que el cuerpo lo absorba, y ayuda a detener las trasformaciones perjudiciales de las microformas. Se mezclan con el sodio para formar potasio, que es alcalinizante.

Añade dieciséis gotas a cada litro de agua o de bebida verde.

Bebida verde: polvo verde, brotes de soja en polvo y gotas de pH

La bebida verde más potente consiste en una cucharadita de polvo verde, una cucharada de brotes de soja en polvo y dieciséis gotas de pH. Debes tomar al menos cuatro litros de bebida verde diarios, una cantidad que contendrá todos los beneficios de más de 2,5 kilos de hortalizas, hierbas y brotes.

El hecho de tomar tus hortalizas (y hierbas y brotes) te ayudará a regular el azúcar en sangre, a neutralizar los ácidos, a utilizar de manera adecuada la glucosa y a evitar la resistencia a la insulina; en pocas palabras, protege tu organismo de los estragos de la diabetes. Esta combinación de triple amenaza permite completar tres de los cinco fundamentos que todas las personas que afrontan la diabetes necesitan cubrir para poner las bases de su programa de suplementos. El cuarto es un suplemento de ácidos grasos esenciales (AGE).

Los ácidos grasos esenciales, como vimos en el capítulo 7, ayudan a eliminar los ácidos y protegen de la diabetes (y de las enfermedades cardiovasculares, de los derrames cerebrales, de la hipertensión, de la aterosclerosis, de los coágulos sanguíneos y del colesterol alto), así como de los síntomas secundarios de esta patología, entre ellos los problemas cutáneos, la disfunción renal y la neuropatía diabética. Los ácidos grasos omega-3 EPA y DHA del pescado, en particular, han demostrado que previenen la diabetes, las enfermedades cardiovasculares y el derrame cerebral. De hecho, un estudio italiano reciente, con más de once mil personas, descubrió que quienes tomaron un gramo de aceite de pescado al día, todos los días, durante tres meses, redujeron su riesgo de muerte por cualquier causa un 41 % más que quienes tomaron un placebo. Los ácidos grasos son esenciales para el crecimiento y el mantenimiento normales de las células. Son en especial útiles en el cerebro, los ojos y el corazón, que se encuentran entre los tejidos más activos del organismo. Los AGE protegen a las células beta productoras de insulina del páncreas de los daños producidos por el ácido y aportan las grasas necesarias para construir las membranas de todas las células del organismo.

Ácidos grasos esenciales

Recomiendo un suplemento que mezcle aceites de pescado con el de borraja o el de cáñamo para equilibrar correctamente los omega-3 y omega-6 en una proporción de 3:1: los ácidos grasos omega-3 de los aceites de pescado (EPA y DHA) y los omega-6 ácido gamma-linolénico (GLA), ácido linoleico (LA) y ácido erúcico (EA) del aceite de borraja. Debes tomar una cápsula de 1.000 miligramos, tres veces al día. (En caso de padecer un problema grave –como, por ejemplo, cuando comienzas a tratar la diabetes con el plan de la milagrosa dieta del pH–, debes tomarla entre seis y nueve veces diarias, durante algún tiempo).

Tu quinto suplemento clave será un **suplemento polivitamínico-mineral de amplio espectro**, para asegurarte de que tu organismo recibe cada día todo lo que necesita para funcionar correctamente. Busca uno que incluya sales minerales –lo que me gusta llamar «sales celulares»– molidas en forma de fino polvo para una fácil asimilación.

Polivitamínico

El organismo puede soportar una deficiencia de vitaminas durante más tiempo que una deficiencia de minerales: incluso una ligera modificación en la concentración en sangre de los minerales importantes puede constituir una amenaza para la vida. Así que debes asegurarte de que tu polivitamínico aporte tanto vitaminas como minerales. Toma una cápsula de 500 miligramos al menos tres veces al día (seis veces diarias cuando tratemos desequilibrios serios, incluida la diabetes), con una bebida verde o con agua. Busca uno que contenga todos –o al menos la mayoría– los que citamos a continuación, en aproximadamente las cantidades mencionadas, aunque no es necesario que sean exactas:

Vitaminas

- Vitamina A: 7.500 UI
- Vitamina B_1: 20 miligramos
- Vitamina B_2: 20 miligramos
- Vitamina B_6: 25 miligramos
- Vitamina B_{12}: 35 microgramos
- Vitamina C: 350 miligramos
- Vitamina E: 300 UI
- Vitamina B_3 (niacinamida): 35 miligramos
- Biotina: 6 miligramos
- Colina: 150 miligramos

Minerales

- Calcio: 350 miligramos
- Magnesio: 350 miligramos
- Manganeso: 200 miligramos
- Zinc: 10 miligramos
- Cobre: 1 miligramo
- Potasio: 35 miligramos
- Selenio: 70 microgramos
- Molibdeno: 40 microgramos
- Silicio: 10 miligramos
- Inositol: 15 miligramos
- Yoduro potásico: 50 microgramos

Sales minerales

- Fosfato cálcico (fos. calc.): 1 miligramo
- Fosfato férrico (fos. ferr.): 1 miligramo
- Fosfato potásico (fos. pot.): 1 miligramo
- Fosfato sódico (fos. sod.): 1 miligramo
- Cloruro sódico (cl. sod.): 1 miligramo
- Sulfato sódico (sulf. sod.): 1 miligramo
- Opcionales: fluoruro cálcico (fluor. calc.), sulfato cálcico (sulf. calc.), cloruro potásico (cl. pot.), sulfato potásico (sulf. pot.), fosfato magnésico (fos. mag.) y silicio (óxido si.).

Solución rápida para el azúcar en sangre bajo

Si necesitas que aumente el azúcar en sangre, no recurras a una dosis grande de azúcar, que tal vez cumpla la labor, pero que también te hará entrar en un círculo vicioso. En su lugar, toma una cucharada de brotes de soja en polvo con un litro de bebida verde, con gotas de pH, o bien mezcla los brotes en la bebida.

La historia de Mary Kay

Me diagnosticaron diabetes tipo 2 en 1989, pero aunque resulte difícil de creer, fue el menor de mis problemas de salud. Tenía fallo cardíaco congestivo, inicio de fallo hepático y fallo renal. Tenía hipertensión, taquicardia y prolapso de la válvula mitral. Sufría una serie de problemas digestivos, entre ellos obstrucciones intestinales y el hecho de que el 95 % de la mucosa estomacal estaba erosionada. Mi vista se estaba deteriorando, se acumulaba fluido en mis pulmones, abdomen, pies y tobillos, y necesitaba oxígeno a cada momento. Había pasado por al menos una docena de intervenciones quirúrgicas, más de cien ingresos hospitalarios y una alarmante serie de diagnósticos médicos y tratamientos, y tomaba doce medicamentos distintos a la vez.

Siete años después ya tenía los primeros indicios de neuropatía diabética, con dolor en las piernas y entumecimiento y hormigueo en los pies. Luché contra todo esto durante bastante tiempo. A comienzos de este año, cada día me inyectaba dos dosis de insulina de larga duración y seis de corta duración, con veintidós unidades por la mañana y entre cinco y diez por la noche.

Desesperada, empecé a tomar la bebida verde con gotas de pH (en las pequeñas cantidades que mi estómago podía tolerar). También tomé suplementos para el corazón, el páncreas, los riñones y el sistema digestivo, junto con un polivitamínico, y empecé a seguir una dieta alcalina.

En sólo tres días, mi azúcar en sangre bajó para mantenerse en niveles normales –no diabéticos– y empecé a reducir mis dosis de insulina. En cinco semanas había dejado la insulina por completo, y mi azúcar en sangre se mantuvo normal. Un mes después, había dejado todos mis medicamentos excepto dos, así como el oxígeno. Mi presión sanguínea y mi frecuencia cardíaca se normalizaron. Mi vista mejoró, tenía mucha más energía, e incluso pude empezar a hacer ejercicio. Mi estómago sanó, y ahora puedo comer hortalizas verdes, legumbres, frutos secos y fruta sin acabar en el hospital. Y los médicos anularon la operación a corazón abierto a la que me tenía que someter. ¡La milagrosa dieta del pH me devolvió la salud!

La estructura

Con las bebidas verdes, los AGE y un buen polivitamínico, habrás puesto los cimientos de tu programa de suplementos. Para quienes necesiten o quieran llegar más lejos, recomiendo algunos suplementos nutricionales adicionales, que considero que son como el armazón de una casa. No todas las casas necesitan construirse con exactamente los mismos materiales; los que utilices dependen del diseño que vayas a seguir, y lo ideal es que esté adaptado específicamente a tu persona. La mayoría de los individuos con diabetes se beneficiarán de los suplementos de esta sección. (No hay necesidad de modificar las dosis recomendadas si cualquiera de las cosas que aparecen aquí se encuentra también en tu polivitamínico).

Cromo

El cromo, un mineral esencial, aumenta la eficacia de la insulina y mejora su capacidad para manejar la glucosa. Estimula la actividad de las enzimas implicadas en el metabolismo de la glucosa para obtener energía y enlaza la insulina con la glucosa. Al mejorar la absorción del azúcar, el cromo reduce la acidez, y, por ello, minimiza la necesidad del organismo de retener grasa. También ayuda a convertir la sangre en músculo, y el azúcar en energía. El cromo es bueno para la resistencia a la insulina. Inhibe la formación de placa en tu arteria aorta, y su deficiencia puede contribuir a padecer arteriosclerosis. También ayuda a perder peso.

Incluso una deficiencia muy ligera de cromo tendrá serios efectos en el organismo y afectará al funcionamiento de la insulina, entre otras cosas, lo cual generará intolerancia a la glucosa. Aunque es rara en otros países, la deficiencia está muy extendida en Estados Unidos. Eso se debe a que el suelo ya no contiene suficientes reservas de energía, y por eso las cosechas y el suministro de agua no absorben cromo. El refinamiento de los alimentos elimina gran parte del cromo que logra llegar a ellos. Las mujeres embarazadas son especialmente propensas a sufrir deficiencia de cromo porque el feto utiliza una gran cantidad.

Los estudios con animales realizados en 1957 demostraron que la tolerancia de las ratas a la glucosa inyectada se recuperó de inmediato en aquellas que sufrían deficiencia de cromo cuando recibieron suplementos de este mineral. Estudios más recientes llevados a cabo con personas llegaron a la misma conclusión. En 1993, más de la mitad de los participantes de un estudio que tenían diabetes tipo 2 y más de la tercera parte de los que tenían diabetes tipo 1 pudieron reducir su medicación hipoglucemiante oral o su insulina, al empezar a tomar 200 microgramos diarios de cromo. En 1997, pacientes con diabetes tipo 2 añadieron cromo a su dieta, sin realizar ningún otro cambio en su alimentación, la medicación o el nivel de actividad. Cuando comprobaron sus niveles de azúcar en sangre cuatro meses después, mostraron reducciones en el azúcar en sangre y la insulina, así como en el colesterol.

Cromo

He visto por mí mismo lo que el cromo puede hacer por los diabéticos o por quienes tienen sensibilidad a la insulina o intolerancia a la glucosa, especialmente en combinación con la milagrosa dieta del pH y un programa de ejercicios. Por lo general, intento que mis pacientes tomen 200 microgramos de cromo tres veces al día con una bebida verde o con agua. La mayoría de los estadounidenses, por ejemplo, no toman ni siquiera 50 microgramos de cromo al día.

NADP

La coenzima natural NADP reduce la resistencia a la insulina porque ayuda a una forma de glucosa en el ciclo energético de la célula. Sin una cantidad suficiente de NADP en el organismo, estaremos en riesgo de padecer resistencia a la insulina o diabetes.

La NDAP (iniciales de B-nicotinamida adenina dinucleótido fosfato) es un combustible celular para generar energía; sin ella no se puede producir. Cuanta más energía necesite una célula, más NADP requerirá para obtener esa energía. La NADP ayuda a retrasar la muerte celular (incluida la de las células pancreáticas alfa y beta) y promueve la regeneración de tejidos, y, además, juega un papel clave en la regulación celular y en la reparación del ADN. La NADP es un potente antiácido, y colabora con los glóbulos blancos en su tarea de eliminación de microformas negativas y de los ácidos asociados a ellas. La NADP es buena también para el corazón, porque reduce el colesterol y la presión sanguínea. (La NADP está presente en todas las células del organismo, pero el corazón tiene una concentración especial).

La NADH/P es una molécula similar presente en los seres humanos; suele encontrarse en fuentes vegetales. A veces se puede encontrar co-Q1 (coenzima Q1) en las tiendas, que es básicamente lo mismo.

NADP

Toma 5 miligramos tres veces al día, con el estómago vacío, con una bebida verde o un vaso de agua.

Sulfato de vanadio

El mineral traza esencial sulfato de vanadio ayuda a controlar el azúcar en sangre. Imita, de una forma clave, la acción de la insulina, y estimula los mismos trasportadores (conocidos como trasportadores GLUT-4) para utilizarlos para introducir glucosa en las células. Numerosos estudios con animales y una serie creciente de estudios con humanos muestran que el sulfato de vanadio mejora los niveles de azúcar en sangre en ayunas. En un pequeño estudio de 1996, por ejemplo, los pacientes con diabetes tipo 2 que tomaron 50 miligramos de sulfato de vanadio dos veces al día durante cuatro semanas, y un placebo durante cuatro semanas experimentaron –por término medio– un descenso del 20 % en los niveles de azúcar en sangre en ayunas, un resultado tan destacado que incluso se extendió durante el período en que tomaron el placebo.

Cuando se mezcla con cromo, el dúo ayuda a controlar los niveles de azúcar en sangre y las ansias por el azúcar. También reduce el colesterol LDL y aumenta el colesterol HDL.

Sulfato de Vanadio

Recomiendo tomar 35 miligramos de sulfato de vanadio tres veces al día, con una bebida verde o con agua.

Solución rápida para las cetonas

- Hidrata mucho tu organismo con una bebida verde con gotas de pH y NADP.
- Toma cromo y sulfato de vanadio para que la insulina se una a la glucosa; una sola dosis funciona con mucha rapidez.

Magnesio

El magnesio está relacionado en numerosos procesos metabólicos esenciales. Activa las enzimas necesarias para el metabolismo de los hidratos de carbono (incluido el azúcar) y de los aminoácidos: necesitas una cantidad suficiente de magnesio para convertir el azúcar en energía evitando la resistencia a la insulina y el exceso de acidez. El magnesio ayuda a regular el equilibrio ácido-base en la sangre y los tejidos. Es bastante alcalino en sí mismo; de hecho, puede utilizarse en lugar de los antiácidos que se venden sin receta. El magnesio también protege el corazón y los ojos, y contribuye a que los nervios funcionen de manera adecuada. Una cantidad demasiado baja de magnesio se ha relacionado con enfermedades cardiovasculares, formación de coágulos sanguíneos en el corazón y el cerebro, arterias obstruidas, colesterol alto y retinopatía diabética.

La deficiencia de magnesio es bastante frecuente, a pesar de estar presente en numerosos alimentos, sobre todo en las hortalizas verdes frescas. Pero el mineral se elimina de muchos alimentos durante su procesamiento, y cocinarlos más tarde hace que se pierda aún más. Y, por supuesto, hay muchas personas que simplemente no comen hortalizas. Varios estudios han demostrado que los pacientes diabéticos tienen unos niveles de magnesio en sangre inferiores a lo normal, y mayores pérdidas del mineral en su orina. Quienes toman suplementos de magnesio recuperan los niveles normales en sangre, y su riesgo de ceguera y complicaciones cardiovasculares disminuye.

Se cree que el magnesio que hay en el interior de la membrana celular mejora los efectos de la insulina. En un estudio con ancianos con diabetes tipo 2, los participantes que tomaron 2 gramos de magnesio diarios tenían una sensibilidad a la insulina y una absorción de glucosa significativamente mejores que sus valores cuando tomaban un placebo.

Magnesio

El magnesio debe equilibrarse con el manganeso en una proporción de 2:1 cuando se toma en forma de suplemento. Toma una cápsula de 500 miligramos que contenga los dos minerales, tres veces al día, con una bebida verde, agua o una comida. Puedes buscar un suplemento que incluya hierbas ricas en magnesio: alfalfa, perejil, jengibre, pimienta cayena, gotu kola, raíz de acedera amarilla, raíz de valeriana y extracto de aloe vera.

Zinc

Tu organismo necesita zinc para sintetizar insulina, por lo que es claramente un nutriente importante para los diabéticos. Pero las personas con diabetes suelen tener deficiencia de este mineral traza esencial; sus páncreas contienen sólo más o menos la mitad de zinc que los de personas sanas no diabéticas. Las deficiencias pueden causar muchos trastornos pancreáticos (entre muchas otras cosas), incluida la diabetes. Sin embargo, merece la pena señalar que una cantidad excesiva de zinc puede ser tan perjudicial como una deficiencia; por suerte, hay un rango muy amplio entre ambos extremos en el que el organismo puede hacer un buen uso del zinc.

El zinc realiza diversas funciones en el cuerpo humano, entre las que se encuentra su colaboración en varios procesos metabólicos. Componente de al menos veinticinco enzimas que participan en la digestión y el metabolismo, el zinc es necesario para digerir los hidratos de carbono –incluido el azúcar–, y es importante en la absorción y la acción normales de la mayoría de las vitaminas, en especial las del complejo B. El zinc ayuda a prevenir o limitar la arteriosclerosis. En dosis terapéuticas, acelera la curación de las heridas y de las lesiones, tanto internas como externas, incluidas las relacionadas con la diabetes. El zinc es un excelente agente quelador y neutraliza los ácidos extraños para el organismo. Y regula los niveles de insulina en sangre: las investigaciones demuestran que tomar zinc junto con insulina prolonga el efecto de la insulina sobre los niveles de azúcar en sangre.

Zinc

Toma un suplemento combinado que contenga al menos 83 miligramos de zinc quelado con aminoácidos (una forma de zinc mezclada con una proteína) y 82 miligramos de citrato de zinc, tres veces al día (asegurándote de no tomar más de 1.800 miligramos diarios de zinc). Puedes buscar un suplemento que contenga hierbas ricas en zinc, como, por ejemplo, raíz de diente de león, trébol rojo, pimienta cayena, hoja de equinácea, perejil, gotu kola, raíz de malvavisco, clorofila, lípidos de pipa de calabaza o extracto de aloe vera.

Gymnema Sylvestre

Las hojas de esta planta trepadora se utilizan en la India desde hace más de dos mil años para tratar la *madhu meha* («orina con miel»), lo que nosotros llamamos diabetes. Reduce la absorción de los azúcares en el tracto gastrointestinal, ayuda a que el azúcar penetre en las células y revitaliza las células productoras de insulina del páncreas.

En dos estudios, las ratas a las que se administraron sustancias tóxicas para inducir la diabetes, y a las que después se dieron extractos de *Gymnema sylvestre* durante uno o dos meses duplicaron el número de células beta y aumentaron los niveles de insulina a casi lo considerado normal.

Los estudios con humanos también han demostrado el valor terapéutico de *Gymnema* tanto para la diabetes tipo 1 como para la tipo 2. En uno, las personas con diabetes tipo 1 que tomaron un extracto durante seis a ocho meses redujeron su valor medio de azúcar en sangre en un 23 %, y redujeron sus dosis de insulina en un 25 % por término medio. En un estudio con personas con diabetes tipo 2, los pacientes que tomaban 400 miligramos de *Gymnema* diarios, durante dieciocho a veinte meses, también tuvieron una notable reducción del azúcar en sangre, y todos los participantes, excepto uno, pudieron disminuir de manera significativa sus dosis de fármacos para reducir el azúcar. Después consiguieron interrumpir por completo su medicación.

Gymnema Sylvestre

Toma una cápsula de 200 miligramos tres veces al día con una bebida verde, con agua o con una comida. Tendrás que trabajar en estrecho contacto con tu médico para reducir la cantidad de insulina que tomas. Si modificas tu dieta al mismo tiempo, en tres días verás un cambio que podría requerir una disminución de la mitad de tu dosis de insulina. Comprueba tus niveles de azúcar en sangre al menos tres veces al día.

Fenogreco

Las semillas de fenogreco han demostrado, en estudios de laboratorio realizados en animales, que reducían los niveles de azúcar en sangre, así como el colesterol total y los triglicéridos.

Fenogreco

Toma una cápsula de 500 miligramos de semillas de fenogreco tres veces al día.

Melón amargo

El melón amargo, también conocido como cundeamor chino o balsamina, es una fruta tropical, disponible en nuestras latitudes principalmente en forma de extracto, que se comercializa como suplemento. Puede reducir el nivel de azúcar en sangre, incluidos el de los diabéticos tipo 1, al aumentar la absorción de azúcar por parte de las células.

Un estudio demostró que las personas con diabetes tipo 2 que tomaron 15 gramos de extracto de melón amargo después de una comida, durante tres semanas, redujeron su azúcar en sangre a la mitad. Después de siete semanas, el 73 % del grupo experimentó una reducción significativa del azúcar en sangre, lo que hizo que tuvieran un nivel normal-alto para una persona no diabética.

El melón amargo también alcaliniza todo el organismo porque reduce los ácidos sistémicos.

Melón amargo

Toma entre 90 y 120 gramos de zumo de melón amargo en un litro de agua destilada, al menos una vez al día, o en cualquier momento que necesites que tus niveles de azúcar en sangre se reduzcan.

Arcilla

Para aquellos que no creáis que haya llegado lo bastante lejos al decir que subsistáis principalmente a base de plantas, voy a hacerlo al recomendaros también que comáis barro.

Habéis leído bien: barro. Pero no cualquier tipo de barro. El barro que recomiendo es la arcilla montmorillonita, que toma su nombre de los depósitos que hay cerca de Montmorillon, en Francia, donde se encontró por primera vez. Esto cobra más sentido cuando se sabe lo que contiene la arcilla, lo que hace por el organismo y cómo se puede emplear.

La arcilla aporta una impresionante serie de minerales, entre ellos calcio, hierro, magnesio, potasio, manganeso, sodio y silicio, todos ellos alcalinizantes. Y lo que es más importante, en la arcilla los minerales se encuentran en proporciones naturales los unos en relación con los otros, por lo que el organismo los absorbe de forma más fácil y rápida. La arcilla posee una carga eléctrica negativa, así que atrae las toxinas y los ácidos del azúcar fermentado –que tienen carga positiva– y los deja en suspensión, de modo que el organismo pueda eliminar con seguridad todo el conjunto completo. Puede hacer esto incluso con toxinas que exceden varias veces el peso de la arcilla.

La arcilla mejora una larga lista de dolencias y enfermedades, entre ellas la diabetes. He tenido pacientes que me han informado de que han tenido que reducir sus dosis de insulina, y que incluso que la han abandonado por completo. Otros me han dicho que sus niveles de azúcar se equilibraron, o que perdieron peso. Debes notar la diferencia entre dos y cuatro semanas después de empezar a tomar la arcilla.

La arcilla montmorillonita es totalmente natural, y no contiene aditivos, sustancias químicas ni conservantes. El único procesamiento que ha experimentado es que se habrá triturado. Y aunque no sea lo más delicioso del plan de la milagrosa dieta del pH, en realidad no tiene mal sabor; un poco salado, si acaso. Puedes comprar arcilla montmorillonita en los establecimientos de productos de salud (asegúrate de no confundirla con la menos activa, pero más fácilmente disponible, arcilla bentonita de Wyoming), o a través de nuestra página web (*véase* la sección de recursos).

Arcilla

Recomiendo entre 180 y 240 gramos de mezclas de arcilla, dos o tres veces al día. Hay varias formas de usar la arcilla montmorillonita, y tal vez quieras probar distintos tipos para encontrar la que más te gusta:

- Mezcla una cucharadita de arcilla montmorillonita seca en polvo, en medio vaso de agua destilada, y deja que repose durante seis a ocho horas (no dejes una cuchara de metal dentro). Puedes beberte el líquido claro de la parte superior, o removerlo y beber todo junto. Algunas personas obtienen mejores resultados haciendo que la arcilla sea lo primero que comen por la mañana, y a otras les va mejor en distintos momentos del día. De nuevo, tendrás que experimentar.

- Mezcla 1 cucharada colmada de arcilla montmorillonita, en forma de «gelatina mixta», en medio vaso de agua o de bebida verde, y tómala de inmediato. Algunas personas consideran que la gelatina tiene un sabor menos fuerte.

- Puedes también utilizar la arcilla para uso tópico, ya que es buena para diversos problemas, desde picaduras de abejas y mosquitos hasta dermatitis del pañal y forúnculos. De la mayor importancia para las personas con diabetes es la capacidad de la arcilla de ayudar a curar las llagas. Haz una pasta de la misma consistencia que la mostaza mezclando agua con gelatina de arcilla en una proporción de 2:1. Aplícala directamente en la piel, sin cubrir si quieres un efecto fuerte, o cubriéndola si quieres un efecto más refrescante y relajante. Aplícala una o dos veces al día; puedes dejarla toda la noche si lo deseas. Simplemente enjuágala con agua y frota con cuidado cuando hayas terminado. También puedes esparcir polvo de arcilla de forma directa sobre la herida.

Suplementos para la fiesta líquida

Nuestro primer libro, *La milagrosa dieta del pH*, ofrece más detalles sobre los siguientes suplementos, que se utilizan durante la fiesta líquida. Obtendrás beneficios de la fiesta líquida sin ellos, pero utilizarlos permitirá conseguir unos resultados más evidentes y eficaces.

Depurativo herbal

Durante tu fiesta líquida inicial, recomiendo una mezcla especial de suplementos para proporcionar una fuente equilibrada de fibra todos los días. Elige uno pensado para depurar tu organismo –intestinos, hígado, riñón, pulmones, piel y páncreas– después de años de exceso de acidez. Busca una combinación sinérgica y completamente natural de hierbas que debería incluir muchas –o todas– de las siguientes: **corteza de raíz de nogal blanco, corteza de cáscara sagrada, raíz de ruibarbo de pavo, semillas de psilio** y **musgo irlandés** por sus propiedades laxantes; **raíces de jengibre** y **regaliz** por su capacidad para eliminar las molestias del colon, restaurar el tono y curar las membranas; y **pimienta cayena, raíz de agracejo, aceite de semilla de hinojo** y **hojas de frambuesa roja** por las diferentes maneras en que ayudan a la digestión. Otros ingredientes beneficiosos son **el salvado de trigo, la alfalfa, el perejil** y **la pectina de manzana**. Esta combinación aporta una cantidad generosa de fibra para ayudar al sistema digestivo a eliminar los desechos, mejorando la motilidad intestinal y uniéndose con los ácidos para eliminarlos del intestino.

Durante la fiesta líquida, toma los suplementos con agua o con una bebida verde, como indico a continuación:

- Adultos de más de 60 años: una o dos cápsulas de 500 miligramos cada ocho horas.
- Adultos de 22 a 60 años: cuatro cápsulas de 500 miligramos cada cuatro horas.

- Edades entre 16 y 21 años: dos o tres cápsulas de 500 miligramos cada seis horas.
- Edades entre 6 y 16 años: dos o tres cápsulas de 500 miligramos cada ocho horas.
- 5 o menos años de edad: no es recomendable. Puedes utilizar laxantes en mayor cantidad, como, por ejemplo, semilla de psilio sola.

Tal vez quieras utilizar también **aloe vera** durante tu fiesta líquida, para descomponer la proteína en el intestino y ayudar a que sanen las estructuras internas del intestino. Además de su poder depurativo, el aloe vera contiene vitaminas, minerales, aminoácidos, enzimas y lípidos. También se ha demostrado que reduce los niveles de azúcar en sangre en las personas con diabetes tipo 2: ocurrió en un estudio, y fue suficiente como para permitir a los participantes rebajar su dosis de medicación oral a la mitad, y, al mismo tiempo, mantuvieron normales los niveles de azúcar en sangre. Toma una cucharada de zumo de hoja de aloe vera entera, entre seis y nueve veces diarias, durante la fiesta líquida. (Además de para la fiesta líquida, el aloe vera es bueno para cualquier persona que tenga problemas constantes en la parte inferior del intestino; toma una cucharada, tres veces al día, con el estómago vacío: al levantarte, antes de almorzar y antes de irte a la cama).

Suplementos líquidos

Deberías poder encontrar formas coloidales líquidas de estos suplementos en tu establecimiento de productos de salud. Aunque he enumerado todos los ingredientes por separado, tienes que mezclar distintas fórmulas para reducir el número de botellas que debes manejar.

Ponte bajo la lengua cinco gotas de estos suplementos coloidales líquidos, uno tras otro:

- Complejo B
- Ácido caprílico
- Iridio
- Magnesio
- Manganeso
- N-acetil-cisteína
- NADH
- Noni (sin azúcar, no fermentado ni pasteurizado)
- Rodio
- Plata
- Minerales traza (a partir de un suplemento de minerales de amplio espectro)
- Ácido undecilénico

Suplementos en cápsulas

Una vez más, busca fórmulas combinadas para reducir el número de pastillas que necesitas.

- Una fórmula para limpiar la parte inferior del intestino (en caso de congestión intestinal severa, una fórmula más potente que el depurativo herbal mencionado, con una mayor concentración de cáscara sagrada): cuatro cápsulas de 500 miligramos si tienes menos de 65 años, dos cápsulas de 500 miligramos si tienes 65 años o más.
- Una fórmula que incluya los ácidos caprílico y undecilénico, para combatir las levaduras: una cápsula de 500 miligramos.
- Una fórmula que incluya n-acetil-cisteína, para combatir el ácido: una cápsula de 500 miligramos.
- Una fórmula con noni: una cápsula de 500 miligramos.
- Un polivitamínico: una cápsula de 500 miligramos.
- Una fórmula con magnesio/manganeso: una cápsula de 500 miligramos.
- Una fórmula con zinc: una cápsula de 500 miligramos.

Por último, para cualquier problema específico de salud con el que estés luchando, debes añadir una cápsula de la fórmula de ayuda que sea relevante en tu caso. Además de las descritas en la sección que vamos a tratar a continuación, los diabéticos deben buscar fórmulas especialmente útiles que estén pensadas para ayudar a los riñones, los pulmones y el sistema reproductor (masculino o femenino), y que sean útiles en caso de alergias, inflamaciones o trastornos del estado de ánimo.

El tejado del edificio

Ahora ya estás listo para dar los toques finales a tu programa de suplementos. Si estuvieras construyendo una casa, se trataría del tejado. El edificio se mantendrá en pie sin el tejado, pero contar con él es muy recomendable para lograr el éxito final.

Muchos de los suplementos de esta sección están pensados para personas con problemas específicos de salud, aparte de la diabetes. Si tienes diabetes, hipertensión y estrés adrenal, por ejemplo, debes tomar los suplementos para ayudar al páncreas, el corazón y las glándulas adrenales. Si tienes problemas de tiroides, además de desequilibrios en el azúcar, debes utilizar el suplemento para la tiroides.

En cualquier caso, busca fórmulas sinérgicas diseñadas para ayudar en casos de diabetes, y que aporten numerosas vitaminas, minerales y hierbas, con el objetivo de limitar el número de cápsulas que debes tomar.

Suplementos glandulares

Recomiendo que emplees suplementos glandulares –compuestos de ácidos nucleicos procedentes de órganos de animales deshidratados y desgrasados– en combinación con otros nutrientes para equilibrar y ayudar a los diversos órganos glandulares del organismo. Los estudios demuestran que los suplementos glandulares pueden compensar las deficiencias suministrando nutrientes al mismo órgano de tu cuerpo que aquel del que proceden en el animal de origen. Por ejemplo, el páncreas bovino aportará ácidos nucleicos directamente al páncreas. Aumentar el nivel de ácidos nucleicos en un órgano permite renovar su capacidad para funcionar correctamente. Busca «páncreas bovino» o «corazón bovino» en la etiqueta, por poner sólo dos ejemplos.

Vitamina E

Tu polivitamínico seguramente incluirá vitamina E, pero tal vez te convenga añadir cantidades adicionales a tu ingesta diaria. La vitamina E inhibe la formación de ácido cuando ingieres proteínas, y forma quelatos con los ácidos para que el organismo pueda deshacerse de ellos. Desarrolla la inmunidad y fortalece las defensas de tu cuerpo contra las toxinas medioambientales. La vitamina E ayuda a contrarrestar el progresivo declive de los procesos metabólicos que acompañan al envejecimiento, y no sólo lo retarda de manera eficaz, sino que también ayuda a prevenir los aumentos de peso no deseados (la temida «barriga cervecera» de la madurez). En estudios de laboratorio, los animales a los que se administró vitamina E vivieron más tiempo que los que no la recibían.

La vitamina E incluye una larga lista de dolencias para las que conlleva beneficios, pero de mayor interés para los diabéticos es su capacidad para mejorar la sensibilidad a la insulina. Y el doctor Evans Shute informa que la cuarta parte de sus pacientes diabéticos redujeron en diez unidades –o más– la insulina que necesitaban al tomar vitamina E todos los días. La vitamina E protege contra los niveles de azúcar en sangre crónicamente altos, y puede eliminar o controlar muchas formas de enfermedad renal, proteger tus ojos, mantener sana tu piel y prevenir la gangrena.

Quizás lo más importante de todo –para los diabéticos y para todas las demás personas– sea el modo en que la vitamina E protege de las enfermedades cardiovasculares. Mejora la circulación, el aporte de sangre al corazón y la capacidad de la hemoglobina de trasportar oxígeno. También reduce la coagulación, disuelve las cicatrices de las paredes arteriales que podrían causar bloqueos y se une a los ácidos –y los neutraliza– en las paredes arteriales. La vitamina E ayuda al corazón a utilizar el oxígeno de una manera más eficaz. Si recuerdas que los infartos pueden ser causados por coágulos y/o bajos niveles de oxígeno en el corazón, te darás cuenta de lo importante que puede ser la vitamina E. En un estudio con más de dos mil pacientes, un grupo tomó entre 400 y 800 UI de vitamina E al día, mientras que el otro tomaba una pastilla de ingredientes inactivos como placebo. Se les realizó un seguimiento durante más o menos un año y medio. Durante ese tiempo, quienes tomaron el suplemento tuvieron un 75 % menos de infartos.

Además de prevenirlos, la vitamina E es una bendición incluso cuando ya han tenido lugar: citando de nuevo el trabajo del doctor Shute, éste informa que los pacientes de infartos con niveles suficientes de vitamina E tienen mayor probabilidad de sobrevivir, y la vitamina permite que los tejidos sufran menos daño. La vitamina E ayuda a prevenir la angina de pecho y reduce los niveles de colesterol. Al reducir el ácido en todo tu organismo, también ayuda a prevenir los depósitos de grasa.

Puedes conseguir vitamina E –tocoferoles–, en grandes concentraciones, en los aceites vegetales prensados en frío, en las semillas y los frutos secos integrales crudos y en las judías de soja. Además de la cantidad que puedas obtener en los alimentos, recomiendo una formulación especial de vitamina E que sea natural, seca y esté prácticamente libre de aceites, en tableta masticable; lo ideal es que se mezcle con cromo y selenio para una mayor eficacia. La vitamina E seca se absorbe mejor que la clásica vitamina E encapsulada en aceite. Busca la forma de alfa-tocoferol de la vitamina E, que es la más potente. Toma 200 UI tres veces al día.

Vitaminas B

Se trata de otro caso en que tal vez quieras tomar algo de lo que contiene tu polivitamínico básico, en especial de las vitaminas B_1 (tiamina), B_3 (niacina) y B_6. Las vitaminas B actúan convirtiendo los hidratos de carbono en glucosa, para que el organismo la queme para obtener energía, y son vitales también en el metabolismo de las grasas y las proteínas. De particular interés para las personas con diabetes, las vitaminas B son también esenciales para el funcionamiento correcto del sistema nervioso -quizá sean el factor más importante para la salud de los nervios-, así como importantes para la salud del corazón, de la piel, de los ojos y de la boca, entre muchas otras cosas. (El uso de anticonceptivos orales puede causar deficiencias de vitaminas B, así que cualquiera que los tome debe pensar en tomar suplementos).

Entre los beneficios de la **vitamina B_1** se encuentra que estabiliza el apetito y mejora la digestión y la absorción de los alimentos, especialmente de los almidones y los azúcares. Una deficiencia hace que resulte difícil digerir los hidratos de carbono, lo que genera un exceso de azúcar en sangre. Las personas con diabetes deben tener en cuenta que la deficiencia de tiamina puede también causar inflamación del nervio óptico, disfunción del sistema nervioso central, irregularidades del corazón y daño cardíaco. Una deficiencia leve es difícil de detectar y se suele atribuir a otros problemas; los síntomas incluyen fatigarse con facilidad, pérdida del apetito, irritabilidad e inestabilidad emocional. Una deficiencia moderada puede causar problemas digestivos y de memoria.

Muchos estadounidenses, por ejemplo, tienen deficiencia de vitamina B_1. La razón principal es que se elimina de los alimentos al refinarlos o cocinarlos, o incluso tan sólo al exponerlos al aire o al agua.

La **vitamina B_3** existe bajo dos formas, niacina y nicotinamida. La **nicotinamida** puede mantener y/o mejorar el funcionamiento de las células beta del páncreas. En realidad, ha servido para revertir la diabetes tipo 1 en algunos pacientes, cuando se administraba de manera adecuada durante los primeros años posteriores al diagnóstico. (Sigue las recomendaciones que ofrecemos más adelante en cuanto sepas que tienes algún problema). En un estudio de grandes dimensiones realizado en Nueva Zelanda, más de veinte mil niños de entre cinco y siete años fueron examinados en busca de anticuerpos de células islote (ICA[12]), lo que indica un alto riesgo de desarrollar diabetes tipo 1. La mayoría de los niños identificados como de alto riesgo estuvieron de acuerdo en tomar la terapia de nicotinamida que se les ofrecía, y quienes lo hicieron mostraron una disminución de un 60 % en la tasa de diabetes durante los siete años (de media) en los que se realizó el seguimiento.

La **niacina** también ha sido útil en los pacientes que tienen un riesgo elevado de desarrollar diabetes tipo 1. Además, ha demostrado que ayuda a perder peso en personas con diabetes tipo 2, gracias a su capacidad para estabilizar los niveles de azúcar en sangre. Esa misma característica hace que sea útil también para la hipoglucemia. Además, la niacina mejora la circulación, reduce los niveles de colesterol y ayuda a mantener sanos los sistemas digestivo y nervioso, así como la piel y la lengua.

Recomiendo ambas formas, aunque debes tener en cuenta el «rash de niacina» que a veces tiene lugar con esta presentación. En realidad es un buen síntoma –una mejor circulación–, pero algunas personas lo consideran desagradable.

Toma 100 miligramos de cada una, tres veces al día; tal vez quieras empezar con 25 miligramos de cada una y aumentar a partir de esa cantidad, si quieres evitar la reacción cutánea.

La deficiencia de **vitamina B_6** (piridoxina) da como resultado un nivel de azúcar en sangre bajo, poca tolerancia a la glucosa e insensibilidad a la insulina. Puede también parecerse a algunos efectos secundarios de la diabetes, ya que causa trastornos nerviosos, aumenta la cantidad de orina y produce alteraciones visuales. La vitamina B_6 es necesaria para una digestión adecuada de los alimentos, incluidas la descomposición y la utilización de los hidratos de carbono y los azúcares. También facilita la liberación del glucógeno almacenado (azúcar) en el hígado y los músculos para obtener energía. Y la vitamina B_6 ayuda a mantener la proporción entre el sodio y el potasio que resulta esencial para el delicado equilibrio del pH del organismo.

Los diabéticos suelen tener unos niveles más bajos de B_6 que las personas sanas. Un estudio australiano con quinientas personas con diabetes demostró no sólo eso, sino también que los diabéticos con problemas cardiovasculares mostraban niveles menores de esta vitamina que los diabéticos en general. También tiene cierta relación el hecho de que la B_6 interviene en el metabolismo del colesterol y en el control de la arteriosclerosis. Otra buena noticia para los diabéticos en particular es que la B_6 puede utilizarse para tratar los trastornos nerviosos, el colesterol alto y algunas alteraciones cardíacas, problemas dentales y problemas cutáneos. Es también un potente antiácido.

La suplementación con B_6 ha demostrado que es un tratamiento seguro para la diabetes gestacional; un ensayo clínico descrito en la revista *British Medical Journal* demostró que las mujeres embarazadas que tomaron 100 miligramos diarios de B_6 durante sólo dos semanas experimentaron una reversión completa de su diabetes.

La **vitamina B_{12}** puede disminuir el daño nervioso causado por la diabetes. Un estudio de 1995, publicado en *Current Therapeutic Research,* demostró que el dolor y el daño nerviosos debidos a la diabetes se redujeron de manera significativa, y el funcionamiento nervioso mejoró bastante en los participantes que tomaron suplementos de B_{12}.

Recomiendo tomar una cápsula de 500 miligramos del complejo de vitaminas B, tres veces al día, con una bebida verde, agua o con una comida. Mi favorito lo mezclo con una preparación de hierbas que incluye escutelaria, raíz de jengibre, lúpulo, raíz de valeriana y pimienta cayena, con más o menos las siguientes cantidades de las diversas vitaminas B:

- Vitamina B_1: 50 miligramos
- Vitamina B_2: 50 miligramos
- Vitamina B_3: 50 miligramos
- Vitamina B_4, o bitartrato de colina: 50 miligramos
- Vitamina B_5, o ácido pantoténico: 50 miligramos
- Vitamina B_6: 50 miligramos
- Vitamina B_7, o biotina: 100 microgramos
- Vitamina B_8, o inositol: 50 miligramos
- Vitamina B_9, o ácido fólico: 400 microgramos
- PABA: 25 miligramos
- Vitamina B_{12}: 500 microgramos

Suplemento de apoyo pancreático

Suelo recomendar a mis pacientes una preparación de hierbas, mezclada con micronutrientes, cromo, sales celulares, aminoácidos y ácidos grasos, a fin de potenciar el buen funcionamiento del páncreas. Los compuestos glandulares de la mezcla aportan ácidos nucleicos que recogen y suministran los otros nutrientes directamente al páncreas. Las hierbas depuran, desintoxican y energizan el páncreas, además de estimular la circulación, mejorar la digestión y fortalecer otras glándulas y órganos, incluidos los riñones, entre otros beneficios. Cuando se toman de forma habitual, junto con la bebida verde y los alimentos verdes, el efecto de estas hierbas puede ser extraordinario, lo cual te permitirán tener un páncreas sano (y muchas cosas más) para toda la vida. Como complemento de la terapia insulínica, esta mezcla resulta útil para todos los sistemas fisiológicos implicados, hasta el punto de que mejora los problemas prediabéticos y diabéticos en muchos individuos, incluido el hecho de reducir la necesidad de insulina. A continuación citamos los principales ingredientes herbales activos que debes buscar. Todos ellos tienen un amplio espectro de propiedades beneficiosas, pero aquí mencionaré sólo las de especial interés para las personas con diabetes:

- La *uva de oso* ayuda a proteger el páncreas, los riñones y muchas glándulas, así como a reducir el azúcar en sangre.
- La *raíz de diente de león* parece reducir o estabilizar el azúcar en sangre (aunque se necesita más investigación para determinar cómo sucede), y suele ser buena para la salud del páncreas.
- El *perejil* es antiácido y ayuda a reducir los niveles de azúcar en sangre.
- La *raíz de genciana* ejerce su labor principalmente en el sistema digestivo (incluido el páncreas), influyendo en el apetito, la digestión y la absorción de los nutrientes. También tiene propiedades antiácido. La raíz de genciana tiene efectos secundarios sobre otros órganos, como, por ejemplo, los riñones. Ayuda a reducir el azúcar en sangre y puede retrasar la aparición de –o prevenir por completo– la diabetes «lábil» (con altibajos impredecibles en los niveles de azúcar en sangre).
- La *hoja de frambuesa* reduce los niveles de azúcar en sangre, además de aliviar la irritación en el tracto urinario y el riñón.
- La *hoja de arándano* contiene compuestos similares –que disminuyen el azúcar en sangre– a los de la emparentada uva de oso. Ésta es una de las mejores hierbas para personas con diabetes leve, y es especialmente beneficiosa para quienes tienen diabetes «senil», aquella que aparece con el envejecimiento (por

lo general a los sesenta o setenta años de edad), que se complica con la degeneración de otras partes del organismo.

- La *hoja de buchu* también alivia la irritación de la vejiga y los riñones.
- La *palma enana americana* ayuda a sintetizar nuevos tejidos y restaura su funcionamiento, incluidos los sistemas implicados en la diabetes.
- El *kelp* es útil sobre todo por su contenido en yodo, que absorbe del agua de mar. El kelp también absorbe diversos nutrientes esenciales, entre ellos ácidos grasos esenciales, elementos traza y sales de sodio y de potasio; contiene cantidades biológicamente importantes de hierro, cobre, magnesio, calcio, potasio, bario, boro, cromo, litio, níquel, silicio, plata, estroncio, titanio, sulfato de vanadio y zinc. El yodo del kelp es esencial para la adecuada regulación del metabolismo, ya que ayuda al organismo a quemar el exceso de azúcar y a evitar la acumulación de grasa que surge de la unión con los ácidos generados por el metabolismo del azúcar. El kelp es un antiácido.
- El *fuco* –otra alga marina– ayuda en casos de obesidad, daño y enfermedades cardiovasculares, y en algunos problemas renales.

Otras hierbas que mejoran el funcionamiento del páncreas son **la raíz de regaliz, la alfalfa, la verbena azul, el aloe vera, el ginseng siberiano, las bayas de cedro** y el **cohosh azul**. Intenta tomar un buen surtido de estas hierbas, junto con las siguientes vitaminas y minerales:

- Vitamina A: 2.000 UI
- Vitamina B_1: 0,7 miligramos
- Vitamina B_2: 0,75 miligramos
- Vitamina B_3: 5 miligramos
- Vitamina E: 13,5 UI
- Ácido pantoténico: 6,4 miligramos
- Quelato de aminoácido de zinc: 0,9 miligramos
- Quelato de aminoácido de manganeso: 10 miligramos
- Quelato de aminoácido de cromo: 0,25 miligramos

- Quelato de aminoácido de selenio: 0,01 miligramos
- Fosfato de calcio: 1 miligramo
- Cloruro de potasio: 1 miligramo
- Sulfato de potasio: 1 miligramo
- Fosfato magnésico: 1 miligramo
- Fosfato sódico: 1 miligramo
- Silicio: 1 miligramo

Toma una cápsula de 500 miligramos, seis veces al día, con una bebida verde, agua, o con una comida. Es muy beneficioso tomarla junto con un polivitamínico, y con suplementos de vitaminas B y E.

La historia de Allison

He tomado insulina durante veintitrés años, con un máximo de 120 unidades diarias, además de dos medicamentos orales. Nada llegó a ayudarme nunca. Mi azúcar en sangre seguía fuera de control, por lo general por encima de 400, y a veces cerca de 500. Tenía polineuropatía en mi pie derecho -poca sensibilidad en él-, y había perdido casi por completo la sensibilidad en mi pie izquierdo. Cada vez que iba a alguna consulta médica me decían que perdiera peso y me añadían diez unidades de insulina.

Además de diabetes, yo era una enciclopedia andante de enfermedades, tomaba numerosos fármacos y convivía con un dolor constante. No tenía energía y apenas podía caminar. Tuve que dejar incluso de ir de compras, y tenía miedo de cuidar yo sola de mis nietos. He trabajado en el campo de la salud durante más de treinta años, y me mostraba escéptica ante el hecho de que algo me pudiera ayudar. Mi peor momento llegó cuando tenía cincuenta y tantos años, cuando me diagnosticaron cirrosis hepática y me dijeron que me quedaban entre seis meses y dos años de vida.

Eso fue hace cuatro años.

Después de ponerme enferma de verdad, descubrí el programa de la milagrosa dieta del pH para controlar la diabetes y empecé a tomar la bebida verde con gotas de pH. También empecé con suplementos para el funcionamiento del páncreas y las glándulas adrenales, AGE, cromo, vanadio, NADH y un polivitamínico con sales celulares. En cuatro semanas perdí 8 kilos, y en tres meses había dejado las inyecciones de insulina.

En este momento tomo cuatro litros de bebida verde al día, he perdido 33 kilos y sigo adelgazando. Continúo tomando medicamentos orales, pero sólo dos veces al día, en lugar de tres. Estoy empezando a tener el azúcar en sangre bajo a lo largo del día, por lo que voy a reducir esa medicación incluso a la mitad. Mi objetivo es abandonar los fármacos por completo, y no creo que tarde mucho en hacerlo. (Ya he dejado todos mis otros medicamentos). Mi azúcar en sangre se ha estabilizado por debajo de 160.

Estaba tan obesa que no podía hacer ejercicio, pero ahora he comenzado a caminar más. Aparco en el aparcamiento más lejano del hospital donde trabajo, para dar al menos dos pequeños paseos diarios mientras voy y vengo. Me muevo fácilmente y sin dolor. He recuperado la sensibilidad en los pies, excepto en uno de los dedos gordos.

Ahora también he cambiado mi dieta, e intento mantenerla alcalina. Cuando me alejo del camino correcto, mi organismo me lo hace saber. Empiezo a tener dolores, mis músculos se agarrotan y retengo líquidos en reacción al ácido que introduzco en mi cuerpo. (Por no mencionar la grasa que mi organismo añade para protegerse).

Aún me gustaría perder unos 70 kilos más, y por primera vez en mi vida creo que voy a conseguirlo de verdad. Siempre me ha resultado muy difícil perder peso, y siempre lo he recuperado, con algunos kilos más, en sólo algunos meses. Pero este plan no es ningún engorro. Me siento mucho mejor y tengo una enorme cantidad de energía. Puedo seguir y seguir.

La milagrosa dieta del pH me ha salvado la vida. Me siento como si viviera de nuevo. Y en algunas ocasiones vuelvo a sentirme capaz de cuidar de mis siete maravillosos nietos yo sola. La última Navidad los tuve a todos mientras mis hijos hacían las compras de última hora. Son la alegría de mi vida, y tengo la intención de seguir viva para verlos crecer.

Suplemento de apoyo adrenal

Tus glándulas adrenales sintetizan y liberan hormonas vitales, y son famosas porque generan la «subida de adrenalina» que te prepara para emprender acciones en las situaciones de emergencia. Sin embargo, en la vida real, recurrimos a las glándulas adrenales para tratar con el estrés con mucha más frecuencia que para manejar emergencias reales. Sin embargo, dado que nos encontramos bajo un estrés constante, procedente de tantas fuentes (físicas, emocionales y psicológicas, incluidos –pero no sólo– el estrés que conlleva una dieta inadecuada, el ejercicio, la exposición a toxinas externas, el exceso de acidez corporal y las enfermedades crónicas), obligamos a nuestras glándulas adrenales a que funcionen a un ritmo excesivo, y en último término se agotan. Su actividad disminuye poco a poco, y puede llegar un momento en que fallen por completo.

Las glándulas adrenales también aceleran el metabolismo y mejoran la circulación, y ambos sistemas sufren cuando estás sujeto a un estrés excesivo. Las glándulas adrenales aumentan el recuento de glóbulos rojos, con lo que suministran más oxígeno a las células para que puedan quemar combustible con más rapidez, y también incrementan el suministro de energía estimulando al hígado y a los músculos para que liberen azúcar en el torrente sanguíneo. Todo esto significa que tus glándulas adrenales te proporcionan energía. Pero, por otro lado, también conlleva que, cuando un estrés excesivo genera una acción adrenal excesiva, te encontrarás en el camino hacia el azúcar en sangre alto, después llegarán los niveles altos de insulina y la resistencia a la misma, más tarde el agotamiento de las células alfa y las células beta, y por último la diabetes.

Debes proporcionar un descanso a tus glándulas adrenales reduciendo, en la medida de lo posible, el estrés bajo el que te encuentras. Aprende a relajarte. Cuida bien de ti mismo. Pero vivir en este mundo moderno implica convivir con el estrés –la diabetes es por sí misma extremadamente estresante, y activa de manera continua las glándulas adrenales–, por lo que debes mantener tus glándulas adrenales en perfecto funcionamiento para contribuir a manejarlo lo mejor posible. Puedes ayudar a tus glándulas adrenales utilizando una mezcla de vitaminas, minerales, hierbas, sales celulares y compuestos glandulares, a fin de proporcionar a tu sistema adrenal todos los materiales necesarios para que se conserve en buen estado, minimizando los efectos perjudiciales del estrés diario.

El **suplemento glandular adrenal** es un componente clave de esa combinación. Aporta todos los nutrientes necesarios para mejorar el sistema adrenal humano, y los lleva directamente a las glándulas adrenales. El otro ingrediente esencial es el ácido pantoténico (vitamina B_5), por lo general en forma de pantotenato d-cálcico. El ácido pantoténico disminuye de manera dramática en los alimentos durante el procesamiento, el cocinado, el congelado y/o el descongelado. En tu organismo, los niveles tienden a bajar con la edad, lo cual viene acompañado de un correspondiente descenso de la capacidad para soportar el estrés. Los estudios con animales muestran que en ratas alimentadas con una dieta carente de ácido pantoténico, se destruyeron las glándulas adrenales. Los estudios con humanos (diseñados de acuerdo con los estudios con ratas) muestran que dosis muy altas (hasta mil veces la cantidad diaria recomendada en Estados Unidos), administradas diariamente, durante seis semanas, evitaron casi todos los problemas fisiológicos relacionados con el estrés y el daño orgánico resultante de nadar en agua con una temperatura inferior a 10 °C.

Recomiendo una combinación de apoyo adrenal que incluya algunas –o todas– de estas beneficiosas hierbas: raíz de regaliz, alfalfa, perejil, álsine, conos de enebro, bayas de palma enana, pimienta cayena, hoja de equinácea y azafrán mexicano. Por último, busca algo con unos niveles nutricionales aproximadamente equivalentes a éstos:

- Vitamina B_2: 0,76 miligramos
- Vitamina B_3: 9,0 miligramos
- Vitamina B_5: 100,0 miligramos
- Vitamina B_6: 0,9 miligramos
- Compuestos glandulares adrenales: 25 miligramos
- Yodo: 60 microgramos
- Fosfato cálcico: 1 miligramo
- Sulfato cálcico: 1 miligramo
- Fosfato cálcico: 1 miligramo
- Sulfato potásico: 1 miligramo

Para ayudar a *prevenir* los síntomas del estrés adrenal, toma una cápsula de 500 miligramos, tres veces al día, con bebida verde, agua o una comida. Para ayudar a *reducir* los síntomas del estrés adrenal, tómala seis veces al día.

Solución rápida para el exceso de acidez

Para librarte rápidamente del ácido:

- Toma 1.000 miligramos del suplemento de apoyo pancreático y otros 1.000 miligramos del suplemento de apoyo adrenal.
- Toma cromo y sulfato de vanadio juntos, preferiblemente en forma líquida.

Suplemento de apoyo a la tiroides

Muchos de los efectos secundarios de la diabetes pueden deberse a una glándula tiroides poco activa: aumento de peso, obesidad, dientes en mal estado, colesterol alto, problemas cardiovasculares, fatiga y mucho más. La glándula tiroides regula el ritmo del metabolismo y qué cantidad de energía quema el organismo. Una tiroides sana y activa produce hormonas que son vitales para mantener el metabolismo normal. Las principales hormonas tiroideas estimulan la actividad de muchos órganos –entre ellos el páncreas– y de diversos tejidos y células.

La tiroides trabaja en estrecha relación con el páncreas y las glándulas adrenales para regular las necesidades energéticas del organismo, y el estrés en uno de ellos afectará al otro. Cuando el páncreas no funciona de la manera correcta, lo más probable es que la glándula tiroides se sobrecargue, se agote nutricionalmente y se torne poco activa, y viceversa. Por ello, para muchas personas, tomar suplementos de apoyo a la glándula tiroides es una buena idea. Hay varias hierbas que pueden ayudar; a continuación ofrecemos una lista de varias que son beneficiosas, y hay que encontrar una cápsula con una combinación de ellas:

- El *kelp* es el ingrediente clave de cualquier suplemento para la glándula tiroides, debido al yodo que aporta. La glándula tiroides es el principal depósito de yodo del organismo, y requiere la ingesta de este mineral para un desarrollo y un funcionamiento adecuados, incluida la producción de su hormona principal.

- La *raíz de genciana* ayuda a normalizar la tiroides, aunque sea de forma indirecta.
- La *pimienta cayena* estimula la actividad glandular y aporta vitaminas y minerales importantes.
- El *musgo irlandés*, emparentado con el kelp, también aporta yodo (y otros minerales electrolíticos como el calcio, el magnesio y el sodio), elementos traza y sales tisulares. Mejora las funciones de desintoxicación del sistema digestivo y aumenta la tasa metabólica.

Otras hierbas beneficiosas son el dulse, la vara de oro, la raíz de guaraná, el pasto de trigo y la cebada silvestre. Busca varios de los mencionados en combinación con los siguientes nutrientes, aproximadamente en las cantidades recomendadas:

- Vitamina C: 27 miligramos
- Vitamina E: 10,5 UI
- Yodo (kelp): 300 microgramos
- Quelato de aminoácido de calcio: 40 miligramos
- Quelato de aminoácido de hierro: 20 miligramos
- Microcomplejo de pituitaria bovina: 10 miligramos
- Microcomplejo de tiroides bovina: 10 miligramos
- Sulfato cálcico: 1 miligramo
- Cloruro sódico: 1 miligramo
- Cloruro potásico: 1 miligramo
- Sulfato potásico: 1 miligramo

Toma una cápsula de 500 miligramos al menos tres veces al día con una bebida verde, agua o con comida.

Suplementos para la salud del corazón

Para los que tengan problemas o estén preocupados por la salud de su corazón –y todos los diabéticos entran en uno u otro de estos grupos–, recomiendo una mezcla de hierbas para proteger este órgano:

- La *majuela* debe ser el núcleo central de cualquier combinación de este tipo; puede presumir de más de un siglo de efectividad contra diversas facetas de las enfermedades cardiovasculares. Los trabajos de laboratorio y los estudios clínicos de este país y de todo el mundo han demostrado que la majuela mejora el flujo sanguíneo al corazón, así como la circulación, al mismo tiempo que reduce la presión arterial, aumenta el metabolismo enzimático en el músculo cardíaco (lo cual incrementa la energía), normaliza el latido cardíaco, el ritmo, la frecuencia y el pulso, y mejora la eficacia del uso del oxígeno en el corazón. Puede ser útil para tratar la angina de pecho y la aterosclerosis. (Merece la pena señalar que la majuela parece que tiene un efecto sinérgico junto con la digital, y utilizarlas juntas bien puede reducir en gran medida la cantidad necesaria de digital). Con todos estos beneficios –y una buena reputación por tan apenas tener efectos secundarios negativos–, es fácil entender por qué la majuela se usa tanto en otros países. Lo desconcertante es por qué no ha recibido demasiada atención en los círculos médicos convencionales de algunos países como Estados Unidos.
- La *pimienta cayena*, que actúa como estimulante, asegura el suministro de los otros ingredientes activos de esta mezcla, y ayuda a activarlos. Además, contiene nutrientes importantes para la salud del sistema circulatorio. La pimienta cayena y la majuela, cuando se toman juntas, incrementan mutuamente su actividad, así que debes intentar tomar las dos.
- La *agripalma*, también conocida por los sugerentes nombres de planta del corazón, oro del corazón, sello del corazón o hierba del corazón,[13] se usa en todo el mundo como tónico cardíaco. Reduce la presión sanguínea, previene los espasmos de los vasos sanguíneos y es calmante, ya que actúa como relajante. La agripalma regula el funcionamiento cardíaco en general, y, por ejemplo, calma las palpitaciones. Y es buena para la circulación. La agripalma ejerce mejor sus funciones cuando trabaja en colaboración con otras hierbas de acciones similares.
- La *hoja de romero* es rica en minerales como el calcio, el magnesio, el fósforo, el sodio y el potasio, que el corazón (por no hablar de los nervios) necesita para funcionar correctamente.

Igual que la agripalma, la hoja de romero funciona mejor en combinación con hierbas similares.

- El *kelp* reduce el ácido y la presión sanguínea, y aporta nutrientes esenciales, que mejoran la eficacia de la mezcla herbal.

Otros ingredientes beneficiosos que se pueden buscar son la harina de trigo sarraceno, el cohosh negro, la rutina, el pipermín, la raíz de regaliz, la acerola, la raíz de genciana, el ajo, la raíz de remolacha roja, la escutelaria, el perejil, el berro y *Allium sativa.* Además, a fin de proporcionar apoyo nutricional al corazón, busca las vitaminas, minerales, compuestos glandulares y sales celulares, aproximadamente en las cantidades que ofrecemos a continuación:

- Vitamina A: 2.000 UI
- Vitamina B_1: 10 miligramos
- Vitamina B_2: 3 miligramos
- Vitamina B_3: 4,5 miligramos
- Vitamina B_6: 5 miligramos
- Vitamina B_{12}: 0,05 miligramos
- Vitamina D: 50 UI
- Vitamina E: 400 UI
- Ácido pantoténico: 15 miligramos
- Ácido fólico: 0,02 miligramos
- Biotina: 0,01 miligramos
- Colina: 50 miligramos
- Inositol: 8 miligramos
- PABA: 5 miligramos
- Quelato de aminoácido de calcio: 30 miligramos
- Quelato de aminoácido de hierro: 20 miligramos
- Quelato de aminoácido de magnesio: 30 miligramos
- Quelato de aminoácido de manganeso: 10 miligramos
- Quelato de aminoácido de zinc: 10 miligramos
- Quelato de aminoácido de potasio: 5 miligramos
- Quelato de aminoácido de selenio: 2 miligramos
- Quelato de aminoácido de cobre: 0,06 miligramos
- Quelato de aminoácido de cromo: 0,02 miligramos
- Glándula adrenal bovina integral: 10 miligramos

- Bazo bovino integral: 10 miligramos
- Timo bovino integral: 10 miligramos
- Microcomplejo de tejido arterial bovino: 10 miligramos
- Fosfato cálcico: 1 miligramo
- Fosfato magnésico: 1 miligramo
- Fosfato férrico: 1 miligramo
- Fosfato potásico: 1 miligramo
- Silicio: 1 miligramo

Toma una cápsula de 500 miligramos al menos tres veces al día, con una bebida verde, agua, o con comida.

Formulación para el hígado

La mezcla de hierbas que hemos ofrecido beneficia a todos los órganos que tienen la función de filtrar; el hígado es el principal de todos ellos, pero también están los riñones, los pulmones y la piel. Estas hierbas limpian, purifican y desintoxican esos órganos, además de la sangre. Utilízalas en cualquier momento que necesites desintoxicarte del exceso de acidez, o para ayudar al organismo a que se recupere de cualquier situación perjudicial (diabetes, por ejemplo). Esto funcionará en especial en combinación con los ácidos grasos esenciales, los brotes de soja y la fórmula de apoyo pancreático.

- El *diente de león* ayuda al organismo a eliminar los ácidos y las microformas negativas.
- El *trébol rojo* por sí solo ayuda a desintoxicar y purificar el cuerpo y los órganos (como el hígado) que lo depuran; mézclalo con **kelp, estilingia** y **raíz de bardana**, y tendrás un depurativo sanguíneo más potente.
- El *espino y la corteza de cáscara sagrada* influyen sobre el tracto gastrointestinal.
- *La raíz de regaliz, la raíz de bardana y la raíz de zarzaparrilla* suelen fortalecer y tonificar el hígado, y también tienen propiedades estimulantes.
- *El chaparral, la raíz de uva de Oregón y el fresno espinoso* benefician a las glándulas de las membranas mucosas reduciendo la

acidez, con lo que disminuye la producción de moco que se necesita para unirse al ácido como mecanismo protector, y sirven de apoyo a una variedad impresionante de actividades fisiológicas y metabólicas esenciales.

También debes buscar suplementos glandulares hepáticos (bovinos), raíz de acedera amarilla, semillas de apio, equinácea, pimienta cayena, raíz de batata silvestre, corteza de agracejo, raíz de remolacha roja, perejil y frutos del lúpulo. Además, debes conseguir un preparado que incluya las siguientes vitaminas, minerales y sales celulares, aproximadamente en la dosis mencionada:

- Vitamina B_3: 3 miligramos
- Vitamina B_6: 0,3 miligramos
- Vitamina B_{12}: 0,0006 miligramos
- Ácido pantoténico: 2 miligramos
- Calcio: 500 miligramos
- Yodo: 0,0225 miligramos
- Quelato de aminoácido de zinc: 5,5 miligramos
- Quelato de aminoácido de magnesio: 4 miligramos
- Cloruro potásico: 2 miligramos
- Sulfato cálcico: 2 miligramos
- Fosfato magnésico: 2 miligramos
- Sulfato sódico: 2 miligramos
- Silicio: 2 miligramos

Toma una cápsula de 1.000 miligramos, entre seis y nueve veces al día, con una bebida verde, agua, o con una comida.

Hierbas para la diabetes y síntomas relacionados

Pueden incluirse en una bebida verde, utilizarse como parte de una cápsula combinada o tomarse por sí solas, siguiendo las instrucciones del envase. Prácticamente todos los síntomas que se enumeran aquí se deben a una excesiva producción de ácido dentro del organismo; estas hierbas en general combaten el exceso de acidez. Para determinar qué hierbas serían más útiles en tu caso concreto, elige las que traten tus síntomas específicos, e intenta encontrar algunas –o todas– en alguna cápsula en una mezcla. Las cantidades exactas son menos importantes que el hecho de obtener las hierbas adecuadas.

RESUMEN DE HIERBAS	
Hierba	***Beneficio***
Hojas de arándano	Ayudan a mejorar el control del azúcar en sangre en los diabéticos, reducen los triglicéridos, fortalecen los capilares, protegen contra la aterosclerosis y bloquean la bacteria *E. coli.*
Boldo	Trata las indigestiones, protege el hígado de los ácidos metabólicos, tiene propiedades antiinflamatorias y antimicrobianas.
Sello de oro	Tiene propiedades antifúngicas y antibacterianas, y ayuda a neutralizar los ácidos sistémicos en los intestinos, la sangre y los tejidos.
Lecitina	Puede reducir el colesterol y proteger el hígado contra los ácidos generados por el azúcar.
Sauce blanco	Antiinflamatorio, antiácido.
Olmo rojo	Trata el síndrome del colon irritable, la gastritis, el ardor estomacal y las hemorroides. Es antiácido en los intestinos, la sangre y los tejidos.
Raíz de malvavisco	Trata los problemas digestivos y respiratorios uniéndose a –y eliminando– los ácidos gastrointestinales y respiratorios.
Cúrcuma	Antiinflamatoria; trata la indigestión y los problemas de la vesícula biliar uniéndose a –y eliminando– los ácidos.
Pipermín	Trata el dolor producido por los cólicos, el síndrome del colon irritable, las indigestiones, los cálculos biliares, la candidiasis y las infecciones por levaduras, y alivia la congestión de las mucosas.
Barba de maíz	Diurética y rica en potasio; trata los trastornos del tracto urinario, del hígado, de los riñones y de la vesícula biliar.
Grama	Trata el dolor de garganta, los cálculos renales y los problemas de micción.
Pau d'arco	Estimulante del sistema inmunitario, eficaz contra las infecciones bacterianas, fúngicas, virales, parasitarias y por levaduras.
Romero	Potente antiácido, antiséptico y antiespasmódico. Se utiliza para los trastornos nerviosos, los problemas de estómago, las cefaleas, el dolor en general, el estrés y los hematomas.
Timo	Antiséptico; trata los problemas respiratorios y digestivos. También las cefaleas, el asma, las alergias y la tos.

Hoja de nuez negra	Trata las infecciones fúngicas y parasitarias, alivia el estreñimiento y puede ayudar a eliminar las verrugas. También ayuda a equilibrar el nivel de azúcar en sangre, a quemar las toxinas y los depósitos de grasa, y tiene poder anticancerígeno.
Gaulteria	Trata las cefaleas, la artritis y el dolor muscular; reduce la inflamación y estimula la circulación.
Semillas de apio	Reducen la presión sanguínea; tratan la artritis, la gota y los problemas renales; tienen propiedades diuréticas y antiácido.
Diente de león	Diurético, limpia la sangre y el hígado del exceso de acidez, aumenta la producción de bilis, mejora el funcionamiento de los riñones, el bazo, el páncreas y el estómago.
Citronela	Ayuda a la digestión; trata las fiebres, la gripe, las cefaleas y la irritación intestinal.
Filipéndula	Fortalece los tejidos, ayuda a eliminar el exceso de líquidos y reduce la inflamación. Trata los resfriados, la gripe, las náuseas, los trastornos digestivos, los calambres y dolores musculares, y la diarrea.
Papaya	Ayuda a una buena digestión. Trata el ardor estomacal, la indigestión y las enfermedades inflamatorias del intestino.
Plátano macho	Diurético; trata la indigestión y el ardor estomacal.
Salvia	Estimula el sistema nervioso central y el tracto digestivo.
Escaramujo	Propiedades antioxidantes; combate la inflamación, las bacterias y los hongos; relaja el estómago; estimula la circulación y la digestión; desintoxica el hígado de la producción endógena de ácido.
Perejil	Antiácido, anticanceroso, estimula la digestión, y ayuda al funcionamiento de la vejiga, los riñones, el hígado, el estómago, los pulmones y la glándula tiroides.

Capítulo 9

Haz ejercicio correctamente

El médico del futuro no administrará medicinas, sino que informará al paciente del uso adecuado de los alimentos, el aire fresco y el ejercicio físico.

Thomas Edison

Hay un último factor clave para deshacerte del exceso de ácido, la intolerancia al azúcar, la diabetes y todas sus consecuencias negativas. Además de alimentos verdes y grasas buenas, bebidas verdes y suplementos nutricionales, necesitas un programa de acondicionamiento físico para ayudar a que tu organismo se torne alcalino y se mantenga en ese estado. Todo el mundo necesita hacer ejercicio, por supuesto, pero las personas con diabetes tienen una necesidad aún mayor que la población general, porque son más propensas al aumento de los ácidos procedentes del metabolismo del azúcar, que el ejercicio ayuda a eliminar.

El ejercicio es importante no sólo por sus conocidos beneficios cardiovasculares, su contribución a la fuerza y la flexibilidad, y su capacidad para mejorar el estado de ánimo y reducir el estrés. No es sólo la forma en que mejora la presión sanguínea, los triglicéridos y los niveles de insulina lo que convierte al ejercicio en algo tan esencial para cualquier persona que tenga diabetes o que se encuentre en un estado prediabético.

El ejercicio es también vital para eliminar los ácidos del organismo. El ejercicio te hace respirar. Te hace sudar. Bombea tu sistema linfático. Y este trío, como verás en este capítulo, es inigualable para desintoxicar tu organismo. Esto tiene lugar a través de los pulmones y a través de la piel: la respiración y la traspiración. Debemos dar gracias a Dios por nuestros seiscientos poros por cada centímetro cuadrado de piel. El ejercicio mueve los ácidos a través de ellos (en el sudor) y a través de los pulmones para mantener tu pH equilibrado.

Pero de la forma en que la mayoría lo hacemos, el ejercicio es en realidad peligroso para la salud. Se trata de un exceso de ejercicio. *No* es ejercicio. Por ello, tienes que hacer ejercicio, pero debes hacerlo de la manera correcta.

Al explicar las diferencias clave entre el ejercicio aeróbico y anaeróbico, cómo el equilibrio ácido-base se modifica cuando haces ejercicio, si tu cuerpo quema azúcar o grasa durante el ejercicio y el papel del sistema linfático –así como un repaso a detalles sobre tipos específicos de ejercicio–, este capítulo te ayudará a elegir la clase correcta de ejercicio para una salud auténtica y duradera. Obtendrás resultados incluso con paseos habituales a un ritmo enérgico, o con sesiones de diez minutos rebotando en un minitrampolín, pero, como estás a punto de ver, tienes más opciones para elegir diseñando un plan que sea adecuado para ti.

Ejercicio anaeróbico

La energía necesaria para que el cuerpo haga cualquier tipo de movimiento es producida por diminutos generadores que hay dentro de cada célula y que se conocen como mitocondrias. Igual que sucede cuando un vehículo quema combustible, el proceso no está exento de inconvenientes, ya que genera subproductos ácidos. El tipo de toxinas que sean estos subproductos está determinado por el combustible utilizado y por el medio en el que se queme ese combustible. Lo ideal es que se libere dióxido de carbono, un ácido menos tóxico; a menudo, el resultado es ácido láctico, más tóxico. Siempre que el organismo tome una adecuada cantidad de oxígeno, obtiene energía mediante la respiración y también –tal como todos aprendimos en la clase de ciencias naturales– dióxido de carbono, que se expulsa a través de los pulmones. Sin suficiente oxígeno, el proceso pasa a convertirse en fermentación y expulsa ácido láctico hacia los tejidos.

Se necesitan veinte partes de oxígeno para neutralizar una parte de dióxido de carbono y mantener el delicado equilibrio del pH del organismo, en 7,365. Por eso, después de una carrera, los corredores flexionan sus cuerpos sujetándose las rodillas, o bien se tumban, jadeando en su intento por respirar. Necesitan oxígeno desesperadamente para neutralizar el exceso de acumulación de ácido producido por la carrera, antes de que se desmayen, o incluso mueran. Por eso *tú* te desmayarías o morirías si no respirases durante varios minutos, aunque no hayas competido en una carrera. Todos necesitamos una gran cantidad de oxígeno en todo momento, para mantener nuestros cuerpos alcalinos de una manera saludable.

El ejercicio anaeróbico (literalmente «sin oxígeno») o el exceso de ejercicio –que tiene lugar siempre que hagas ejercicio hasta el punto de jadear para obtener ese oxígeno– genera una mayor acidez y un incremento del azúcar en sangre, lo cual estresa el páncreas y te introduce en el círculo vicioso que te dirige hacia la diabetes. En primer lugar, tu azúcar en sangre en realidad disminuye porque el azúcar se consume para obtener energía. Después, las glándulas adrenales entran en acción para segregar la hormona adrenalina, que ordena al hígado y a los músculos que liberen el azúcar almacenado (glucógeno). Esta liberación proporciona combustible para conseguir energía a corto plazo, pero en un estado de privación de oxígeno (durante el ejercicio anaeróbico o el exceso de ejercicio), el aumento del azúcar genera más ácido y entras en el círculo vicioso de alternancia del azúcar en sangre bajo y alto que lleva a la resistencia a la insulina y a la diabetes tipo 2. Aquí está la explicación de esa aparente contradicción, la del deportista que no puede perder peso o que incluso lo gana: sin suficiente oxígeno, el organismo se ve obligado a entrar en modo de autoconservación, sintetiza colesterol y utiliza grasa para enlazarla con los ácidos, lo cual genera obesidad.

El levantamiento de peso es el ejemplo básico de ejercicio anaeróbico. Los calisténicos clásicos como los fondos en suelo, las dominadas y las elevaciones de tronco entran dentro de la misma categoría. No obstante, podría hacer la lista mucho más larga, para incluir muchas cosas que consideramos aeróbicas («con oxígeno») y que tienden a hacerse en exceso hasta el extremo de convertirse en anaeróbicas, como correr a pie, pedalear en bicicleta cuesta arriba o utilizar un simulador de escaleras.

Quemar azúcar frente a quemar grasa

El problema del ejercicio anaeróbico y del exceso de ejercicio es que, ante la carencia de oxígeno, tu metabolismo celular pasa de la respiración a la fermentación. Esto conlleva que tus células quemen principalmente azúcar para obtener energía, lo que da como resultado un aumento del ácido láctico. El ácido láctico es muy tóxico. Es lo que causa las molestias y los dolores que sientes durante y después del ejercicio: los dolores musculares que tienes después de un entrenamiento, por ejemplo. En el organismo, siempre se encuentra en concentraciones mayores en los lugares donde hay irritación, inflamación o dolor (así como dentro y alrededor de los tumores cancerosos).

Sin embargo, quemar grasa en lugar de azúcar conlleva como consecuencia que se produzca la mitad de ácido y el doble de energía. Aunque esto es importante en tu vida cotidiana, lo es más en el ámbito del ejercicio físico. Hacer ejercicio correctamente permitirá que el organismo pueda recurrir al metabolismo de la grasa, a la vez que se eliminan los ácidos. No sólo minimizarás la acidez, sino que también aumentarás la fuerza y la resistencia, mejorarás el rendimiento de todas las funciones orgánicas y extenderás tanto la calidad como la cantidad de tu vida.

Cuando quemes azúcar sentirás aturdimiento o mareos. Tu pensamiento puede volverse confuso, y tal vez te sientas agitado o nervioso. Tus manos o tus pies pueden sentir hormigueo o estar fríos, o tal vez tengas una sensación de ardor en alguna parte del cuerpo. Podrás escuchar cómo respiras –inspiras y espiras por la boca en lugar de por la nariz–, y no podrás mantener una conversación mientras haces ejercicio. Tus músculos estarán tensos, tus puños apretados y tu ceño fruncido, y quizás sientas un nudo en la garganta. Tu sudor olerá a amoníaco. Tu visión periférica puede estrecharse, y puedes sentirte desconectado de tu entorno, incluso hasta el extremo de no oír cómo los pies golpean el suelo cuando estás corriendo, por ejemplo. Puede que experimentes dolor generalizado o localizado. En pocas palabras, no te sentirás bien.

La forma en que te sientes cuando quemas grasa es completamente distinta. Te sentirás tranquilo, cómodo y conectado con tu entorno, incluso eufórico. Tu pensamiento será claro. Respirarás suave y fácilmente, por la nariz, y podrás charlar mientras haces ejercicio. Tus expresiones faciales serán de relajación y felicidad, y te sentirás más flexible. Todos tus sentidos se potenciarán. No sientes dolor. Y puedes alcanzar ese estado de «éxtasis del corredor» sin tener que gastar energía al estilo de un maratón, con una dieta adecuada y con el tipo correcto de ejercicio.

¿Sin dolor no hay ganancias?

¡Ni hablar! «Sin dolor no hay ganancias» es uno de los mayores mitos de la industria del acondicionamiento físico. Cuando haces ejercicio hasta el agotamiento (y, por tanto, haces ejercicio anaeróbico) generas un exceso de ácidos, unos ácidos que deterioran las células y producen un aumento del azúcar en sangre. Por ejemplo, el dolor que sientes con el ejercicio –molestias, irritación, inflamación– suele proceder de la liberación de ácido láctico en los tejidos, cuando el cuerpo lucha por mantener su pH equilibrado en 7,365. Hacer ejercicio hasta el extremo de sentir dolor es una forma segura de estresar tu organismo para que sufra alguna enfermedad, incluida la diabetes. Si experimentas dolor, es porque tienes un exceso de ácido y tu azúcar en sangre es inestable. (Si en algún momento sientes algún dolor o molestia mientras haces ejercicio, detente inmediatamente e hidrátate con una bebida verde).

 *La historia de Isabelle*

Entré en una de las compañías de ballet más importantes del mundo cuando tenía dieciocho años. Impartía una clase por la mañana, después practicaba un máximo de seis horas, luego me ponía el maquillaje para el escenario, estiraba y calentaba otra vez mis músculos y rendía al máximo en la función de la noche. Tuve esta agenda durante varios meses seguidos.

Durante mi tercer año con la compañía, cuando tenía veintiún años, me diagnosticaron diabetes juvenil. Acababa de empezar a aparecer en papeles principales, mi sueño hecho realidad. Debía estar disfrutando por la alegría de contar con una floreciente carrera por la que había trabajado toda mi vida, el fruto de la pasión y el amor de mi vida, pero en lugar de eso tenía que lidiar con un cuerpo que parecía que tuviera cien años de edad.

Debía aprender a compaginar las exigencias que conllevaba ser una artista y una estrella con el hecho de caminar por la cuerda floja de la insulina. Temí perder lo que más amaba, así que decidí aprender todo lo que pudiera sobre salud y curación, a fin de poder seguir bailando. Siempre me había considerado una persona preocupada por su salud, una chica de California criada a base de alimentos naturales; pero cuanto más leía, más confusa me sentía. Un experto hablaba de dietas altas en hidratos de carbono, otro de dietas altas en proteínas. Uno anunciaba un suplemento milagroso, y otro, otro distinto. Creo que los probé todos en distintos momentos; podría contar muchas historias. Me llevó años aprender simplemente a tomar insulina sin excederme, mientras me encontraba sobre el escenario.

La dieta que observé que me funcionaba mejor era la que insistía en tomar muchas hortalizas frescas, grasas buenas como los aceites de lino, borraja y oliva, pescado fresco, semillas y frutos secos, así como proteína orgánica como pollo y huevos. Seguir esta rutina mantuvo mi azúcar en sangre estable, sin demasiadas fluctuaciones a lo largo del día. En caso de tener bajo el azúcar, solía comer fruta seca, en lugar de recurrir al azúcar.

Equilibrar mis niveles de azúcar en sangre y encontrar la mejor forma de comer no era mi único problema. Los dolores musculares y el insomnio también me afectaban. Los deportistas por lo general tienen que tratar con los dolores musculares, pero, agravados por la diabetes, mis músculos sufrían de continuo. Por la noche, me resultaba difícil desconectarme de toda la estimulación y el ejercicio del día, y a menudo no podía dormir. La situación empeoraba cuando me sentía nerviosa por ciertas actuaciones que eran especialmente importantes.

Seis años después del diagnóstico, me nombraron solista de la compañía. Bailé durante otros siete años, antes de empezar a dedicarme a impartir clases de ballet y a preparar las representaciones en las que antes bailaba. Y aún actuaba en alguna ocasión. Dado que ya no bailaba tantas horas diarias, ya no tenía ese dolor muscular extremo que había sufrido antes. Pero seguían existiendo las lesiones causadas por dieciséis años de actuaciones, y se hacían notar sobre todo al final de un día de impartir clase y de estar de pie. También el insomnio seguía formando parte de mi vida siempre que me encontraba demasiado ocupada, me estresaba o tenía que viajar.

En lo que respecta a mi dieta, descubrí que ya necesitaba menos proteína, y me sentía bien con (lo que ahora sé que son) los alimentos alcalinos. Pero, aunque me gustaba lo que comía (y comía mucho), y aunque mantenía mi azúcar en sangre bajo control, una y otra vez luchaba con la sensación de no sentirme satisfecha.

Cuando oí hablar por primera vez sobre el plan de la milagrosa dieta del pH para controlar la diabetes, creí que era básicamente lo que yo ya estaba haciendo. No pensaba que añadir una bebida verde con gotas de pH a mi ingesta diaria fuera algo que necesitase. Pero estaba abierta a cualquier cosa que pudiera ayudarme (sobre todo si provenía de alguien tan partidario de algo que yo ya había descubierto que me funcionaba), así que decidí probar. Empecé con un litro de bebida verde al día, con gotas y polvo de brotes de soja. El resto, como suele decirse, es historia.

Lo primero que noté fue el efecto sobre los músculos y los tejidos blandos. Se esfumaron años de dolores causados por lesiones y sensación de rigidez. Después de aproximadamente una semana, noté que conciliaba mejor el sueño, y que era más profundo y reparador, incluso después de un día estresante. La otra cosa que advertí fue que me sentía bastante satisfecha con lo que comía. Añadí algunos suplementos adicionales, en especial AGE, aumenté la bebida verde a dos litros diarios y después llegué a cuatro –o a veces a cinco– al día.

Mi azúcar en sangre siguió mejorando, y ahora, por primera vez en mi vida, sé lo que es tener una buena salud. Me siento como si hubiera buscado esto desde el día en que me diagnosticaron diabetes. Estoy entusiasmada y muy agradecida todos los días por los continuos cambios en mi salud.

Por qué debes preocuparte por tu sistema linfático

Sabes que hacer ejercicio beneficia a tu corazón, tus pulmones y tus músculos, y por supuesto todo eso está muy bien. Pero lo que tal vez no sepas es que el mayor beneficio de todos puede ser el que recibe el sistema linfático. El sistema linfático une órganos (incluido el bazo), tejidos y conductos, mediante capilares, para expulsar fluidos de los órganos y devolverlos a la sangre, así como para mejorar la inmunidad al desplazar los glóbulos blancos por todo el organismo. Así es como el organismo se deshace de los desechos procedentes de la descomposición celular. De este modo el organismo se libra del exceso de ácidos.

Los vasos linfáticos se encuentran en todos los lugares donde hay vasos sanguíneos. Están revestidos de una pared muscular delgada y suave. Hay cientos de nódulos linfáticos extendidos por esos vasos, que se concentran en el cuello, la axila y la ingle. La linfa, el líquido claro que baña las células del organismo, ayuda a suministrar nutrientes, a eliminar desechos y a intercambiar oxígeno y dióxido de carbono.

Los vasos linfáticos parecen ir en un único sentido: la linfa se desplaza hacia los nódulos linfáticos para filtrarse. Dado que el sistema linfático no goza del beneficio de una gran bomba –del modo en que el sistema circulatorio tiene el corazón para impulsar la sangre–, depende de los cambios de presión generados por la respiración (especialmente la respiración profunda) y por la actividad muscular para estimular el flujo de la linfa. Por ello, el ejercicio habitual es clave para que este sistema vital se desplace suavemente, y para que elimine ácidos (como el ácido láctico procedente del ejercicio excesivo), levaduras, bacterias y virus de los tejidos.

Muchas cosas pueden bloquear tu sistema linfático, y la principal es la carencia de ejercicio aeróbico regular, el ejercicio anaeróbico y el exceso de ejercicio. Los alimentos ácidos, el azúcar y las sustancias químicas tóxicas, como los fármacos, los aditivos alimentarios y los conservantes, también pueden causar problemas. Los desechos procedentes de las reacciones químicas celulares y de la descomposición de los tejidos, los restos del metabolismo del azúcar y de las proteínas, y cualquier tipo de subproductos que no pueda eliminar el torrente sanguíneo, también pueden bloquear tu sistema linfático. Los problemas emocionales y psicológicos, asimismo, pueden ejercer algún efecto. El sistema linfático se ralentizará debido al enfado, el estrés, la fatiga o los choques emocionales.

Cuando la linfa se ralentiza, las células quedan suspendidas en un baño de ácido. El oxígeno fresco y las fuentes de energía (ya sean azúcares o grasas) no pueden llegar a la célula. El azúcar no utilizado fermenta y genera ácidos tóxicos; en presencia de ácido y en ausencia de oxígeno, las microformas empiezan a trasformarse. (Lo cual ya debe resultar familiar al lector, porque son los estadios iniciales de la resistencia a la insulina que conduce a la diabetes). Además, tu organismo no funcionará con la misma eficacia y te sentirás sin energía. Tendrás una mala circulación. Experimentarás un dolor generalizado y/o localizado debido a la acumulación de ácido. Retendrás líquidos, una de las estrategias del organismo para neutralizar el ácido. Y serás más propenso a enfermedades degenerativas como la diabetes.

En consecuencia, haz ejercicio de forma habitual y saludable. «Bombearás» el sistema linfático y te asegurarás de que las células consiguen el combustible que necesitan, al mantenerse bañadas en fluidos alcalinos y eliminar todas las toxinas y los desechos, con lo que te asegurarás un cuerpo más sano y cargado de energía.

El ejercicio correcto

Te encontrarás con muchos problemas de salud si no haces ejercicio, o si haces un ejercicio inadecuado. Por suerte, la solución es muy sencilla. Haz ejercicio de la manera correcta. Eso por lo general conlleva hacer ejercicio aeróbico de bajo impacto, como caminar, trabajar en máquinas de entrenamiento cruzado o dar botes (en un minitrampolín); ejercicios más estáticos como el yoga, el Pilates o ciertos tipos de entrenamiento con pesas; e incluso «ejercicios pasivos» como la sauna y el masaje. Esta sección te ofrecerá una visión general de varios tipos de ejercicio que alcalinizan el organismo. Hagas lo que hagas, haz al menos entre veinte y treinta minutos diarios de actividad física. Siempre debes consultar con tu médico antes de iniciar un nuevo programa de ejercicios, en especial si antes has sido más bien sedentario.

Caminar

Caminar mantiene los músculos en suficiente movimiento como para aumentar la circulación, bombear la linfa y eliminar los ácidos de tus tejidos y de tu organismo. Igual que todos los ejercicios aeróbicos, hace que el cuerpo queme grasa en lugar de azúcar, y reduce el estrés sobre el páncreas.

Camina el tiempo o la distancia suficientes para empezar a sudar: unos veinte minutos para un varón y treinta para una mujer. (Sudar, una excelente forma de eliminar los ácidos del cuerpo a través de la piel, es una de las mejores razones para hacer ejercicio). Relájate y permanece atento a lo que te rodea mientras caminas, y en todo momento inspira y espira por la nariz.

Carrera ligera

La carrera ligera[14] ofrece beneficios similares, aunque debe hacerse con cuidado para que sea aeróbica y no se aproxime al ejercicio anaeróbico. La carrera ligera siempre debe ser placentera, y nunca dolorosa. Si empiezas a experimentar cualquier tipo de dolor mientras corres, reduce el ritmo y camina durante un rato hasta que remita el dolor. Inspira y espira siempre por la nariz, no por la boca. ¡Y asegúrate de sudar!

Natación

Si tienes acceso a una piscina de entrenamiento, nadar es una de las mejores formas de ejercicio aeróbico porque es en esencia de «no-impacto» (un grado mejor que el ejercicio de bajo impacto), pero mueve los músculos, lo que a su vez permite mover la linfa y reducir la acidez.

Máquinas de entrenamiento cruzado

También conocidas como máquinas de entrenamiento elíptico, son muy beneficiosas. Trabajan al mismo tiempo tanto la parte superior como la inferior del cuerpo, con un movimiento similar al de la carrera ligera o el de caminar, mientras se sujetan las asas y se mueven hacia delante y hacia atrás. Se puede ajustar no sólo cuánto tiempo durará el ejercicio, sino también la velocidad, la distancia, la resistencia (tanto en los brazos como en las piernas), la intensidad y la frecuencia cardíaca, además del tipo de «terreno» por el que se transita. Creo que la Life Fitness Cross-Trainer es la mejor máquina multifunción; la mayoría de los gimnasios tienen una. Comienza con el programa más bajo y haz al menos treinta minutos diarios.

Bebida verde en west point

En 2001, realicé un estudio de seis meses de duración con los miembros del equipo de gimnasia de West Point, una selección de personas en plena forma, de las que raramente se ven. Aun así, todos los participantes que consumieron bebida verde experimentaron un aumento de energía y rendimiento, así como una reducción en las molestias después de los entrenamientos y las competiciones (lo que conllevó una menor acumulación de ácido láctico), lo mismo que en el tiempo de recuperación.

Yoga

El yoga conlleva cierto componente de filosofía y/o espiritualidad en su programa. Es una manera de disciplinar la mente y las emociones, así como el cuerpo, y, de hecho, intenta integrar los tres en un conjunto unificado. (No obstante, algunas modalidades se concentran casi exclusivamente en el físico, así que tienes que asistir a una clase antes de apuntarte para asegurarte de que ese enfoque concreto te resulta atractivo). En el plano puramente físico, el yoga es una forma excelente de ejercicio porque enfatiza el equilibrio, la fuerza, la flexibilidad y la energía, todo a la vez. También combate la acumulación de grasa. Además, los ejercicios de respiración que incluye mejoran la circulación y la oxigenación. Las investigaciones muestran que la práctica del yoga es un excelente agente paliativo del estrés, además de reducir la tensión física en el cuerpo. Puede mejorar la autoestima, la concentración y el sentido del bienestar general gracias a que calma el sistema nervioso. Los estudios que han examinado específicamente la diabetes han descubierto que el yoga puede ayudar a manejar la enfermedad.

Pilates

El Pilates también se propone integrar el cuerpo y la mente. Trabaja los músculos, incluidos los músculos internos, que con frecuencia se olvidan, y se centra en «la fuerza central» (alrededor del abdomen y la espalda). Las técnicas de Pilates, que enfatizan el movimiento eficiente y grácil, están diseñadas para mejorar la postura y la respiración, y aumentan la conciencia corporal. Para las personas con diabetes, los estiramientos y la respiración pueden mejorar la circulación ayudando a eliminar los ácidos procedentes del metabolismo del azúcar.

Entrenamiento con pesas

Puede ser una excelente forma de ejercicio, pero debe realizarse correctamente, o de lo contrario te hará más mal que bien. Debes trabajar con mucha intensidad, pero con poca fuerza, desarrollando músculo mediante un pequeño número de repeticiones muy lentas y concentradas, utilizando cantidades moderadas de peso o resistencia: entre seis y diez repeticiones por ejercicio. Levanta el peso y mantén la posición donde se requiera más esfuerzo. Cuando una repetición conlleve un esfuerzo considerable y no puedas hacer otra, detente. Habrás terminado ese ejercicio y ha llegado el momento de pasar a otro. Una vez hayas alcanzado diez repeticiones de un ejercicio determinado, aumenta la intensidad manteniendo el peso durante períodos de tiempo cada vez más largos, hasta que hagas cada repetición en treinta segundos. Después aumenta el peso lo suficiente para volver a los quince segundos, y progresa de nuevo desde ahí hasta diez repeticiones y treinta segundos por cada una. Este enfoque se conoce como contracción estática, y se han escrito libros completos sobre el tema, si deseas conocer más detalles. La buena noticia es que necesitarás estar en el gimnasio sólo entre veinte y treinta minutos, durante el primer par de semanas, con un programa como éste, y posteriormente sólo entre diez y quince minutos por sesión, tres veces por semana.

Tu objetivo no debe ser cuánto puedes aguantar, sino ver qué *poco* se requiere para aumentar de tamaño muscular y de fuerza. El objetivo consiste en abandonar definitivamente la afirmación, propia de un macho, de «sin dolor no hay ganancias». La fuerza real se gana levantando peso *sin* dolor.

Celulejercicio

El celulejercicio[15] es una de las mejores formas de ejercicio aeróbico de bajo impacto. Tal vez ya lo conozcas como dar botes –rebotar en un pequeño trampolín–, pero me gusta el término *celulejercicio* (acuñado por el autor e inventor, David Hall) porque este tipo de ejercicio es el único que aplica peso y movimiento a todas las células del organismo al mismo tiempo (en lugar de aislar músculos o grupos musculares específicos). Utilizando tu propio peso corporal para generar resistencia, el celulejercicio fortalece los músculos, los tejidos conectivos, los ligamentos y los huesos, e incluso endurece y levanta los órganos internos y las células de la piel. El movimiento hacia arriba y hacia abajo también aumenta la circulación de la sangre y de la linfa, pero elimina un 80 % del estrés sobre los huesos y las articulaciones, propio de otras formas de ejercicio aeróbico (a la vez que conserva el aspecto beneficioso de sostener peso, que está ausente en la natación). Es bueno incluso para tu sistema digestivo, ya que estimula los músculos lisos del tracto intestinal, que son difíciles o imposibles de ejercitar de otro modo.

El celulejercicio quema calorías once veces más rápido que caminar, cinco veces más rápido que nadar y tres veces más rápido que correr, ya que todas las células utilizan energía al mismo tiempo. Todo lo que necesitas es quince minutos dos veces al día.

Beneficios del celulejercicio

El celulejercicio es especialmente útil para las personas con diabetes, porque ayuda a equilibrar el azúcar en sangre y a regenerar el funcionamiento normal del páncreas mediante la desintoxicación del exceso de acidez de todas las células del organismo. Pero eso es sólo el comienzo de una larga lista de cosas buenas que el celulejercicio hace por tu organismo. El celulejercicio también:

- Aumenta el equilibrio y la coordinación.
- Incrementa la producción de glóbulos rojos.

- Reduce el riesgo de padecer problemas cardiovasculares (fortalece el corazón, reduce las pulsaciones en reposo, baja los niveles de colesterol y triglicéridos y aumenta la capacidad cardíaca).
- Mejora la actividad de los glóbulos blancos.
- Estimula el flujo linfático.
- Desarrolla los músculos, aumentando su vigor y su tono, así como su tamaño y su fuerza.
- Estimula el metabolismo.
- Mejora la circulación.
- Trasporta más oxígeno a los tejidos.
- Incrementa la producción de la glándula tiroides.
- Amplía la capacidad corporal de almacenamiento de energía.
- Mejora el rendimiento mental.
- Reduce las molestias y los dolores (derivados de la falta de ejercicio).
- Disminuye los dolores de cabeza y espalda.
- Mejora la digestión y la excreción.
- Mejora el sueño y la relajación.
- Combate la fatiga.
- Alivia las molestias menstruales.
- Acaba con el exceso de peso.

Ejercicio pasivo

Varias formas de ejercicio pasivo son también excelentes para desplazar los fluidos linfáticos al reducir la acidez del organismo. Son buenas opciones para personas que, por cualquier razón, no pueden hacer suficiente ejercicio. Para el resto de nosotros, son un buen complemento a nuestro ejercicio habitual. Tal vez no obtengas *todos* los beneficios del ejercicio aeróbico o del entrenamiento con pesas, pero la mayoría de los ejercicios pasivos son más suntuosos. ¿Qué nos parece la idea de recibir un masaje o de tomar una sauna, por ejemplo? A continuación ofrecemos los mejores ejercicios pasivos para ayudar a reducir tu acidez y a estabilizar tus niveles de azúcar.

Respiración profunda

La respiración profunda ayuda a liberar las toxinas ácidas del organismo al aumentar el flujo linfático. El primer órgano que alcanzan la linfa y sus toxinas, después de depositarse en el torrente sanguíneo, son los pulmones; la respiración profunda ayuda a expulsar las toxinas, con lo que parte del estrés se elimina del sistema linfático.

No fumar

No es ninguna noticia que los cigarrillos son malos para ti, pero lo que tal vez no sepas es que en gran medida se debe a que el tabaco libera azúcar y levaduras en la sangre, a través de los pulmones. También causa daños en la capacidad para respirar correctamente, lo cual compromete la capacidad para desplazar la linfa por el organismo a fin de eliminar los ácidos.

Acupuntura y acupresión

Estas terapias crean un campo de energía positiva en los puntos en los que se pincha o se presiona, lo cual aumenta el flujo sanguíneo y facilita la curación y la regeneración de las zonas del organismo afectadas (que pueden incluir el páncreas).

Saunas

El radiante calor de una sauna por infrarrojos genera un profundo sudor, que elimina los ácidos tóxicos y los metales pesados del organismo. Las saunas por infrarrojos calientan los objetos que hay en ellas –en este caso tu cuerpo–, en lugar de calentar sólo el aire, el método de las saunas normales. El vapor o calor húmedo de las saunas convencionales puede contener microformas negativas, como levaduras u hongos, que luego respiramos. El calor seco de una sauna por infrarrojos es también mucho más cómodo, del mismo modo que 38 °C es soportable en un clima seco, pero insoportable en un entorno húmedo. Hay una serie de beneficios diversos; una sauna por infrarrojos de calor seco también:

- Acelera los procesos metabólicos, incluidos los del páncreas.
- Inhibe el desarrollo de microformas negativas.
- Genera una «reacción de fiebre» –al aumentar la temperatura interna– que elimina los desechos ácidos.
- Aumenta el número de glóbulos blancos.
- Ejercita el corazón.
- Dilata los vasos sanguíneos.
- Alivia el dolor.
- Acelera la curación de esguinces, bursitis, artritis y de problemas circulatorios en manos y pies.
- Incrementa la circulación sanguínea, y con ello la eliminación de toxinas ácidas por los poros de la piel.
- Promueve la relajación y genera una sensación de bienestar.

Por todo ello, busca una sauna por infrarrojos; algunos gimnasios y centros de *spa* las están instalando. Recomiendo treinta minutos en la sauna, a 60 °C. Recuerda que la sudoración también hace que el organismo elimine minerales beneficiosos, por lo que después debes reponer tu cuerpo con bebida verde.

Masaje linfático

También conocido como manipulación linfática, es distinto de otros tipos de masajes en que su objetivo es desplazar la linfa por el organismo, con lo que se acelera la eliminación de los productos de desecho. Los terapeutas que aplican el masaje bombean los nódulos linfáticos, principalmente de la axila, la parte posterior de la rodilla, la curva del brazo y la curva de la cadera, trabajando en los tejidos conectivos que los alberga (tejido que también une los músculos con el hueso). La aplicación de presión en los nódulos linfáticos impulsa la linfa desde éstos hacia el corazón; cuando se libera la presión, el nódulo se expande y la linfa llega a él, lo cual aumenta el flujo linfático por todo el cuerpo; es algo parecido a la acción de arrancar una cortadora de césped.

Esta forma de masaje suave mejora la circulación y relaja los músculos, a la vez que ayuda a fortalecer el sistema inmunitario, equilibra las hormonas y mejora la digestión, al incrementar la absorción y el uso de los nutrientes. Y, por supuesto, es un importantísimo reductor del estrés; por no hablar de que recibir cuidados y mimos proporciona una sensación de bienestar. Muchos de estos mismos beneficios se obtienen con cualquier tipo de masaje que recibas, pero ningún otro hará tanto por la circulación de la linfa.

Shelley ha estudiado masaje linfático con una persona que aprendió con el creador del método, y lo lleva practicando más de doce años. Ha obtenido resultados excelentes, si bien son incluso mejores si se combinan con una terapia nutricional. Me gustaría que en este país fuéramos tan conscientes del poder del masaje como lo son en Europa, donde la mayoría de los seguros lo cubren por completo y los médicos suelen recomendarlo.

Apoyo linfático

El ejercicio, el masaje linfático y otras actividades inducen la producción de ácidos, y las bebidas verdes son especialmente importantes para ayudar a alcalinizar, para mantener limpio el sistema linfático y los nutrientes, y para que el oxígeno llegue a las células.

En cualquier momento en que tu sistema linfático necesite un apoyo adicional, tal vez te interese tomar una cantidad extra de vitamina A. Recomiendo que utilices tres fuentes distintas para asegurarte una absorción completa y mejorar la tolerancia: aceite de hígado de pescado seco y soluble en agua (relativamente libre de aceite); caroteno (procedente de fuentes vegetales); y diversas plantas y hierbas que contienen vitamina A, incluidos el pasto de trigo, la cebada silvestre, la hierba de avena, el diente de león y el perejil (bebida verde). Otros nutrientes útiles para apoyar al sistema linfático y eliminar ácidos son el octacosanol (presente en el aceite de germen de trigo sin calentar y sin refinar), la N,N-dimetilglicina y la súper óxido dismutasa (SOD).

Toma un suplemento que contenga entre 25.000 y 50.000 UI de vitamina A, y al menos 10.000 UI de beta-caroteno y aceite de hígado de pescado. Toma una cápsula con una bebida verde, o con agua con gotas de pH, seis veces al día.

Una breve advertencia: si tu organismo está muy ácido, tal vez te sientas sin fuerzas, perezoso, fatigado o con náuseas después de un masaje linfático. Es normal: se están procesando los ácidos que había atascados en tu organismo. Toma una bebida verde para facilitar el proceso y te sentirás bien en un plazo de veinticuatro horas.

El **automasaje** o **cepillado del cuerpo** (utilizando un cepillo sobre la piel seca) puede aportar muchos de los mismos beneficios que el masaje linfático. Frota siempre en dirección al corazón. Trabaja en primer lugar la zona inmediatamente en torno al nódulo linfático, aplicando presión hacia el nódulo, y después presiona alejándote del mismo.

Capítulo 10

Las recetas de la milagrosa dieta del pH

Me parece evidente que esta forma de comer puede cambiar tu vida por completo. Es una revelación. Una manera de observar el mundo con una nueva luz. Influye en el modo en que nos vemos a nosotros mismos y a las enfermedades... y cómo los alimentos que introducimos en nuestros cuerpos influyen en todo lo que hacemos.

Jane Clayson, noticias de la CBS

Todo lo que has leído hasta este momento no te permitiría llegar muy lejos sin este capítulo, que te ofrece el secreto para poner el plan en acción: deliciosas recetas para una alimentación alcalina. Entender por qué es importante dejar de comer alimentos acidificantes y querer hacerlo está muy bien, pero sigue en pie la pregunta: «¿Qué vas a comer?». No busques más para encontrar la respuesta. Y prepara tus papilas gustativas para un buen regalo. Pueden encontrarse embotadas ante la exquisita maravilla de las delicias de la naturaleza, pero poco después de pasarte a esta forma de comer estarán abiertas a todos los sabores naturales e integrales que la naturaleza te ofrece.

Shelley Redford Young –mi mujer– ha seleccionado las recetas de este capítulo, y creo que estarás tan contento como yo de que tenga un talento tan original en la cocina. (Y quiere que te diga que nunca se preocupó demasiado por cocinar antes de que nos pasáramos al estilo de vida alcalino, así que puedes estar tranquilo porque hay muchas recetas sencillas y fáciles de elaborar, que encantarán a tu familia). Shelley ha creado muchos de estos platos, pero también ha incluido algunos pertenecientes a un concurso de recetas que organizamos. ¿Quién podía saber que hay tantos cocineros que preparan recetas alcalinas y que hacen sus propios platos? Ella y yo queremos dar las gracias y honrar a todos los que han compartido sus creaciones de este modo.

Nuestro primer libro, *La milagrosa dieta del pH*, también contiene una extensa sección de recetas (*véase* el recuadro siguiente), así que, si alguna vez terminas con las que ofrecemos aquí, tienes la opción de leer más ideas sobre alimentarse en armonía con el plan de la milagrosa dieta del pH. Y esperamos que *tú* mismo improvises e innoves a medida que te vayas sintiendo más cómodo con el hecho de preparar platos al estilo de la milagrosa dieta del pH.

En este capítulo encontrarás secciones de bebidas y batidos; sopas; ensaladas; aliños, salsas y salsas para mojar; platos principales/platos de acompañamiento y tentempiés/postres. He incluido varias recetas «de transición», comidas que no son totalmente alcalinas, con ingredientes como el tofu o las tortitas, con el objetivo de que te alejes de los alimentos muy ácidos; debes comer estos platos con moderación. La mayoría de ellos son ganadores de la categoría de recetas de transición de nuestro concurso de recetas, por lo que enseguida verás lo excelentes que son. Utiliza el índice de recetas si quieres encontrar una receta específica.

Recetas

Índice de Recetas

Bebidas y batidos

El perfecto zumo mañanero monstruoso, 207
Batido súper verde de aguacate, 208
Batido repleto de hortalizas, 209
Energético batido de limón y jengibre, 210
El desayuno de Paul en una licuadora, 210
Malteado de menta, 211
Bebida verde de Chi, 212
Batido de zanahoria crujiente, 212
Cóctel de hortalizas, 213
Leche de almendras fresca y sedosa, 213

Sopas

Sopa de judías blancas, 214
Sopa de tortita, 215
Enchilada vegana, 216
Puré de gourmet francés, 217

Sopa cremosa de berro, 217
Sopa limpia y simple, 218
Sopa de tomate relajante y refrescante, 219
Sopa roja cruda y refrescante, 219
Sopa de ajo puerro asado y jengibre, 220
Sopa de patatas y hortalizas, 220
Sopa latina de lentejas con especias, 221
Sopa cremosa de tomate, 222
Sopa cremosa de coliflor al estilo confeti, 223
Sopa de hortalizas, 224
Sopa de hortalizas y almendras, 224
Sopa de hortalizas de Tera, 225
Sopa de raíz de apio, 226
Sopa cremosa de brécol al curry, 227
Sopa especial de apio, 227
Gazpacho verde de doble uso, 228
Sopa de tofu y hortalizas, 229
Sopa Popeye, 230
Sopa de espárragos, rica en zinc, 231
Sopa verde cruda, 232
Sopa curativa, 232
Sopa de apio, 233
Sopa de brécol / coliflor, 234
Sopa cremosa de hortalizas, 234
Sopa de apio / coliflor, 235
Sopa de brécol cremosa o crujiente, 236

Ensaladas

Ensalada de lentejas y nueces brasileñas, 237
Ensalada de judías verdes con limón, 238
Ensalada marroquí de menta, 238
Ensalada marroquí de col, 239
Más guisantes, por favor, 239
Ensalada alcalina de col, 240
Ensalada Popeye de salmón, 241
Ensalada de quinua, 242

Fiesta abundante de Tera, 243
Ensalada Jerusalén, 244
Ensalada refrescante de pomelo, 244
Remolachas hervidas, con sus hojas, 245
Ensalada de lechuga romana con pimientos, 246
Ensalada Sunshine, 247
Joyas de brécol, 247
Tabulé (ensalada de perejil), 248
Ensalada de repollo (ensalada *malfouf* libanesa), 249
Ensalada de aguacate, 250
Ensalada de brécol, 250
Ensalada marinada de trocitos de hortalizas y col, 251
Ensalada de brotes de alfalfa, 251
Ensalada de pepino alcalinizante y energética, 252
Repollo de colores, 253
Ensalada de espinacas, 253

Aliños y salsas

Salsa de almendras y guindilla, 254
Sucedáneo de crema agria, 255
Aliño de aceite de semillas de lino y limón, 255
Pasta para untar Sunny, 256
Aliño de manteca de almendras, 256
Hummus de tofu, 257
Salsa espesa de almendras, 257
«Crema batida» de tofu, 258
Aderezo de crema de frutos secos, 259
Aliño de almendras y aguacate, 259
Aliño de aguacate y pomelo, 260
Pasta para untar de eneldo, 260
Pequeños triángulos con salsa, 261
Deliciosa tostada de tomate con albahaca, 262
Guacamole al estilo de Texas, 263
Aliño de ensalada de aguacate, 264
Aliño Sunshine, 264
Guacamole rústico, 265

Salsa / aliño de pesto, 266
Aliño fresco de ajo y hierbas, 266
Súper salsa ranchera de macadamia, 267
Aliño de tres cítricos, 267
Aliño de cítrico, lino y semillas de amapola, 268
Aliño de aceite de semillas de lino, 269
Aliño francés de ajo, 269
Almendresa, 270
Salsa para mojar de espinacas y alcachofas, 271
Aliño de soja y pepino , 272
Aliño esencial, 272
Salsa de lima y jengibre, 273

Platos principales y acompañamientos

Salmón empanado con coco y nueces de macadamia, 274
Espárragos con salsa de ajo y limón, 275
Ratatouille de tomate y espárragos, 275
Fiesta alcalina de tacos, 276
Fajita verde salvaje con ensalada México, 277
Ensalada México, 278
Pizzas de hortalizas asadas, 279
Delicia de pizza de pH, 280
Pasta de hortalizas con salsa de coco y loto, 281
Salsa de coco y loto, 282
Guiso de judías norteafricano, 283
Ensalada de col con especias, 285
Col rizada fantástica, 286
Súper tomates rellenos, 286
Burrito de Robio, 288
Desayuno energizante y alcalinizante, 288
Sopa de salmón con coco al curry, 289
Pescado hervido con verduras, 290
Hogaza de tofu con hortalizas (con variantes), 291
Berenjena que no te cansas de comer, 293
Tomates cereza rellenos de aguacate y hortalizas, 294
Tronchos Doc Broc[16] – estilo Coyote, 294

Brunch estilo Doc Broc, 295
Guiso estilo Doc Broc, 296
Espaguetis súper sencillos de Mary Jane, 297
Hortalizas y judías, 298
Salmón al estilo del rey o de la reina, 298
Lasaña de mamá, 299
Bollito del cuatro de julio, 300
Hamburguesas del pollo feliz, 301
Nuggets de frutos secos con especias, 302
Verdaderos *nuggets* de oro, 302
Repollo de colores, 303

Tentempiés / Postres

Galletas crujientes de cebolla y lino, 304
Bolitas de coco congeladas, 305
Galletitas de coco y nueces de macadamia, 306
Sucedáneos de huevo, 306
Sucedáneo de huevo 2, 307
Sucedáneo de huevo 3, 307
Tarta de crema de calabaza, 307
Pasta de almendras, 308
Tarta de aguacate, coco y lima, 309
Sándwiches AB&J con jalea de pimiento rojo, 310
Jalea de pimiento rojo, 310
Salseras de postre con pimientos rojos, 311
Almendras de vacaciones, 311
Pepinos con eneldo, cortados en forma de pétalos, 312
Galletas crujientes de hortalizas con brotes de soja en polvo, 313
Galletas crujientes con forma de nido de pájaro, 314
Láminas de trigo sarraceno germinado, 315
Judías *Edamame*, 316
Súper budín de soja, 317
Delicioso granizado de calabaza, 318
Delicioso granizado de almendras, 318

Recetas de la milagrosa dieta del pH

Las siguientes recetas de este libro aparecen también en *La milagrosa dieta del pH*:

Sopa Popeye
Sopa de espárragos, rica en zinc
Sopa de brécol cremosa o crujiente
Sopa verde cruda
Cóctel de hortalizas
Sopa curativa
Sopa de apio
Sopa de brécol/coliflor
Sopa cremosa de hortalizas
Sopa de apio
Ensalada de brotes de alfalfa
Ensalada de espinacas
Repollo de colores
Ensalada de pepino alcalinizante y energizante
Aliño esencial
Aliño de soja y pepino
Salsa de lima y jengibre

Aunque prácticamente todas las recetas del libro *La milagrosa dieta del pH* serán válidas para este programa, las siguientes resultarán en especial beneficiosas para los diabéticos:

Gazpacho
Sopa de menestra de verduras
Sopa de trocitos de hortalizas
Revuelto de calabacín
Pesto de primavera
Ensalada de brécol
Ensalada de brotes de judías
Ensalada rica en potasio

Ensalada de brotes de trigo
Ensalada arcoíris
Ensalada de lentejas germinadas
Salsa del duende sorpresa
Pasta para untar de ensalada de tofu
Aliño de ensalada a las hierbas
Aceite de hierbas
Aliño de perejil

Recetas para usar durante una fiesta líquida o limpieza

Batido súper verde de aguacate
Sopa de tomate relajante y refrescante
Sopa especial de apio
El perfecto zumo mañanero monstruoso
Batido repleto de hortalizas
El desayuno de Paul en una licuadora
Maltcado dc mcnta (utiliza agua dc coco frcsca, cn lugar dc lc-che de coco envasada)
Bebida verde de Chi
Leche de almendras fresca y sedosa
Puré de gourmet francés
Sopa cremosa de berro
Sopa limpia y simple
Sopa cremosa de tomate
Sopa cremosa de brécol al curry
Sopa curativa
Sopa de brécol cremosa o crujiente
Sopa Popeye
Sopa de espárragos, rica en zinc
Sopa verde cruda
Sopa de apio
Sopa de brécol/coliflor

Sopa de apio/coliflor
Sopa de tofu y hortalizas (en puré)

Recetas buenas para que suba el azúcar sangre bajo

Energético batido de limón y jengibre
Sopa de judías blancas
Sopa roja cruda y refrescante
Sopa latina de lentejas con especias
Ensalada de quinua
Remolachas hervidas, con sus hojas
Pequeños triángulos con salsa
Guiso de judías norteafricano
Burrito de Robio
Galletas crujientes de hortalizas con polvo de brotes de soja
Malteado de menta
Ensalada alcalina de col
Tarta de crema de calabaza
Tarta de aguacate, coco y lima
Salseras de postre con pimientos rojos
Cóctel de hortalizas
Tabulé (ensalada de perejil)
Salmón al estilo del rey o la reina
Hortalizas y judías
Batido de zanahoria crujiente
Sopa de tomate relajante y refrescante
Sopa de patatas y hortalizas
Más guisantes, por favor
Ensalada refrescante de pomelo
Deliciosa tostada de tomate con albahaca
Súper tomates rellenos
Sopa de salmón con coco al curry
Galletas crujientes con forma de nido de pájaro

Sopa cremosa de tomate
Galletitas de coco y nueces de macadamia
Pasta de almendras
Sándwiches AB&J con jalea de pimiento rojo
Súper budín de soja
Delicioso granizado de calabaza
Delicioso granizado de almendras

Bebidas y batidos

Muchas de estas bebidas y batidos pueden degustarse como si fueran una comida completa. Penetran con rapidez en el torrente sanguíneo y aportan la mayor cantidad de nutrición y energía concentradas con la menor cantidad de estrés digestivo, de entre todas las cosas que puedes comer.

El perfecto zumo mañanero monstruoso

1-2 RACIONES

Receta de Mike Nash.

Es excelente cuando necesitas algo con lo que aguantar hasta el mediodía; la grasa te ayudará a sentirte saciado. Además de proporcionar esa grasa, el aguacate es la clave para la cremosidad de este batido.

1 paquete (manojo) de col rizada
1 cabeza de apio
1 limón
Un puñado de hojas de espinacas
1 aguacate
1 cucharadita de polvo verde
1 pimiento chile

Pon la col, el apio y el limón en una batidora, y después mézclalos en una licuadora con los demás ingredientes.

Batido súper verde de aguacate

1 RACIÓN

Este es, con gran diferencia, nuestro batido verde y fresco favorito, y disfrutamos de él para desayunar, almorzar o cenar, o en cualquier momento en que nos apetece tomar un tentempié. Es una forma excelente de obtener la nutrición concentrada y la clorofila del polvo verde y los brotes de soja en polvo (y una manera especialmente buena de que los tomen tus hijos). El pepino y la lima refrescan el organismo, y las grasas esenciales de la gran mantequilla que nos da Dios, el aguacate, junto a los brotes de soja, hacen que este batido aporte energía que puedes quemar durante muchas horas.

1 aguacate
½ pepino
1 tomate pequeño
1 lima (pelada)
2 tazas de espinacas frescas
2 cucharones de brotes de soja en polvo
1 cucharón de polvo verde
1 paquete de estevia
6-8 cubitos de hielo

Mezcla todos los ingredientes en una batidora a una velocidad alta, hasta que consigas una consistencia espesa y uniforme. Sirve inmediatamente.

Variantes:

- Añade 1 cucharadita de mantequilla de almendras para que tenga sabor a frutos secos.
- Agrega leche de coco o leche de almendras fresca y sedosa (*véase* receta en esta misma sección) para obtener un batido más cremoso.
- Elabora un postre helado formando capas con el batido y con coco deshidratado sin edulcorar; espolvorea un poco de coco por encima.
- Utiliza un pomelo o un limón, en lugar de la lima, para obtener un sabor distinto.

- Añade 1 cucharada de jengibre recién rallado.
- Agrega nuevos aderezos que no contengan aceite (sin alcohol), para darle un toque de sabor nuevo y estimulante.
- En verano, congela el batido formando helados para disponer de una golosina fresca. Puedes congelarlo completamente, y después descongelar un poco pequeñas partes del batido y romperlas en trozos pequeños para disfrutar del batido en forma de granizado.

Batido repleto de hortalizas

1-2 RACIONES

Receta de Parvin Moshiri.

1 taza de agua destilada
¼ taza de aceite de semillas de lino, o de oliva
2 pepinos pequeños, cortados en rodajas
1 taza de espinacas
2 aguacates
⅓ de lechuga romana
½ taza de brécol
¼ de taza de cilantro
¼ de taza de perejil
2 tallos de apio, cortados en trozos pequeños
⅛ de taza de hojas de menta fresca (o 1 cucharadita pequeña seca)
2 limas medianas o 1 limón
⅛ de eneldo fresco (opcional)

Vierte el agua en una batidora y después añade el aceite. Acciona el aparato a velocidad lenta y agrega los demás ingredientes, uno a uno. Cuando todo esté troceado, acciona la batidora a velocidad rápida hasta que obtengas un bonito, uniforme y cremoso batido verde.

Energético batido de limón y jengibre

1 RACIÓN

Receta de Karen Rose.

1 limón, pelado y troceado

2 cucharadas de jengibre fresco

1 aguacate

1 pepino pequeño

1-2 cucharaditas de tofu sedoso

Mezcla todos los ingredientes en una batidora, hasta que la preparación esté cremosa. Añade agua, si es necesario, para obtener la consistencia deseada.

Variante:

Para que el batido sea más rico en proteína, y también tenga más sabor a limón, incorpora: 1 limón o lima, 1-2 cucharaditas de brotes de soja en polvo, 1 cucharadita de polvo verde, 2 cucharaditas de estevia (con fibra), ¼ de taza de tofu sedoso, 6-8 cubitos de hielo.

El desayuno de Paul en una licuadora

1 RACIÓN

Receta del doctor Paul A. Repicky.

Se trata de un cremoso batido para desayunar (que también se puede tomar en cualquier otro momento), que te proporcionará energía durante horas.

½ pomelo grande, no dulce (o 1 pequeño), quitando la capa exterior de la cáscara (la parte interna de la cáscara es muy nutritiva), el corazón y las pepitas

Un puñado de brotes (alfalfa, trébol u otros)

Un puñado de espinacas frescas

⅓ de taza de semillas de lino frescas y molidas

1-2 cucharadas de aceites esenciales

2 tazas de brécol troceado

½ taza de pepino troceado

1 ½ tazas de agua

Mezcla todos los ingredientes en una batidora, a velocidad media (o rápida, si deseas un batido más fluido).

Rectifica las cantidades al gusto; con esta receta obtendrás entre 950 y 1.000 mililitros.

Malteado de menta

2 RACIONES

Receta de Matthew y Ashley Rose Lisonbee.

½ pepino

El zumo de 1 lima

El zumo de 1 pomelo

1 aguacate

1 taza de espinacas crudas

½ envase de leche de coco

1 cucharadita de polvo verde

2 cucharaditas de brotes de soja en polvo

8-10 gotas de pH

2-4 ramitas de menta frescas o ½ cucharadita de saborizante de menta (sin alcohol)

14 cubitos de hielo

Mezcla todos los ingredientes en una batidora e incorpora todo bien hasta que consigas una consistencia que te satisfaga.

Variante:

No añadas los cubitos de hielo y congeles a modo de helados.

Bebida verde de Chi

2 RACIONES

Receta de Jill Butler, creación de su amigo Ernesto Chi Ciccarelli.

1 lechuga romana o de Boston (utiliza las hojas más verdes y retira la parte de color verde claro del tallo, si lo deseas)

3 dientes de ajo

1 limón

¾ de taza de agua

½ taza de aceite de oliva

1 trozo de jengibre fresco cortado (opcional)

Una pizca de sal marina

Una pizca de pimienta cayena

1 pepino, pelado

½-1 taza de brécol hervido (o cualquier mezcla de verduras que desees: ¡experimenta!)

Una mezcla de todos, o uno, o ninguno, de los siguientes ingredientes:

2-4 hojas de albahaca, o al gusto

¼ de taza de perejil, o al gusto

⅛-¼ de taza de berros (sólo las hojas), o al gusto

Mezcla todos los ingredientes en una batidora hasta que la preparación tenga una textura uniforme.

Batido de zanahoria crujiente

1 RACIÓN

Receta de Randy Wakefield.

½ cucharadita de polvo verde

7 gotas de pH

1 taza de zumo de zanahorias frescas

1 zanahoria troceada

4 cubitos de hielo

Mezcla todos los ingredientes en una batidora e incorpora todo bien hasta que obtengas una textura uniforme. Sirve con un poco de nuez moscada espolvoreada por encima.

Cóctel de hortalizas

2 RACIONES

1 envase de tomates frescos (de un volumen de medio litro)

½ cucharadita de ajo

1 pepino, cortado en rodajas

1 pimiento verde

Ramitas de perejil fresco

¼ de cebolla, cortada en rodajas

2-3 hojas de lechuga

½ cucharadita de jengibre

Mezcla todos los ingredientes en una batidora a velocidad lenta.

Leche de almendras fresca y sedosa

4-6 RACIONES (APROXIMADAMENTE 1 LITRO)

4 tazas de almendras frescas crudas

Agua pura

Una media de nylon (para colar)

Deja en remojo las almendras frescas crudas durante toda una noche en un tazón de agua. Escúrrelas. Ponlas en una batidora hasta que se llene una tercera parte (unas 2 tazas), y después añade el agua pura para llenar la licuadora. Mezcla a velocidad rápida, hasta que obtengas una leche blanca de aspecto cremoso. Toma una media de nylon (yo utilizo una media de nylon limpia que llegue hasta la rodilla) y vierte la mezcla a través de ella, sobre un tazón o recipiente, y después deja que se escurra. Escurre bien con la mano hasta que la última gota de leche caiga de la media. (El material sólido que se haya desechado puede utilizarse en la ducha a modo de estupenda crema exfoliante). Diluye la leche con agua hasta que adquiera la consistencia deseada. Toma la leche tal cual, o añade un poco de estevia para endulzar. También se puede utilizar en sopas, batidos o budines. La leche de almendras se conservará bien unos tres días en el frigorífico.

SOPAS

Las sopas son especialmente buenas para los diabéticos: como son líquidas, entran con rapidez en el torrente sanguíneo.

Piensa en la sopa como en una comida para el desayuno, ahora que evitas las alternativas convencionales a base de almidón, azúcar y un alto contenido en proteínas.

Sopa de judías blancas

4-6 RACIONES

Receta de Roxy Boelz.

Tercer lugar, concurso de recetas de la milagrosa dieta del pH.

1 taza de judías adzuki, en remojo durante toda una noche
1 taza de judías blancas, en remojo durante toda una noche
1 cebolla pequeña, troceada
2 zanahorias grandes, ralladas
Sal con minerales y sin procesar, al gusto
2 cucharaditas de jengibre fresco rallado
1 taza de apio troceado
Nuez moscada o cardamomo

Cuece las judías justo hasta que queden tiernas. Deja que se enfríen ligeramente. Si es necesario, añade un poco de agua para obtener la consistencia que desees en la sopa. Agrega la cebolla, las zanahorias, la sal y el jengibre. Vierte todo en un procesador de alimentos o una batidora y tritura la preparación hasta que consigas la textura deseada. Puedes añadir el apio con los ingredientes que hay que mezclar, o bien incorporarlo después para que esté más crujiente. Sirve con nuez moscada, cardamomo, o la especia que desees espolvoreada por encima.

Sopa de tortita

4-6 RACIONES

Receta de Cheri Freeman.

Tercer lugar, concurso de recetas de la milagrosa dieta del pH, categoría de recetas de transición.

A algunas personas les gusta utilizar caldo de pollo orgánico en lugar de caldo de hortalizas. Esta sopa, si se suprime la tortita y el tofu, es estupenda para la fiesta líquida.

Tortitas de grano germinado (½ por cada ración) (opcional)

3 tazas de caldo vegetal sin levadura (lee la etiqueta; hay marcas que no contienen levadura)

1 taza de tomates frescos en puré, o tomates triturados envasados, sin conservantes ni aditivos

240 gramos de tofu condimentado y horneado, cortado en rodajas o trozos gruesos

2-3 cucharaditas de aceite de oliva

2 cucharadas de ajo troceado

2 pimientos jalapeños, sin semillas y cortados en trozos pequeños

½ cebolla, cortada en trozos muy pequeños

½ taza de cilantro, cortado en trozos muy pequeños

Sal con minerales y sin procesar, al gusto

Mezcla de ajo y pimienta, al gusto

1 aguacate, cortado en dados

Precalienta el horno a 90 °C. Coloca las tortitas directamente sobre la bandeja hasta que estén crujientes, entre 10 y 20 minutos. Vierte el caldo y el puré de tomate en una cacerola y caliéntalo a fuego muy lento, mientras preparas las hortalizas y el tofu. En una sartén pequeña, dora el tofu con aceite de oliva. Añadelo al caldo. Agrega el ajo, los jalapeños, la cebolla y las especias. Cuando la mezcla esté caliente, apaga el fuego e incorpora el aguacate. Sirve con trocitos de tortita esparcidos por encima para aportar un toque crujiente.

Enchilada vegana

2-4 RACIONES

Receta de Cheri Freeman. Tercer lugar, concurso de recetas de la milagrosa dieta del pH, categoría de recetas de transición.

¡Estupenda para las noches frías!

2 hamburguesas vegetales de soja, desmenuzadas

¼ de taza de aceite de oliva

½ cebolla, troceada

1 jalapeño, troceado (con o sin semillas, al gusto)

1 cucharada de guindilla en polvo

1 cucharadita de sal con minerales y sin procesar

2 dientes de ajo, picados

3 tazas de tomates triturados

2 tazas de ensalada aliñada (verduras variadas, pimientos rojos y amarillos troceados, zanahorias troceadas, etc.)

Queso vegano rallado (opcional)

En una cacerola o una olla de acero, dora en aceite de oliva las hamburguesas desmenuzadas. Añade los demás ingredientes, excepto la ensalada y el queso (si lo utilizas). Rectifica la sazón al gusto. Si no nos gusta el sabor picante, podemos quitar las semillas al jalapeño. Pon aproximadamente la mitad de la enchilada en una batidora, agrega la ensalada y reduce la preparación a puré. Viértelo sobre la enchilada y mezcla bien. Sirve espolvoreando el queso vegano rallado.

Puré de gourmet francés

6 RACIONES

Receta de Eric Prouty.

Segundo lugar, concurso de recetas de la milagrosa dieta del pH.

Se trata de un puré alcalino de un bonito color y relajante. A veces me gusta duplicar la cantidad de lechuga para obtener una textura más ligera.

1 aguacate
2 tallos de apio
1 lechuga romana
1 tomate pequeño
1 puñado de espinacas
1 pepino pequeño, pelado
2 dientes de ajo
$^1/_3$ de una cebolla
2 cucharadas de aceite de oliva
Hierbas provenzales
Brotes (opcional)

Haz un puré con todas las hortalizas con la ayuda de una batidora, dejando la cebolla para el último lugar. Añade el aceite de oliva, y después las hierbas provenzales al gusto. Corona con los brotes.

Sopa cremosa de berro

4-6 RACIONES

Receta de Deborah Jonhson.

2 tazas de agua pura
1 coliflor (cortada en trozos de 2,5 cm)
2 tazas de caldo vegetal
2 tazas de berros frescos troceados (reserva una o dos ramitas para decorar)

1 taza de calabacín, troceado
1 taza de brécol, troceado
1 taza de apio, troceado
4 cebolletas, sin la parte superior
¼ de taza de aceite de oliva virgen extra
Sal sin procesar y con minerales, al gusto

Lleva a ebullición el agua, retira el recipiente del fuego, añade la coliflor y deja que repose cinco minutos. Pon la coliflor y el agua en un procesador de alimentos o una batidora y bate la preparación hasta que adquiera una textura uniforme. Agrega los demás ingredientes y mezcla hasta que obtengas la consistencia deseada. No batas en exceso. Sirve la sopa templada o fría. Decórala con una ramita de berro.

Sopa limpia y simple

1-2 RACIONES

Receta de Eric Prouty.

Segundo lugar, concurso de recetas de la milagrosa dieta del pH, categoría de recetas alcalinas.

1 pepino, cortado en dados
1 aguacate, cortado en dados
Menta (opcional)

Pon los ingredientes en un procesador de alimentos, con las cuchillas en forma de «S». Mezcla bien hasta que la textura sea casi uniforme. Sirve coronada con hojas de menta.

Sopa de tomate relajante y refrescante

2 RACIONES

La mezcla de tomates y aguacates frescos permite que esta sopa refrescante y suave como la seda tenga un alto contenido en licopeno y luteína.

6 tomates medianos, escurridos y colados (pásalos por un colador de malla fina o por una media de nylon que llegue hasta la rodilla)

½ aguacate

¾ de taza de agua de coco fresca (asegúrate de que sea fresca, recién sacada de un coco)

1 pepino, batido

Sal con minerales y sin procesar, al gusto

Estevia (opcional)

Mezcla todos los ingredientes hasta que la textura sea uniforme. Para obtener una sopa más dulce, añade estevia al gusto.

Sopa roja cruda y refrescante

2-4 RACIONES

Se trata de una sopa cruda que se prepara batiendo todas las hortalizas y mezclándolas después con aguacate y un poco de agua de coco fresca. Tiene un efecto refrescante, y es ligera y vigorizante, perfecta para un día caluroso de verano.

1 remolacha

½ pepino grande

4 tallos de apio

1-2 zanahorias

1 diente de ajo pequeño

¼ de taza de cilantro fresco

½ aguacate

¼ de taza de agua de coco fresca (debe ser clara y ligeramente dulce)

Hortalizas ralladas (para decorar)

Bate los seis primeros ingredientes, y después pasa el jugo obtenido por una media de nylon limpia que llegue hasta la rodilla, o por un colador de malla fina. Mezcla todo en una batidora, junto con el aguacate y el agua de coco. Decóralo, si lo deseas, con hortalizas ralladas.

Sopa de ajo puerro asado y jengibre

4 RACIONES

1 ajo puerro, totalmente limpio y cortado en rodajas de 0,8 cm

1 cucharadita de jengibre fresco, cortado en rodajas finas

1-2 cucharadas de aceite de oliva o de pepitas de uva

1 taza de leche de almendras fresca y sedosa (*véase* la receta en la sección de bebidas y batidos)

2 tazas de caldo de verduras

½-1 cucharadita de sal con minerales y sin procesar

En una olla, saltea el ajo puerro y el jengibre en el aceite, hasta que estén blandos y dorados en los bordes. En un robot de cocina, bate el ajo puerro y el jengibre e introdúcelos de nuevo en la olla. Añade la leche de almendras, el caldo y la sal. Calienta y sirve de inmediato.

Variante:

Agrega un poco de ajo al ajo puerro y el jengibre, y mézclalo con pimientos asados cortados en dados.

Sopa de patatas y hortalizas

4 RACIONES

Receta de Terry Douglas.

Es una sopa de un bonito color y con mucho cuerpo.

4-6 patatas rojas pequeñas

1 cebolla amarilla mediana, picada

1-2 cucharadas de aceite de oliva

2 dientes de ajo, picados
2 envases de caldo vegetal
1 tallo de apio, cortado en rodajas
2 zanahorias, cortadas en rodajas
Sal, pimienta y pimienta cayena
1-2 tazas de hojas de espinacas mini
1,2 centímetros de jengibre fresco, cortado en rodajas o en tiras
Bebida de aminoácidos (opcional)
Albahaca (opcional)
Unas cuantas hojas de cilantro
½ pepino, troceado
1 tomate, troceado
½ pimiento verde o rojo, troceado

Cuece las patatas en agua hirviendo, durante unos veinte minutos, hasta que estén tiernas. En otra olla saltea a fuego lento la cebolla en el aceite de oliva; añade el ajo cuando la cebolla esté casi lista. Agrega el caldo, el apio y las zanahorias. Si no hay demasiado líquido, vierte un vaso de agua. Caliéntalo entre tres y cinco minutos, hasta que la sopa esté templada; las hortalizas deben estar aún crujientes. Condimenta al gusto con sal, pimienta y pimienta cayena. Retira el recipiente del fuego. Añade las espinacas y el jengibre. Para servir, corta cada patata en cuatro trozos y distribúyelas en cuatro tazones de sopa. (Opcional: vierte una gota de bebida de aminoácidos y decora cada tazón con una hoja de albahaca). Agrega la sopa y pon como guarnición cilantro, pepino, tomates y pimiento. Sirve inmediatamente con galletas crujientes o aguacate en rodajas.

Sopa latina de lentejas con especias

4 RACIONES

Receta de Cathy Galvis.

6 tazas de agua
2 tazas de lentejas
2 zanahorias, cortadas en rodajas

¼ de cucharadita de pimienta cayena

⅛ de cucharadita de pimienta negra

1 cucharadita de bebida de aminoácidos

2 hojas de laurel

1 cebolla, troceada

2 dientes de ajo, molidos

½ pimiento verde, troceado

½ pimiento rojo, troceado

1 tallo de apio, troceado

½ cucharadita de jalapeño, sin semillas y troceado

1 cucharadita de aceite de oliva

¼ de taza de cilantro, picado

En una cacerola grande, vierte el agua y las lentejas, y llévalos a ebullición. Añade las zanahorias, la pimienta cayena, la pimienta negra, la bebida de aminoácidos y las hojas de laurel. Deja que hierva a fuego lento y tapa la cacerola. En otro recipiente, saltea en el aceite de oliva la cebolla, el ajo, los pimientos verde y rojo, el apio y el jalapeño durante algunos minutos. Retira la cacerola del fuego. Cuece las lentejas unos veinte minutos y agrega las cebollas y los pimientos salteados. Cuécelos durante 10 minutos más, o hasta que las lentejas estén blandas. Sirva coronado con el cilantro.

Sopa cremosa de tomate

2 RACIONES

Receta de Gladys Stenen.

4 tomates

2 cebolletas (con, aproximadamente, 2,5 cm de la parte blanca/clara)

¼ de pimiento verde

1 taza de caldo vegetal

1 aguacate o ¼ de paquete de tofu sedoso

1 cucharadita de sal marina

Pimienta al gusto

Bate todos los ingredientes en la batidora. Calienta justo hasta que el plato esté templado.

Sopa cremosa de coliflor al estilo confeti

6-8 RACIONES

Esta sopa es engañosamente cremosa; se podría creer que contiene algún tipo de lácteo. Los trozos de hortalizas asadas le confieren el aspecto de confeti. Corona con un poco de pimiento asado y una pizca de mezcla de especias y le proporcionarás más color.

1 coliflor

3 calabazas amarillas de cuello curvo

4 calabacines

2 cebollas amarillas

2 paquetes de tomates cereza

½ raíz de apio

8 dientes de ajo

¼-½ taza de aceite de pepitas de uva

1 litro de leche fresca de almendras (*véase* la receta en la sección de bebidas y batidos)

4 tazas de caldo de verduras

Precalienta el horno. Corta las hortalizas en trozos del tamaño de un bocado, colócalas en láminas antiadherentes para galletas y rocía con aceite de pepitas de uva. Hornéalas entre diez y quince minutos, hasta que estén ligeramente doradas. Mientras las hortalizas se asan, prepara la leche de almendras y viértela en una cacerola. Cuando las hortalizas estén listas, pon la coliflor en la batidora con la mitad de la cebolla y la mitad de la raíz de apio, y mezcla con suficiente leche de almendras hasta que obtengas una consistencia cremosa. Vierte la preparación en un recipiente para sopa. Introduce las demás hortalizas en un robot de cocina, hasta que adquieran una textura fina, y agrégalas a la sopa. Remueve para separar los trocitos. Añade el caldo y remueve bien.

Sopa de hortalizas

4 RACIONES

Receta de Mary Seibt.

3 zanahorias grandes

2 tallos de apio

6 tazas de agua destilada

4 cucharaditas de caldo de verduras instantáneo (sin levadura)

1 cebolla amarilla grande

4 tallos de espárrago, troceados

1 ½ cucharaditas de comino

2 cucharaditas de eneldo

Sal con minerales y sin procesar, al gusto

2 cucharaditas de mezcla de especias

Corta las zanahorias y el apio en tiras con la ayuda de un robot de cocina. Lleva el agua a ebullición y añade el caldo de verduras y la cebolla. Cuando hierva, apaga el fuego. Agrega las zanahorias, el apio y los espárragos, y cuece hasta que las hortalizas estén tiernas. Deja que se enfríe lo suficiente para mezclar todos los ingredientes en una batidora. Sirve templado.

Sopa de hortalizas y almendras

4 RACIONES

Esta sopa es incluso mejor después de reposar en el frigorífico durante toda una noche y de que los sabores se mezclen.

3 tazas de almendras en remojo (escáldalas para eliminar la piel, si lo deseas), o 2-4 tazas de leche de almendras fresca y sedosa (*véase* recetas de bebidas y batidos)

El zumo de 1-2 limones

1 diente de ajo

1 cucharadita de condimento de ajo y hierbas

1 litro de caldo de verduras
2 cucharaditas de tomate deshidratado en polvo
1 cucharadita de sal con minerales y sin procesar
½ cucharadita de comino
½ cucharadita de sal de apio
Pimienta negra o una mezcla de especias, al gusto
¼ de cucharadita de pasta de curry tailandés verde
1 brécol
1 cebolla amarilla
2-3 tallos de apio
250 g de guisantes verdes frescos (con la vaina recién retirada)

Pon los once primeros ingredientes (hasta la pasta de curry) en una batidora y mezcla hasta que obtengas una textura uniforme. Vierte la sopa en una cacerola. Hierve o rehoga las hortalizas y añádelas a la cacerola. Calienta y sirve.

Sopa de hortalizas de Tera

6 RACIONES

Receta de Tera Prestwich.

1 cebolla mediana
3 dientes de ajo (1 cucharadita, si están molidos)
5-7 tomates secados al sol
2-3 cucharadas de bebida de aminoácidos
1 cucharada de perejil (¼ de taza fresco)
2 cucharaditas de sal con minerales y sin procesar
Pimienta al gusto (yo utilizo 1 cucharadita)
1 litro de caldo de verduras
1 litro de agua
1 coliflor
1 manojo de brécol
1 manojo de apio (yo sólo uso las hojas)

½ kg de zanahorias

¼ de kg de judías verdes frescas

¼ de kg de guisantes

Mezcla los siete primeros ingredientes (hasta la pimienta) en un robot de cocina. Vierte la preparación en una cacerola y cuécela hasta que la cebolla esté trasparente. Añade el caldo y el agua y lleva a ebullición. Corta las hortalizas (puedes incluir las hortalizas que desees, en lugar de –o además de– los ingredientes mencionados) y agrégalas a la sopa junto con más agua, si es necesario. Cuece hasta que las hortalizas estén tiernas, pero aún un poco crujientes.

Sopa de raíz de apio

4 RACIONES

La raíz de apio (o apio-nabo) es el tubérculo del tallo del apio. Es una raíz grande, nudosa, de piel rugosa. No es la hortaliza más atractiva de las que se venden en la sección dedicada a estos productos, pero, no obstante, es deliciosa y muy buena para tu salud. Lava bien la raíz de apio con la ayuda de un cepillo para eliminar el polvo que se encuentra en los nudos. Es un poco difícil de pelar, por lo que hay que utilizar un cuchillo bien afilado o un pelador fiable.

2 cebollas blancas, picadas

1-2 cucharadas de aceite de pepitas de uva

1 raíz de apio grande, pelada y cortada en trozos grandes, del tamaño de un bocado

1 taza de agua o de caldo de verduras

Sal con minerales y sin procesar, al gusto

Saltea las cebollas en el aceite hasta que se ablanden y estén ligeramente doradas. Añade la raíz de apio y el agua, y hierve entre cinco y diez minutos, hasta que las hortalizas estén listas. Pon la sopa en una batidora, con suficiente agua o caldo para cubrir la parte superior de las cebollas y la raíz de apio. Mezcla hasta que obtengas una textura uniforme y cremosa. Añadir más agua, si es necesario, para conseguir la consistencia deseada, y adereza al gusto con sal. Sirve templado como sopa, o viértela sobre hortalizas como si fuera una salsa o una salsa espesa. Experimenta añadiendo tus condimentos favoritos.

Sopa cremosa de brécol al curry

2 RACIONES

Receta de la doctora Gladys Stenen.

2 tazas de brécol

2 tazas de caldo de verduras (rectifica la cantidad para alcanzar la consistencia deseada)

¼ de paquete de tofu sedoso (o más, al gusto)

1 cucharadita de curry en polvo

Sal y pimienta, al gusto

Bate todos los ingredientes en una batidora, y después calienta la preparació.

Sopa especial de apio

6-8 RACIONES

Se trata de una sopa perfecta para servirla como entrante antes del plato principal, o un día en que estés cansado y necesites dar un descanso a tu mente, tu cuerpo y tu sistema digestivo.

1 cabeza de apio entera, incluidos el centro y las hojas, cortada en rodajas

1 ajo puerro (con la parte blanca cortado en rodajas)

1 cucharada de jengibre rallado

1 cucharada de aceite de coco

1 litro de leche de almendras fresca y sedosa (*véase* recetas de bebidas y batidos)

Caldo de verduras (opcional)

Saltea el apio, el ajo puerro y el jengibre en el aceite, hasta que estén blandos. Pon la mitad en la batidora con la mitad de la leche de almendras, y mezcla bien. Incorpora bien con las demás hortalizas y la leche de almendras, y caliéntala. Si deseas que quede más líquida, vierte un poco de caldo de verduras al gusto.

Gazpacho verde de doble uso

4-6 RACIONES

Receta de Eric Prouty.

Segundo lugar, concurso de recetas de la milagrosa dieta del pH.

Puedes preparar esta sopa simplemente para tomar algo refrescante, o bien elaborarla más consistente con la adición de hierbas (que es lo que mi familia prefiere). Con independencia de cómo se haga, es una sopa maravillosamente alcalina, repleta de clorofila.

6 tomates
1 lechuga romana
2 pimientos verdes
1 ½ pepinos grandes (o 2 medianos)
½ cebolla roja
2 aguacates
3 dientes de ajo
¼ de taza de zumo de limón fresco
¼ de cucharadita de sal con minerales y sin procesar
2 cucharadas de aceite de oliva
1 ½ cucharaditas de albahaca
½ cucharadita de eneldo
¼ de cucharadita de orégano
⅛ de cucharadita de salvia en polvo

Corta todas las hortalizas. Mezcla el aguacate, el ajo y el zumo de limón en un robot de cocina (con cuchillas en forma de «S») hasta que la preparación tenga una textura uniforme, y viértela en un tazón. Mezcla los tomates y la lechuga romana hasta que estén uniformes, y pon la preparación en el tazón. Haz lo mismo con los pimientos, los pepinos y la cebolla, pero no los tritures demasiado, de modo que queden tropezones (aproximadamente entre 0,3 y 0,6 centímetros) y vierte la preparación resultante en el tazón. Mezcla bien con sal y aceite de oliva, y agrega las hierbas, si lo deseas.

Sopa de tofu y hortalizas

4-6 RACIONES

Receta de Jennifer Grinberg.

1 envase de un litro de caldo de verduras orgánico
2 ajo puerros, cortados a lo largo, limpios y picados
1 cebolla grande, cortada en cuatro trozos
1 envase de tofu firme fresco, secado y cortado en dados pequeños
1 col china, cortada en rodajas pequeñas
4-5 tallos de apio, troceados
¼ de kg de guisantes capuchinos frescos, con los extremos cortados
½ cucharadita de jengibre recién troceado (opcional)
Sal con minerales y sin procesar, y pimienta recién molida
2-3 cebolletas, cortadas en trozos pequeños (para decorar)
Una pizca de pimienta cayena (opcional)

Vierte el caldo de verduras en una olla de tamaño medio. Pon los ajos puerros y las cebollas troceadas en el caldo, y dejar que hierva a fuego lento mientras preparas los demás ingredientes. Puedes añadir más agua si el caldo queda demasiado fuerte. Agrega los demás ingredientes al caldo, y hierve a fuego lento hasta que la col china se ablande. Sirve en tazones individuales, y corona con las cebolletas y la pimienta cayena, si lo deseas.

Sopa Popeye

4-6 RACIONES

Ésta es una maravillosa sopa alcalina gracias a los pepinos y las verduras. Está lista en sólo diez minutos. Sírvela templada, con una tortita recién hecha para mojar.

1 aguacate

1 taza de agua o de caldo de verduras (de una marca que no contenga levadura)

2 pepinos, pelados

1 taza de espinacas frescas crudas

2 cebolletas

1 diente de ajo

1/3 de pimiento rojo

Bebida de aminoácidos, o sal con minerales y sin procesar, al gusto

Especias de Oriente Medio: ½-1 cucharadita de garam masala; ½-1 cucharadita de curry; y ½ cucharadita de una mezcla de especias

El zumo fresco de una lima, al gusto

4 hojas de hierbabuena (para decorar)

En una batidora, mezcla el aguacate y la mitad del agua o del caldo, y elabora un puré; después, añade el resto de las hortalizas, todas juntas, e incorpora todo bien hasta que obtengas la consistencia deseada. Si prefieres una consistencia más líquida, aligérala con el agua que sobra. Agrega bebida de aminoácidos o sal al gusto y potencia su sabor con especias y zumo de lima, como desees. También puedes incorporar un par de tomates secados al sol, molidos. ¡Experimenta! Esta sopa es ideal mientras se está en la fase de fiesta líquida.

Opciones calientes: esta sopa puede servirse templada o fría. Si utilizas una Vitamix, cuanto más tiempo se mezclen los alimentos, más caliente estará la sopa. Si no dispones de ella, la puedes calentar con cuidado a poca potencia (no cocerla) en una sartén eléctrica o sartén de hornillo. Calienta la sopa sólo hasta que puedas introducir el dedo sin tener que retirarlo (unos 48 °C), lo que mantendrá la sopa caliente, pero seguirá estando cruda. Decora con hojas de hierbabuena por encima. ¡A disfrutar!

Sopa de espárragos, rica en zinc

3-5 RACIONES

Esta estupenda sopa es rica en zinc y tiene un sabroso sabor a tomate, y se tarda sólo quince minutos en prepararla.

12 tallos de espárragos medianos (o 17 delgados)
5-6 tomates grandes
1 taza de perejil fresco
3-5 tomates secados al sol (envasados en aceite de oliva)
¼ de taza de cebolla seca
4 dientes de ajo frescos
1 pimiento rojo
1-2 cucharaditas de hierbas provenzales
2 cucharaditas de eneldo
1 aguacate
Bebida de aminoácidos, al gusto
2 limones o limas, cortados en rodajas finas (como decoración)

Recorta las puntas de los espárragos y resérvalos para utilizarlos como guarnición. En un robot de cocina, mezcla los espárragos, los tomates maduros, el perejil, los tomates secos, la cebolla, el ajo, el pimiento rojo y las especias. Después, añade el aguacate hasta que la sopa tenga una textura uniforme y cremosa. Condimenta con bebida de aminoácidos, al gusto. Calienta en una sartén eléctrica y decora con las rodajas de lima o limón, o bien sírvela fría en verano. Distribuye las puntas de los espárragos por la sopa, justo antes de servir. ¡Qué rico!

Sopa verde cruda

4-6 RACIONES

Se trata de una sopa maravillosamente alcalinizante que prefiero servir fría en los meses de verano y caliente en invierno. Proporciona energía y es fácil de digerir.

1-2 aguacates

1-2 pepinos, pelados y sin semillas

1 jalapeño, sin semillas

El zumo de ½ limón

1-2 tazas de caldo de verduras ligero o de agua

3 dientes de ajo asado

1 cucharada de cilantro fresco

1 cucharada de perejil fresco

½ cebolla amarilla, cortada en dados

1 zanahoria, cortada en dados pequeños

Haz un puré con todos los ingredientes (excepto la cebolla y la zanahoria) con la ayuda de un robot de cocina. Utiliza más o menos agua para alcanzar la consistencia deseada. Añade la cebolla y los trozos crujientes y crudos de zanahoria al final, como guarnición. ¡Qué rica!

Sopa curativa

6-8 RACIONES

Esta sopa es buena en cualquier momento. Es relajante cuando te encuentras cansado o estresado, o si tienes un resfriado o una gripe, y combate bien los hongos.

2-3 dientes de ajo, enteros

1 cebolla grande, entera

2-3 litros de agua

3 cucharadas de caldo de verduras instantáneo, sin levadura

1 pepino
1-2 zanahorias (opcional)
1 repollo o brécol (opcional)
2 tallos de apio (opcional)
2-3 cucharadas de jengibre fresco cortado en dados
2 cucharadas de cilantro fresco
Sal con minerales y sin procesar, al gusto

Maja los dientes de ajo y saltéalos ligeramente. Reserva. Pon la cebolla entera en el agua, en una cacerola honda, y deja que hierva a fuego lento hasta que esté trasparente (más o menos una hora). Añade el ajo y el caldo de verduras. Cortar en rodajas el pepino y cualquiera de las hortalizas opcionales que vayas a utilizar, y agrégalas a la sopa. Deja que hierva a fuego lento entre diez y quince minutos. Incorpora el jengibre, el cilantro y la sal, y rectifica al gusto.

Variantes:

- También puedes dejar que hierva el agua, después retírala del fuego y agrega trozos finos de hortalizas variadas. Así se calentarán las hortalizas, pero no se cocerán.
- Ralla o bate los ingredientes para obtener con ellos una pasta húmeda, y después ponlos en agua caliente.

Sopa de apio

2 RACIONES

4-5 tallos de apio (incluidas las hojas, si están frescas)
3 tazas de agua pura
2 cucharadas de caldo de verduras instantáneo, sin levadura
Aceite de semillas de lino, al gusto
Bebida de aminoácidos, al gusto
Pimienta cayena, al gusto

Hierve la cebolla en un poco de agua, hasta que esté tierna. Añade la mezcla de agua y caldo. Viértela en una batidora e incorpora todo bien entre quince y veinte segundos. Vuelve a calentar, agregando el aceite de semillas de lino, la bebida de aminoácidos y la pimienta cayena al gusto, y sirve.

Sopa de brécol / coliflor

4 RACIONES

1/3 de taza de almendras, en remojo
1 taza de zumo de pepino o de caldo de verduras
1 diente de ajo, picado fino
1-2 tazas de brécol, troceado
1-2 tazas de coliflor, troceada
¼ de cucharadita de comino
¼ de cucharadita curry en polvo
1 cucharada de zumo de limón o lima
1 cucharada de bebida de aminoácidos
½ cucharadita de sal con minerales y sin procesar

En un robot de cocina o una batidora, mezcla bien las almendras con el zumo de pepino o el caldo, y el ajo. Con la máquina en marcha, añade el brécol y la coliflor e incorpora bien hasta que adquiera una textura uniforme. Por último, agrega los condimentos y el zumo de limón o lima, la bebida de aminoácidos y la sal. Añade más caldo o agua hasta que obtengas la consistencia deseada.

Variante:

Utiliza un aguacate en lugar de almendras, y usa la receta para hacer un aliño de ensalada.

Sopa cremosa de hortalizas

8 RACIONES

Esta sabrosa sopa consigue su cremosidad gracias al tofu. Asegúrate de que se mezcle por completo (lo mejor es utilizar una batidora) para obtener una textura sabrosa, uniforme y cremosa.

1 taza de cebolla, troceada

2 dientes de ajo, picados finos

3 tallos de apio, troceados

2 tazas de repollo verde, rallado

¼ kg de espárragos, cortados en trozos pequeños

2 ajo puerros grandes, troceados

4 tazas de caldo de verduras

2 cucharadas de perejil fresco picado

2 cucharaditas de eneldo seco

2 cucharaditas de albahaca seca

1 cucharadita de orégano seco

Sal con minerales y sin procesar, y pimienta, al gusto

1 envase de tofu sedoso

En una sartén, saltea la cebolla y el ajo durante unos minutos. Añade el apio, el repollo y los espárragos. Pásalos a un recipiente grande y agrega los ajo puerros y el caldo de verduras. Incorpora el perejil, el eneldo, la albahaca, el orégano, la sal y la pimienta. Lleva a ebullición a fuego lento sólo hasta que las hortalizas adquieran cierto brillo. Deja que se enfríe un poco, y después tritura todo en una batidora o un robot de cocina, de dos tazas en dos tazas, con un poco de tofu. Vierte todo en una cacerola. Calienta la sopa sin que supere los 48 °C y sirve.

Sopa de apio / coliflor

6-8 RACIONES

1 cebolla, pelada y troceada

1 cucharada de aceite (de oliva o una mezcla de aceites esenciales)

1 apio entero, picado (reserva algunas hojas de apio para decorar)

1 coliflor, troceada

1-2 litros de caldo de verduras

½-1 litro de leche de almendras fresca y sedosa (*véase* la receta en sección de bebidas y batidos)

Sal, pimienta y condimentos, al gusto

Cuece la cebolla en un poco de agua y aceite, en una olla, durante unos cinco minutos, sin que llegue a dorarse. Pica en trozos pequeños el apio y la coliflor en un robot de cocina.

Añade la mezcla de apio y coliflor a la olla, y calienta hasta que estén tiernos. Vierte el caldo de verduras y la leche de almendras, y hierve a fuego lento entre quince y treinta minutos; también puedes dejarlo crudo.

Haz un puré con la preparación, con la ayuda de una licuadora o un robot de cocina hasta que la mezcla tenga una textura uniforme. Condimenta con sal y las especias que desees. Sirve caliente o fría.

Sopa de brécol cremosa o crujiente

4-6 RACIONES

Esta sopa, rica en proteínas, no deben perdérsela los amantes del brécol. Y sólo se tarda quince minutos en prepararla.

2 tazas de caldo de verduras o de agua

3-4 tazas de brécol, troceado

1 pimiento rojo, troceado

2 cebollas rojas o amarillas, troceadas

1 aguacate

1-2 tallos de apio, cortados en trozos grandes

Bebida de aminoácidos, o sal con minerales y sin procesar, al gusto

Comino y jengibre, al gusto (experimenta con distintas especias)

En una sartén eléctrica, calienta el caldo o el agua, manteniendo la temperatura a 48 °C (o menos; introduce un dedo para comprobarlo). Añade el brécol cortado y calienta durante cinco minutos. En una batidora, haz puré el brécol caliente, el pimiento, las cebollas, el aguacate y el apio, y aligera la mezcla con un poco de agua, si es necesario, hasta alcanzar la consistencia deseada. Si lo deseas, reserva los tallos de brécol (pela la dura piel externa), pásalos por el robot de cocina hasta que obtengas unos trozos pequeños y añádelos a la sopa inmediatamente antes de servirla, para dar un toque crujiente.

Sirve templada, condimentando con bebida de aminoácidos, jengibre fresco, comino o cualquier otra especia que desees. Agrega una rodaja de limón por encima para decorar.

Ensaladas

La ensalada es la parte más importante de una comida, en especial para una persona con diabetes. Es alcalina, rica en agua y fibra, y debe ocupar la mayor parte del plato (entre el 70 y el 80 %).

Ensalada de lentejas y nueces brasileñas

1-2 RACIONES

Receta de Roxy Boelz.

Tercer lugar, concurso de recetas de la milagrosa dieta del pH.

1 ½ tazas de lentejas, cocidas
1 taza de edamame (judías de soja), sin vaina
1 taza de espinacas, enjuagadas y cortadas
El zumo de ¼ de lima
Una pizca de sal con minerales y sin procesar
½-1 cucharadita de jengibre fresco
2-3 cucharadas de nueces de Brasil
Un poco de perejil para espolvorear

Mezcla las lentejas, las judías edamame y las espinacas. Incorpora bien el zumo de lima, la sal y el jengibre, y añade el aliño a la preparación de las judías. Esparce las nueces de Brasil y el perejil.

Ensalada de judías verdes con limón

1-2 RACIONES

Receta de Roxy Boelz.

Tercer lugar, concurso de recetas de la milagrosa dieta del pH.

1 taza de judías verdes, cortadas

1 taza de calabacín, cortado en rodajas

½ taza de daikon (rábano), cortado en rodajas

El zumo de 1 limón

½ taza de copos de dulse

½ taza de perejil, picado

Hierve ligeramente las judías verdes. Deja que se enfríen. Mézclalas con el calabacín y el daikon. Añade el zumo de limón. Espolvorea por encima los copos de dulse y el perejil.

Ensalada marroquí de menta

4-6 RACIONES

Receta de Lisa El-Kerdi.

Mejor en el concurso de recetas de la milagrosa dieta del pH.

Constituye el perfecto acompañamiento para el guiso de judías norteafricano (véase *platos principales/platos de acompañamiento).*

1 manojo de perejil, sin los tallos

1 manojo de menta, sin los tallos

½-1 jalapeño

2 pepinos, sin semillas y bien picados

4-6 cebolletas, bien picadas

4 tomates, sin semillas y cortados en trozos finos

½ taza de zumo de limón

¼ de taza de aceite de oliva

½ cucharadita de sal con minerales y sin procesar

½ cucharadita de pimentón

Muele las hierbas y el jalapeño en un robot de cocina o a mano. Mézclalos en un tazón con los pepinos y las cebolletas. Añade los tomates. Agrega el zumo de limón, el aceite de oliva y las especias. ¡A tu salud!

Ensalada marroquí de col

4-6 RACIONES

Receta de Eric Prouty.

Segundo lugar, concurso de recetas de la milagrosa dieta del pH.

½ repollo verde

½ lombarda

⅓ de taza de zumo de limón fresco

1 ½ cucharaditas de cinco especias chinas en polvo

1 cucharadita de semillas de comino

4 cucharadas de aceite de oliva

Ralla el repollo en un robot de cocina. Mezcla bien todos los ingredientes en un tazón. Deja que reposen durante al menos media hora antes de servir, para que se fusionen todos los sabores y las semillas se ablanden.

Más guisantes, por favor

4 RACIONES

Receta de Dianne Ellsworth.

120 g de guisantes con su vaina, lavados y cortados en trozos del tamaño de un bocado

120 g de brotes de guisantes, de 10 cm de largo, cortados por la mitad (o brotes de guisantes de 5 cm de largo)

300 g de guisantes mini congelados

½ cebolla roja pequeña, cortada en rodajas muy finas, y éstas cortadas por la mitad

2 dientes de ajo, prensados con una prensa de ajos o majados
¾ de taza de semillas de calabaza crudas
2 cucharadas de eneldo enano fresco
2 cucharadas de jengibre recién rallado
La corteza de ½ limón, cortada en trozos de 1,2 cm
El zumo de 1 limón
3 cucharadas de aceite de oliva
2 cucharadas de aceite de pepitas de uva
1 cucharada de mezcla de aceites esenciales
½ cucharadita de eneldo seco
½ cucharadita de condimento de ajo y hierbas
Bebida de aminoácidos, al gusto

Mezcla los nueve primeros ingredientes (hasta la corteza de limón) en una ensaladera. Prepara el aliño mezclando bien el resto de ingredientes. Vierte la mitad del aliño sobre la preparación de hortalizas y remueve bien. Agrega más aliño, al gusto.

Ensalada alcalina de col

4-6 RACIONES
Receta de Sheila Mack.
Tercer lugar, concurso de recetas de la milagrosa dieta del pH.

½ repollo verde, rallado
2 zanahorias medianas, ralladas
½ cebolla roja pequeña, cortada en tiras finas
½ taza de perejil italiano, cortado
1 taza de leche de coco (recién preparada mezclando el agua y la pulpa de un coco en una licuadora)
1 cucharadita de arrurruz en polvo (opcional)
½ cucharadita de sal marina, o al gusto
¼ de cucharadita de semillas de apio
½ cucharada de zumo de lima fresco
2 cucharadas de aceite de pepitas de uva

Una pizca de pimienta cayena
Estevia (opcional)

Pon los cuatro primeros ingredientes (hasta el perejil) en un tazón. Mezcla la leche de coco y el arrurruz (si es necesario para que esté más espesa) en una batidora. Añade los demás ingredientes y mezcla con la preparación de repollo. El sabor es mejor si se deja reposar y refrigerar un rato antes de servir, para que los sabores puedan fusionarse.

Ensalada Popeye de salmón

4 RACIONES

Receta de Maraline Krey.

Segundo lugar, concurso de recetas de la milagrosa dieta del pH.

Esta ensalada también sería deliciosa sin el pescado. Para obtener más zumo del limón y de las limas, hay que hacer que rueden, presionándolos, por la superficie de trabajo antes de cortarlos y exprimirlos.

750 g de filetes de salmón
El zumo de 1 limón
El zumo de 3 limas, dividido
120 ml de agua
60 ml de aceite de aguacate o de oliva virgen extra
Sal con minerales y sin procesar
Pimienta molida
30 g de semillas de lino molidas
30 g de semillas de amapola
Un puñado de piñones (opcional)
½ kg de espinacas
½ taza de hojas de albahaca
1 taza de corazones de palma, cortados en dados
1 taza de zanahorias, cortadas en dados (opcional)
1 taza de apio, cortado en dados (opcional)
1 taza de tomate, cortado en dados (opcional)
1 taza de espárragos, cortados en dados (opcional)

Coloca el salmón en una bandeja de cristal apta para el horno. Deja que se marine en el agua y el zumo de 1 limón y 1 lima durante dos horas. Dale la vuelta cuando pase una hora.

Precalienta el horno a 200 °C. Hornea el salmón, dentro del líquido, durante veinticinco minutos, y después colócalo bajo la parrilla durante cinco minutos, para que se dore la parte superior.

Prepara el aliño; para ello, mezcla el zumo de lima que sobra, el aceite, la sal y la pimienta, las semillas y los piñones, si lo deseas. Utiliza unas tijeras de cocina para cortar las espinacas y la albahaca en trozos del tamaño de un bocado. Ponlas en una ensaladera, con las hortalizas que desees. Vierte el aliño y deja que repose hasta que el salmón esté listo. Para servir, coloca la ensalada en los platos y corona con los trozos de salmón.

El guacamole rústico (*véase* recetas de aliños y salsas) es un acompañamiento excelente.

Ensalada de quinua

4 RACIONES

Receta de Charlene Gamble.

La quinua es un grano muy versátil. Fino y pequeño, es un buen sustituto del arroz.

½ taza de arroz integral

1 taza de agua

½ taza de quinua

1 taza de caldo de verduras

1 cucharadita de comino, dividida

1 lata (450 g) de judías pintas, enjuagadas, escurridas y enjuagadas de nuevo

1 ½ pimientos rojos, cortados en dados pequeños

⅓ de taza de cilantro picado

1 ½ manojos de cebolletas, troceadas

2 tallos de apio, cortados

4 cucharadas de zumo de lima fresco

3 cucharadas de aceite de oliva (o de cualquier aceite saludable que prefieras)

Sal con minerales y sin procesar, al gusto

En una cacerola pequeña, mezcla el arroz, el agua y ½ cucharadita de comino. Lleva a ebullición, tapa, baja el fuego y deja que hierva a fuego lento durante treinta y cinco minutos. Enjuaga la quinua en un tamiz. En otra cacerola pequeña, mezcla con el caldo y ½ cucharadita de comino. Lleva a ebullición, tapa, baja el fuego y deja que hierva a fuego lento entre quince y veinte minutos. Mezcla en un cuenco los granos fríos con los demás ingredientes. Reserva en el frigorífico un momento antes de servir, para que se fusionen los sabores.

Fiesta abundante de Tera

4-6 RACIONES

Receta de Tera Prestwich.

1 brécol

1 coliflor

1 pimiento rojo

1 pimiento verde

1 pimiento naranja

2 tallos de apio, cortados en rodajas

3 cebolletas

1 bolsa de edamame (judías de soja), sin vaina

½ taza de mezcla de aceites esenciales (u otro aceite que desees)

½ diente de ajo picado

¼ de taza de bebida de aminoácidos o 1-2 cucharaditas de sal con minerales y sin procesar

1 cucharada de condimento de ajo y hierbas

Mezcla de condimentos (para adornar)

Corta el brécol, la coliflor, los pimientos, el apio y las cebolletas, y mezcla. Cuece el edamame como indiquen las instrucciones del envase y añádelo a la preparación. Después, agrega el aceite, el ajo picado, la bebida de aminoácidos y los condimentos. Remueve todo bien y como decoración pon las especias.

Ensalada Jerusalén

4 RACIONES

Receta de Sue Mount.

1/3 de taza de tahini

2 cucharadas de aceite de oliva

1-2 dientes de ajo, majados

El zumo de ½ limón

3 cucharadas de perejil

Sal o sal con minerales y sin procesar, al gusto

Agua

1 pepino, cortado en dados

6 tomates grandes, o 3 tomates normales, cortados en dados

Mezcla bien los seis primeros ingredientes (hasta la sal) en una ensaladera; añadir agua para aligerar y obtener un aliño. Incorpora el pepino y los tomates, y remueve. Puedes dejar que repose una hora para que se fusionen los sabores.

Ensalada refrescante de pomelo

2-4 RACIONES

Receta de Kathleen C. Waite.

Me gusta colocar las rodajas de aguacate de esta receta como si fueran pétalos de flores, y poner la mezcla de pomelo dentro, como si se tratara del centro de la flor.

1 cucharada de aceite de lino

1 cucharada de bebida de aminoácidos (o sal sin procesar, o condimento de hierbas, al gusto)

1-2 cucharaditas de semillas de sésamo
1 cucharadita de condimento mexicano (opcional)
1 pomelo, pelado y cortado en trozos del tamaño de un bocado
1 taza de apio, troceado
1 taza de jícama, rallada
1 puñado de cilantro fresco
1 aguacate, pelado y cortado a lo largo
¼-½ taza de almendras remojadas, troceadas

Mezcla los cuatro primeros ingredientes (hasta los condimentos mexicanos) para preparar un aliño. Incorpora bien los demás ingredientes, excepto el aguacate y las almendras, en un tazón y mézclalos con el aliño. Pon todo en un plato con rodajas de aguacate. Añade las almendras por encima.

Remolachas hervidas, con sus hojas

2-4 RACIONES
Receta de Kathleen Waite.

1 manojo de remolachas frescas, junto con sus hojas
El zumo de ½ limón
1 cucharada de aceite de lino
1 cucharada de bebida de aminoácidos (o sal sin procesar, o condimento de hierbas, al gusto)
¼-½ taza de almendras, remojadas y troceadas (opcional)

Separa las remolachas de las hojas y frótalas bien para limpiarlas. Corta los extremos y después córtalas en dos o cuatro partes, dependiendo del tamaño de la remolacha. Hiérvelas en un estameña para tal fin, a fuego fuerte durante diez minutos, y después retíralas del fuego. Mientras, lava y enjuaga las hojas de las remolachas. Dóblalas un par de veces y córtalas en trozos. Cuando las remolachas estén listas, coloca las hojas sobre las remolachas en la estameña, vuelve a cubrir la cacerola y dejar que hiervan durante cinco minutos para que se ablanden las hojas. Mientras, mezcla el zumo de limón, el aceite y la bebida de aminoácidos o la sal. Pon las hojas y las remolachas en una ensaladera y mézclalas con el aliño. Esparce las almendras por encima.

Ensalada de lechuga romana con pimientos

6 RACIONES

Receta de Randy Wakefield.

1 diente de ajo, prensado o majado

2 cucharaditas de aceite prensado en frío, o de mezcla de aceites esenciales

2 cucharaditas de cebolla picada

2 cucharaditas de tomate cortado en trozos finos

1 jalapeño pequeño, sin semillas y cortado en trozos finos

3 tazas de lechuga romana

3 tazas de endivia

1 pimiento rojo, cortado en tiras

1 pimiento amarillo, cortado en tiras

Bebida de aminoácidos, o sal con minerales y sin procesar, al gusto

Mezcla el ajo y el aceite en un tazón pequeño; deja que repose durante treinta minutos. Después, añade la cebolla picada, el tomate y el jalapeño; remueve bien y reserva. Coloca las hojas de lechuga romana enteras de manera que cubran seis platos. Corta la endivia y el resto de lechuga romana en pequeños trozos y colócalos encima. Pon las tiras de pimiento encima. Rocía cada ración con 1 ½ cucharadas de la mezcla de aceite. Añade bebida de aminoácidos o sal sin procesar, al gusto.

Ensalada Sunshine

6-8 RACIONES

Receta de Frances Parkton.

Segundo lugar, concurso de recetas de la milagrosa dieta del pH.

2 tazas de quinua cocida

1 taza de calabacín, picado

2 tazas de brécol, picado

1 taza de cebolla, picadamolida

1 pimiento rojo o naranja, picado

1 taza de piñones

2 cucharadas de aceite de sésamo tostado

Sal al gusto

Tomates, picados, al gusto

Perejil, picado, al gusto

1 receta de aliño Sunshine (*véase* recetas de aliños y salsas)

Mezcla todos los ingredientes, excepto el aliño, en una ensaladera. Añade el aliño y sirve.

Joyas de brécol

4-6 RACIONES

Receta de Brooke Peterson.

2 brécoles, con los ramitos cortados en trozos de 2,5 cm (reserva los tallos para otras recetas)

1 pimiento rojo, troceado (opcional)

6 dientes de ajo, picados

El zumo de 1 limón (aproximadamente 1 cucharada)

¼ de taza de bebida de aminoácidos

½ taza de aceite de oliva

Mezcla todos los ingredientes. Sirve inmediatamente, o cubre la ensalada e introdúcela en el frigorífico. Se conserva un máximo de una semana.

Tabulé (ensalada de perejil)

4-6 RACIONES

Receta de Jennifer Grinberg.

El bulgur es un trigo triturado que se ha hervido, se ha secado al sol y después se ha molido. Puedes encontrarlo en los establecimientos de productos de salud por este nombre, o por otros similares. Puede encontrarse en tiendas de productos típicos con el nombre de trigo libanés triturado. No utilices trigo normal.

1 taza de bulgur (trigo bulgur)

6-8 manojos de perejil, picado fino (utiliza el robot de cocina)

4-6 tomates grandes, cortados en trozos pequeños

¼ de taza de hojas de menta fresca, picada fina

2-3 cucharaditas de menta seca

10-12 cebolletas, picadas finas (reserva ½ taza)

2-2 ½ cucharaditas de sal con minerales y sin procesar

1 cucharadita de pimienta recién molida

¼ de cucharadita de mezcla de especias: pimienta de Jamaica, canela, nuez moscada y aceite de canela

¼-½ taza de aceite de oliva virgen extra

El zumo de 3-4 limones

Hojas de verdura de guarnición, preferiblemente de lechuga romana o de cualquier lechuga con hojas firmes

Pon el bulgur en un vaso grande o una taza para medir, cubre con agua templada o a temperatura ambiente, mezcla con las manos y enjuaga un par de veces hasta que el agua salga limpia. Cubre de nuevo con agua y deja que repose entre treinta y cuarenta y cinco minutos, mientras preparas el resto de ingredientes. El bulgur aumentará de tamaño.

Mezcla el perejil picado, los tomates, la menta y las cebolletas (menos ½ taza, que reservarás) en un cuenco para mezclar muy grande, cubre e introduce en el frigorífico. Escurre el bulgur utilizando un colador de malla muy fina, de forma que el trigo no pueda pasar a través de él. Escurre bien el agua hasta que el bulgur esté bastante seco. Pásalo a otro cuenco y añade la ½ taza de cebolletas que has reservado, la sal, la pimienta y la mezcla de especias. Mezcla todo bien. Cubre e introduce en el frigorífico para que todos los ingredientes impregnen el bulgur. Cuando esté listo para servir, coloca la mezcla de bulgur en el fondo de una ensaladera muy grande y espolvorea con la preparación de perejil. Remueve bien, asegurándote de que el bulgur que está en el fondo se mezcle bien con el perejil. Añade el aceite y el zumo de limón, y mezcla bien. Rectifica de la sal, pimienta y limón, al gusto.

El tabulé se sirve en una ensaladera grande, o en un plato para servir que sea hondo. Coloca unas cuantas hojas de lechuga alrededor de los bordes de la ensaladera para decorar. Puede servirse como comida. Cuando se sirve como primer plato, se pone una cuchara grande en el centro de una hoja de lechuga y ésta se enrolla para comerla con los dedos. También puede enrollarse en una hoja de uva fresca (que debe recogerse tierna, y después prepararse para comer escaldándola para que se ablande, pero sin que llegue a romperse).

Ensalada de repollo (ensalada *malfouf* libanesa)

4-6 RACIONES

Receta de Jennifer Grinberg.

1 repollo pequeño
1 lombarda pequeña
2 dientes de ajo
1 cucharadita de sal con minerales y sin procesar
½ taza de limón recién exprimido
½ taza de aceite de oliva virgen extra
Pimenta recién molida, al gusto
2-3 tomates, cortados en dados

Retira las hojas externas duras del repollo y la lombarda, y después corta cada uno en cuatro partes. Corta las hojas en trozos finos y colócalas en una ensaladera grande. Sala las hojas y resérvalas. Tritura el ajo con la sal ya añadida, con la ayuda de un mortero y una mano de mortero, hasta obtener una pasta. Mezcla con el zumo de limón, el aceite y la pimienta. Añade el aliño al repollo. Agrega los tomates inmediatamente antes de servir.

Ensalada de aguacate

4-6 RACIONES

Receta de Minda Kramar.

1 lechuga, troceada

1 pepino, troceado

2 tomates, troceados

¼ cebolla roja, cortada en rodajas finas

3 aguacates medianos o grandes, triturados

1 taza de mayonesa de soja (sin vinagre)

Sal de ajo y pimienta, al gusto

Mezcla las hortalizas cortadas en un cuenco. En otro, incorpora bien los aguacates, la mayonesa de soja, la sal de ajo y la pimienta. Deja que se enfríe en el frigorífico. Mezcla todos los ingredientes inmediatamente antes de servir.

Ensalada de brécol

4 RACIONES

Receta de Brooke Peterson.

Los ramitos de 2 brécoles (es perfecto si también se preparan joyas de brécol; *véase* receta)

½ col lombarda

1 cebolla roja mediana, cortada en cuatro trozos

El zumo de 1 limón o lima

¼ de taza de aceite de oliva virgen extra

¼ de taza de bebida de aminoácidos

Con la ayuda de una cuchilla en forma de «S» colocada en el robot de cocina, pica los ramitos de brécol junto con la col, hasta que tengan un tamaño cuatro veces menor. Añade la cebolla y pica bien hasta que consigas la consistencia deseada. Mezcla el zumo de limón o lima, el aceite de oliva y la bebida de aminoácidos; después, agrega el aliño a las hortalizas y sirve. Si se pone en un recipiente tapado, se conservará varios días en el frigorífico, así que se puede preparar una cantidad generosa.

Ensalada marinada de trocitos de hortalizas y col

8-10 RACIONES

Receta de Brooke Peterson.

8-12 tazas de cualquiera –o todas– de las siguientes hortalizas: col rizada, «col negra», lombarda, zanahorias, cebollas, coliflor, calabacín, pimientos rojos, brécol. Se puede preparar un verdadero arcoíris

El zumo de 1 limón o lima

¼ de taza de aceite de oliva virgen extra

¼ de taza de bebida de aminoácidos

Con la ayuda de un robot de cocina con una cuchilla en forma de «S», pica las hortalizas –primero las más duras–, hasta que queden reducidas, aproximadamente, a la cuarta parte de su tamaño. Ponlas en una ensaladera grande. A continuación, pica una cuarta parte de la col, los tallos y el resto de ingredientes. Mezcla el zumo de limón o lima, el aceite de oliva y la bebida de aminoácidos; vierte sobre las hortalizas y remueve bien. Se conservará en el frigorífico durante varios días.

Ensalada de brotes de alfalfa

6 RACIONES

3 tazas de brotes de alfalfa

3 tazas de calabaza de verano, troceada

2 pimientos rojos, cortados en dados

2 cebollas verdes, picadas

¼ de taza de cebolla roja, picada

Aliño:

1 taza de aceite de lino

El zumo de 1 limón o lima, frescos

1 cucharadita de sal con minerales y sin procesar

1-2 cucharaditas de mezcla de condimentos (opcional); por ejemplo, italianos o mexicanos

Mezcla todas las hortalizas en un cuenco grande. Añade el aliño al gusto.

Ensalada de pepino alcalinizante y energética

3 RACIONES

El pepino es uno de los alimentos más alcalinizantes y energéticos que puedes comer. Se considera que tiene un efecto purificador sobre el sistema digestivo, y es muy beneficioso para el cabello y la piel. (Para un refrescante lifting, túmbate durante unos minutos con una rodaja de pepino sobre cada ojo, o frótate una rodaja por la cara, después de una limpieza, para tonificar y purificar la piel).

2 tazas de pepinos, troceados

2 cucharadas de perejil, picado

1 cucharada de zumo de limón

1 cucharada de aceite de semillas de lino, o de aceite de oliva

⅓ de taza de menta, picada

En un cuenco pequeño para servir, mezcla los pepinos, el perejil, el zumo de limón, el aceite y la menta. Remueve bien todo. Deja que se enfríe durante varias horas o toda una noche. Mezcla bien de nuevo antes de servir.

Repollo de colores

4 RACIONES

El repollo se considera uno de los alimentos terapéuticos más poderosos del mundo. Muchos estudios han relacionado la ingesta de repollo con una reducción del riesgo de padecer cáncer, especialmente de colon. Asimismo, se ha demostrado que el zumo de repollo ayuda a que sanen las úlceras de estómago y a prevenir el cáncer de estómago.

2 tazas de lombarda, cortada en rodajas finas
2 tazas de repollo, cortado en rodajas finas
1 zanahoria, rallada
1 pimiento rojo, cortado en tiras
1 pimiento amarillo, cortado en tiras
1 pimiento verde, cortado en tiras
1 pimiento naranja, cortado en tiras
4 cucharadas de cebolletas, picadas
4 cucharadas de perejil, picado
¼ de taza de zumo de limón
3 cucharadas de agua
1 cucharada de aceite (de oliva virgen extra, de semilla de lino o de una mezcla de aceites esenciales)
1-2 cucharaditas de guindilla roja seca
Una pizca de bebida de aminoácidos

En un cuenco, mezcla todos los ingredientes. Remueve bien y deja que los sabores se fusionen durante al menos media hora antes de servir.

Ensalada de espinacas

2-3 RACIONES

1 manojo de espinacas
½ taza de coliflor, cortada en trozos pequeños
2 tallos de apio, troceados

6 rábanos, troceados

2 escalonias (o 1 cebolla roja pequeña), picadas

½ taza de albahaca, picada

2 pimientos rojos, troceados

4 cucharadas de piñones

En un cuenco grande, mezcla bien todos los ingredientes. Adereza con aliño esencial (*véase* la receta en la sección de recetas de aliños).

Aliños y Salsas

La salsa suele ser la parte más sabrosa de una comida. Las hortalizas siempre tienen un sabor más estimulante si van acompañadas de hierbas, aderezos y especias. Es también una forma de incluir texturas cremosas en tus platos y de enriquecerlos con grasas saludables y esenciales.

Salsa de almendras y guindilla

2-4 RACIONES

Receta de Roxy Boelz.

Tercer lugar, concurso de recetas de la milagrosa dieta del pH.

½ taza de mantequilla de almendras crudas

1 cucharada de jengibre fresco, rallado

2 cucharadas de zumo de limón

1 diente de ajo

1 cucharada de bebida de aminoácidos

1 guindilla, por ejemplo, de regiones montañosas

¼ de taza de agua

Mezcla los ingredientes en una batidora hasta que adquiera una textura uniforme. Añade agua poco a poco, hasta que adquiera la consistencia deseada.

Sucedáneo de crema agria

2-4 RACIONES

Receta de Roxy Boelz.

Tercer lugar, concurso de recetas de la milagrosa dieta del pH.

¾ de taza de pulpa de coco

⅓ de taza de nueces de Brasil (en remojo durante toda la noche)

3 cucharadas de aceite de oliva

2 cucharadas de zumo de limón

1 cucharada de agua

½ cucharadita de sal con minerales y sin procesar

Mezcla todos los ingredientes hasta que el aliño adquiera una textura uniforme. Añade el agua gradualmente hasta que consigas la consistencia deseada.

Aliño de aceite de semillas de lino y limón

2-4 RACIONES

Receta de Roxy Boelz.

Tercer lugar, concurso de recetas de la milagrosa dieta del pH

⅓ de manojo de albahaca fresca (o 1-2 cucharaditas seca)

2 dientes de ajo

½ taza de zumo de limón

¼ de taza de aceite de semillas de lino o una mezcla de aceites esenciales

¼ de taza de agua

¼ de taza de aceite de oliva

Mezcla la albahaca y el ajo en una batidora. Añade el resto de los ingredientes e incorpora bien hasta que obtengas la consistencia deseada.

Pasta para untar Sunny

2-4 RACIONES

Receta de Roxy Boelz.

Tercer lugar, concurso de recetas de la milagrosa dieta del pH.

1 taza de pipas de girasol (en remojo durante seis horas o toda una noche)

1 taza de almendras (en remojo durante seis horas o toda una noche)

2 cucharadas de zumo de limón

½ taza de hierbas frescas a elegir (perejil, albahaca, cilantro, etc.)

1 cucharada de copos de dulse

Pica las pipas de girasol y las almendras en un robot de cocina. Añade los demás ingredientes, excepto los copos de dulse, y mezcla bien. Espolvorea los copos de dulse por encima.

Variante:

Para obtener un toque a ajo, agrega ajo troceado al zumo de limón y a las hierbas, y después mezcla con la preparación de pipas de girasol/almendras. O bien utiliza 1 cucharadita de kelp en lugar de copos de dulse, que añadirás al robot de cocina, junto con el resto de los ingredientes.

Aliño de manteca de almendras

2-4 RACIONES

Receta de Debra Jenkins. Primer puesto, concurso de recetas de la milagrosa dieta del pH, categoría de recetas de transición

1-2 cucharadas de mantequilla de almendras

0,25 kg de tofu blando o sedoso

1 diente de ajo fresco

2-4 cucharadas de aceite (mezcla de aceites esenciales o de oliva)

½-1 cucharada de bebida de aminoácidos

1 cucharadita de mezcla de especias

½ cucharadita de cebolla en polvo

 Mezcla todos los ingredientes.

Hummus de tofu

2-3 RACIONES

Receta de Debra Jenkins. Primer lugar, concurso de recetas de la milagrosa dieta del pH, categoría de recetas de transición.

 240 g de tofu

½ taza de tahini crudo

El zumo de ½ limón

1 cucharadita de comino

2-3 pimientos o tomates secados al sol

1 diente de ajo

½ cucharadita de sal con minerales y sin procesar

 Mezcla todos los ingredientes.

Salsa espesa de almendras

2-3 RACIONES

Receta de Debra Jenkins. Primer lugar, concurso de recetas de la milagrosa dieta del pH, categoría de recetas de transición.

Es excelente para acompañar a trigo sarraceno, arroz, hamburguesas vegetales, salmón y muchos platos más.

 2 tazas de agua

½ taza de almendras (remojadas y escaldadas, si lo prefieres)

2 cucharadas de arrurruz en polvo

2 cucharaditas de cebolla en polvo

2 cucharadas de aceite de pepitas de uva

½ cucharadita de sal con minerales y sin procesar

Mezcla todos los ingredientes. Después, calienta a fuego rápido, unos tres minutos, removiendo constantemente hasta que espese.

«Crema batida» de tofu

2-4 RACIONES

Receta de Debra Jenkins.

Primer lugar, concurso de recetas de la milagrosa dieta del pH, categoría de recetas de transición.

Se puede utilizar como acompañamiento en lugar de una crema batida, sobre granos calientes o selecciones de postres como la tarta de crema de calabaza (véase *recetas de postres) o la tarta de aguacate, coco y lima (véase recetas de postres), también creadas por Debra.*

240 g de tofu sedoso

2 cucharaditas de extracto de vainilla sin azúcar

½ cucharadita de estevia

1 cucharada de zumo de limón

Agua o leche de almendras

1 ½ cucharaditas de psilio o copos de agar (opcional)

Escurre el tofu completamente. Mézclalo, junto con la vainilla, la estevia y el zumo de limón en un robot de cocina. Añade agua o leche de almendras, según sea necesario, para obtener una consistencia uniforme (tan sólo serían precisas algunas cucharadas). Para crear la firmeza de la «crema batida», agrega psilio o agar. Conserva en el frigorífico hasta que se enfríe.

Variante:

Aporta sabor utilizando canela.

Aderezo de crema de frutos secos

1-2 RACIONES

Receta de Debra Jenkins.

Primer lugar, concurso de recetas de la milagrosa dieta del pH, categoría de recetas de transición.

½ taza de almendras

⅓ de taza de agua hirviendo

½ cucharadita de zumo de limón

Estevia

En una licuadora o molinillo de café, muele las almendras hasta obtener un polvo fino. Añade el agua y el zumo, y después incorpora estevia al gusto (unas 2 o 3 gotas). Mezcla a velocidad rápida hasta que la preparación esté uniforme y cremosa. Deja que se enfríe durante una hora o dos.

Variante:

Puedes aportar más sabor con aroma de canela, almendras o arce (asegúrate de utilizar uno que no contenga alcohol).

Aliño de almendras y aguacate

2-4 RACIONES

Receta de Debra Jenkins. Primer lugar, concurso de recetas de la milagrosa dieta del pH, categoría de recetas de transición.

2 cucharadas de mantequilla de almendras cruda

1 diente de ajo

½ aguacate mediano

1 cucharada de zumo de limón fresco

1 cucharada de bebida de aminoácidos

3 cucharadas de mezcla de aceites esenciales

3 cucharadas de aceite de oliva

Una pizca de ajo en polvo

½ cucharadita de cebolla en polvo

½ cucharadita de especias mexicanas

Mezcla todos los ingredientes en una batidora hasta que la preparación adquiera una textura uniforme y cremosa. Deja que se enfríe.

Variante:

Añade 3 o 4 tomates secados al sol.

Aliño de aguacate y pomelo

1-2 RACIONES

Receta de Debra Jenkins.

Primer lugar, concurso de recetas de la milagrosa dieta del pH, categoría de recetas de transición.

1 aguacate grande

El zumo de 1 pomelo pequeño o ½ grande

Estevia (opcional)

Mezcla el aguacate y el zumo en una batidora, y después añade estevia para equilibrar el sabor tan fuerte, si lo deseas.

Pasta para untar de eneldo

4 RACIONES

Receta de Eric Prouty.

Segundo lugar, concurso de recetas de la milagrosa dieta del pH, categoría de recetas alcalinizantes.

Sirve esta pasta para untar sobre rodajas de pepino, tallos de apio, papel para sushi-nori (para rollitos vegetales), galletas crujientes de lino o tortitas germinadas (para crepes vegetales).

2 tazas de pipas de girasol, remojadas

3 dientes de ajo

$^1/_3$ de cebolla

2 cucharadas de aceite de oliva

1 cucharada de bebida de aminoácidos (o ½-1 cucharadita de sal con minerales y sin procesar)

1 cucharadita de eneldo

Utiliza un exprimidor con un accesorio para manteca de frutos secos. Añade las semillas, el ajo y la cebolla. Mezcla en un cuenco con los demás ingredientes.

Pequeños triángulos con salsa

4 RACIONES

Receta de Kelly Anclien.

Primer lugar, concurso de recetas de la milagrosa dieta del pH, categoría de recetas alcalinizantes.

Esta receta es excelente cuando se sirve como parte de otra receta de Kelly, fiesta alcalina de taco (véase recetas de platos principales/platos de acompañamiento).

Pequeños triángulos:

Tortitas de trigo germinado

Aceite de oliva

Pimienta de ajo

Condimento para fajitas

Sal con minerales y sin procesar

Salsa:

2 tomates grandes

5 cucharadas de cebolla púrpura o roja, cortada en dados

1 ½ pimientos jalapeños, sin semillas y troceados (salsa suave)

3 cucharaditas de cilantro fresco, picado

2 dientes de ajo, picados

1 cucharadita de zumo de limón fresco

Sal con minerales y sin procesar, al gusto

½ cucharadita de pimienta

2 tomates secados al sol (opcional)

Precalienta el horno a 175 °C. Frota con aceite los dos lados de las tortitas y espolvorea especias sobre uno de los lados (los que queden arriba, o cualquier combinación que se desee). Utiliza un cortador de pizzas para dividir cada tortita en ocho triángulos. Cocina sobre una lámina para galletas durante trece minutos, o hasta que esté crujiente. Mientras tanto, prepara la salsa; para ello, pon los demás ingredientes en un robot de cocina y mézclalos hasta que consigas la consistencia deseada. Utiliza, si lo deseas, los tomates secados al sol, para endulzar y dar más consistencia a la salsa.

Deliciosa tostada de tomate con albahaca

8-10 RACIONES

Receta de Dianne Ellsworth.

Utiliza para esta receta tus tortitas favoritas ya preparadas, o bien haz las tuyas propias. A Dianne le gusta modificar las súper tortitas de Shelley, cuya receta aparece en el libro La milagrosa dieta del pH, añadiendo unos 20 tomates secados al sol, entre 2 y 4 hojas de albahaca más, una guindilla verde asada (pelada y sin semillas), y reducir la cantidad de leche de coco o de agua a fin de alcanzar la consistencia adecuada para la masa.

2-3 cucharadas de aceite de oliva

El zumo de 1 lima

1-2 dientes de ajo, picados

⅛-¼ de taza de tahini (crudo)

1 tarro (500 g) de garbanzos, escurridos (reserva el agua)

20-22 tomates secados al sol, envasados en aceite de oliva

8-10 hojas de albahaca (y un poco más para decorar)

Sal con minerales y sin procesar, al gusto

½-1 cucharadita de especias de ajo y hierbas

½-1 cucharadita de comino

Mezcla de especias, al gusto

2-6 tortitas

1-2 tomates, cortados en rodajas

1-2 tazas de guacamole

En un robot de cocina, mezcla el aceite, el zumo de limón, el ajo y el tahini, hasta que la preparación adquiera una textura uniforme. Añade las judías, los tomates secados al sol y los condimentos, y vuelve a mezclar hasta que el plato esté cremoso. Tal vez sea necesario aligerarlo con más agua (de las judías) hasta alcanzar la consistencia deseada. Extiende el *hummus* sobre las tortitas, agrega una capa de rodajas de tomates y otra de guacamole y decora con las hojas de albahaca troceadas.

Guacamole al estilo de Texas

2 RACIONES

Receta de Amy Efeney.

Sírvelo frío o a temperatura ambiente, con hortalizas o trozos de tortita (prueba los trozos de tortita caseros de Shelley con especias mexicanas del libro La milagrosa dieta del pH*). Es un excelente tentempié energético para después del trabajo.*

2 aguacates grandes

1 jalapeño entero (aproximadamente)

½ pimiento habanero (pican mucho, al gusto)

¼ de taza de cebolla

¼ de taza de tomates asados (o frescos)

1 cucharadita de zumo de limón fresco

1 pizca de ajo en polvo

1 pizca de sal con minerales y sin procesar

1-2 pizcas de pimienta recién molida

Machaca todos los ingredientes con un tenedor para obtener un guacamole con tropezones, o utiliza una batidora (un modelo reciente puede tener un programa para salsas), o un robot de cocina, para obtener una textura más uniforme.

Aliño de ensalada de aguacate

4-6 RACIONES

Receta de Gerry Johnson.

Delicioso sobre una ensalada de verduras.

2 aguacates maduros, pelados
1 taza de zumo de apio recién exprimido
Condimentos (opcional)

Mezcla los aguacates y el zumo, juntos en una licuadora, rectificando la cantidad de zumo para obtener la consistencia deseada. Añade los condimentos que resulten más atractivos, o disfruta del aliño tal cual.

Aliño Sunshine

6-8 RACIONES

Receta de Frances Parkton.

Segundo lugar, concurso de recetas de la milagrosa dieta del pH.

Se trata de un estupendo y versátil aliño o salsa, algo parecido a una salsa holandesa todoterreno que se puede utilizar para prácticamente cualquier plato. También es excelente para los tacos y los burritos.

2 tazas de pepino, picado
2 tomates secados al sol
1 taza de cebollas, picadas
4 jalapeños, picados
1 taza de pimiento verde, picado
½ taza de aceite de oliva
½ taza de aceite de aguacate
¼ de taza de mayonesa vegetariana (asegúrate de que no contenga vinagre)
2 cucharaditas de condimento mexicano

El zumo de 2 limas

2 cucharaditas de condimento de hierbas

½ cucharadita de pimienta cayena

2 cucharaditas de ajo fresco

Pon todos los ingredientes en una batidora y mezcla para preparar el aliño de ensalada. Rectifica los condimentos al gusto.

Variante:

Añade 1 taza sobre un volumen de 2 litros de tomates cereza para obtener un maravilloso gazpacho.

Guacamole rústico

4-6 RACIONES

Receta de Maralina Krey.

Segundo lugar, concurso de recetas de la milagrosa dieta del pH, categoría de recetas de transición.

Este guacamole puede servirse como plato de acompañamiento, o como ensalada de plato principal, sobre espinacas mini rociadas con zumo de lima y en aceite de aguacate o de oliva. Para obtener una excelente salsa para utilizar sobre el pescado, agrega un pomelo cortado.

4 aguacates Haas, cortados en dados de entre 1,2 y 2 cm

½ manojo de cilantro, cortado (utiliza unas tijeras de cocina)

1 tomate súper grande, o 2-3 pequeños, cortados en dados

¼ de cebolla, picada

El zumo de 2-3 limas

½ cucharadita de sal con minerales y sin procesar

½-1 cucharadita de mezcla de especias o de salsa picante (opcional)

Mezcla todos los ingredientes en un cuenco grande y remueve bien, como se haría con una ensalada. Se conserva en el frigorífico durante dos días.

Salsa / aliño de pesto

4 RACIONES

Sírvela fría sobre una ensalada, o sobre hortalizas o legumbres.

½ tarro de pesto (hay marcas que no contienen ningún producto lácteo)
½ taza de aceite de oliva (virgen prensado en frío)
2-3 tomates secados al sol
1 cucharadita de condimento de ajo y hierbas
½ taza de nueces de macadamia crudas
Agua hasta alcanzar la consistencia deseada

Pon todos los ingredientes en un robot de cocina y mezcla hasta que obtengas una textura uniforme; añade agua para obtener la consistencia deseada.

Aliño fresco de ajo y hierbas

4 RACIONES

¾ de taza de mezcla de aceites esenciales, una mezcla de aceite orgánico, de lino, de calabaza y de girasol
El zumo de 1 lima grande
1 cucharadita de condimento de pizza italiana
2-3 cabezas de ajo fresco, picadas
½ cucharadita de sal de cebolla
½ cucharadita de condimento de verduras
¼ cucharadita de romero recién molido
¼ de cucharadita de especias picantes

Mezcla todos los ingredientes en un robot de cocina o batidora, hasta que todo esté bien incorporado.

Súper salsa ranchera de macadamia

6-8 RACIONES

Se trata de una excelente forma de evitar el aliño de ensalada ranchera que contiene lácteos. Es también estupenda como salsa para mojar para unas hortalizas crudas, o como pasta para untar en unas crêpes. Las macadamias son ricas en grasas insaturadas y contienen calcio, magnesio y muchos de los aminoácidos que forman las proteínas completas.

2 tazas de nueces de macadamia frescas

El zumo de 1 limón

2-6 cucharaditas de condimento de hierbas para ensalada (una mezcla, deshidratada por congelación, de perejil, escalonias, cebolletas, cebollas y ajo)

6-9 tomates secados al sol

1 ½ cucharaditas de condimento de limón, pimienta, cebolla y sal marina

2 chorros de bebida de aminoácidos

Agua

Con el robot de cocina accionado (utilizando una cuchilla en forma de «S»), añade todos los ingredientes, excepto el agua. Empieza con 2 cucharaditas de condimento, pruébalo y rectifica si fuera necesario. Mezcla bien y después vierte lentamente en un vaso grande, hasta alcanzar la consistencia deseada. Procesa hasta que la preparación adquiera una textura muy cremosa.

Aliño de tres cítricos

6-8 RACIONES (APROXIMADAMENTE 2 TAZAS)

Éste es un estupendo aliño espeso con un sabor dulce y amargo... ¡muy estimulante! Es bueno para cuando vayamos eliminando lentamente los aliños dulces.

El zumo de ½ pomelo rosa grande

El zumo de 1 lima

El zumo de 1 limón

½ cucharadita de raíz de achicoria en polvo, o 6-10 gotas de extracto de estevia líquido, o 1-2 envases de estevia en polvo

1 cucharadita de mostaza picante en polvo

4 cucharadas de cebolla seca

2 cucharaditas de ajo en polvo

2 cucharaditas de albahaca seca

¼ de cucharadita de romero seco

½ cucharadita de sal con minerales y sin procesar

Una pizca de mezcla de especias, al gusto

1 ½ tazas de mezcla de aceites esenciales o de otro aceite saludable

1 cucharada colmada de semillas de lino

Pon todos los ingredientes, excepto los dos últimos, en un robot de cocina o batidora, y mezcla bien. Con el aparato en marcha, añade el aceite, después las semillas de lino, y deja la máquina accionada hasta que todos los ingredientes se hayan emulsionado bien.

Aliño de cítrico, lino y semillas de amapola

4 RACIONES

Receta de Derry Bresee.

½ taza de zumo de zanahoria

½ taza de zumo de cítricos recién exprimidos (el zumo de 2 limones o ½ pomelo)

½ cucharadita de mostaza seca en polvo

2 cucharadas de cebolla seca en polvo

1 cucharadita de semillas de lino (opcional)

1 cucharadita de ajo fresco picado

1 cucharadita de albahaca

½ cucharadita de sal con minerales y sin procesar

1 cucharada de semillas de amapola

1 taza de aceite de semillas de lino

Mezcla todos los ingredientes, excepto los dos últimos, en una batidora, utilizando las semillas de lino si deseas un aliño más espeso. Añade las semillas de amapola y acciona la máquina. Con la batidora a velocidad lenta, vierte lentamente el aceite, hasta que el aliño esté emulsionado y espeso.

Aliño de aceite de semillas de lino

2-4 RACIONES

Receta de Derry Bresee.

El zumo de 1 limón o 1 lima (aproximadamente ¼ de taza)

½ cucharadita de cebolla en polvo

½ cucharadita de ajo en polvo

½ cucharadita de sal

½ cucharadita de albahaca seca, picada

1 cucharada de semillas de lino (opcional; si las empleas obtendrás una textura untuosa semejante a la mayonesa)

½ taza de aceite de semillas de lino (o el doble de zumo; agita bien la botella antes de verter su contenido)

Mezcla todos los ingredientes en una batidora. Servir inmediatamente, o consérvalo en frigorífico antes de usarlo.

Variante:

Utiliza tus hierbas o especias favoritas en lugar de los condimentos enumerados.

Aliño francés de ajo

8 RACIONES

Receta de Myra Marvez.

½ taza de tomates secos

1 limón entero

3 dientes de ajo grandes
1 cucharadita de sal con minerales y sin procesar
1 cucharadita de pimentón
½ cucharadita de pimienta cayena
1-2 envases de estevia
2 tazas, o más, de agua

Mezcla todos los ingredientes en una batidora, y añade un máximo de 600 ml de agua, hasta que el aliño alcance la consistencia deseada. Debe quedar espeso y cremoso.

Almendresa

2-4 RACIONES
Receta de Myra Marvez.

Este aliño es estupendo para crêpes, como salsa para mojar las hortalizas, o como base para los aliños de ensalada.

½ taza de almendras crudas
2 cucharones de súper polvo de soja
2 dientes de ajo
1 cucharadita de sal con minerales y sin procesar
1 limón entero, pelado
1-1 ½ tazas de aceite suave

Lleva a ebullición a fuego rápido 2 tazas de agua. Introduce en ella las almendras durante aproximadamente treinta segundos, y después escúrrelas en un colador. La piel debería retirarse con facilidad, pero si no es así habrá que repetir el procedimiento. Pon las almendras, ya sin la piel, en un robot de cocina, junto con el polvo de soja, el ajo, la sal y el limón. Poner en marcha el aparato y añade el aceite muy lentamente. Continúa así hasta que obtengas una consistencia espesa y cremosa. La almendresa se conserva en el frigorífico durante una semana.

Salsa para mojar de espinacas y alcachofas

8-10 RACIONES

Receta de Brooke Peterson.

A continuación ofrecemos algo parecido a un favorito de las fiestas, pero sin ningún tipo de lácteos.

2 tazas de almendras, puestas en remojo durante ocho horas, y después escurridas

2-3 dientes de ajo, o 6 dientes de ajo ligeramente asados y 2 cucharaditas de ajo en polvo

1 lata (420 g) de corazones de alcachofas troceados, envasados en agua

Un máximo de ½ taza de bebida verde, si es necesario

El zumo de 1 limón o lima (aproximadamente 1 cucharada)

2 cucharadas de aceite de oliva

1 cucharada de bebida de aminoácidos, o ½ cucharadita de sal con minerales y sin procesar (si se utiliza el ajo asado)

1 cucharón de polvo verde (opcional)

1 cucharón de polvo de brotes de soja (opcional)

8 tazas de espinacas

Con la ayuda de una cuchilla en forma de «S» en el robot de cocina, mezcla las almendras con el ajo, el líquido de la lata de alcachofas (aproximadamente ½ taza), y la cuarta parte de la lata de alcachofas. Acciona el aparato hasta que las almendras estén completamente deshechas y la mezcla tenga una textura uniforme. Agrega bebida verde, si es necesario. Incorpora el zumo de limón, el aceite de oliva y la bebida de aminoácidos o la sal (si se utiliza), además del polvo verde y el polvo de brotes de soja, si deseas un empujón nutricional. Prueba y rectifica de ajo, limón y sal, al gusto. Añade las espinacas a puñados y pon en marcha el aparato, raspando los bordes con frecuencia. Cuando se incorporen las espinacas, procesa el resto de las alcachofas en la mezcla hasta que obtengas la consistencia deseada. (A mí me gusta con tropezones). Sirve en tres pimientos vacíos, rojos, amarillos o naranjas, colocados sobre un bonito lecho de verduras (la col rizada va muy bien), con las hortalizas que desees para mojar, como, por ejemplo, pepinos, apios, zanahorias y calabacines.

Aliño de soja y pepino

4 RACIONES

Un aliño sutil y refrescante.

2-3 cucharaditas de zumo de zanahoria

1 pepino grande (yo lo prefiero pelado y sin semillas)

½ pimiento rojo

½ cebolla pequeña

1 taza de leche de soja

1 cucharadita de albahaca seca (o 2 cucharaditas de albahaca fresca)

1 cucharada de bebida de aminoácidos, o sal con minerales y sin procesar, al gusto

Mezcla todos los ingredientes en un robot de cocina hasta que la textura sea uniforme.

Aliño esencial

4-6 RACIONES

1 taza del aceite que prefieras (mezcla de aceites esenciales, de oliva, de semillas de lino o de pepitas de uva)

¼ de taza de bebida de aminoácidos, o 1 cucharadita de sal con minerales y sin procesar (rectifica al gusto)

El zumo de 1 limón fresco

½-1 cucharadita de cualquier condimento que desees, como, por ejemplo, italiano, mexicano, pesto, ajo en polvo, cebolla en polvo, perejil, albahaca u orégano

Mezcla todos los ingredientes en un robot de cocina, o simplemente viértelos en un tarro de aliño de ensalada y agita para que se fusionen bien. Deja que se enfríe y sirve.

Salsa de lima y jengibre

4-6 RACIONES

¼ de taza de zumo de lima

¼ de taza de aceite (de semillas de lino, de oliva o mezcla de aceites esenciales)

1 cucharada de bebida de aminoácidos

¼ de taza de agua

1 cucharada de menta fresca

1 cucharada de cilantro fresco

1 cucharadita de jengibre molido

¼ de cucharadita de guindilla

2-3 cucharaditas de jícama fresca o de zumo de zanahorias

1 cucharadita de sal con minerales y sin procesar, al gusto

Una pizca de mezcla de condimentos

En una batidora o un robot de cocina, mezcla bien todos los ingredientes.

Platos principales y acompañamientos

Los platos que describimos a continuación van desde lo más informal hasta los gustos de un gourmet, y contienen algunas de las mejores fuentes de proteína animal, grasas buenas y condimentos para complementar. Que sean platos principales o platos de acompañamiento depende del equilibrio que desees alcanzar. Mantén al menos una proporción de 70:30 en tu plato: la mayor parte de la comida debe consistir en hortalizas crudas.

Salmón empanado con coco y nueces de macadamia

6 RACIONES

Ésta es una receta de salmón maravillosamente dulce que utilizo para las ocasiones especiales. Siempre recibe muchos elogios en las reuniones organizadas por el grupo de seguidores de la milagrosa dieta del pH.

3 tazas de copos de coco deshidratados sin edulcorar
3 tazas de nueces de macadamia
1 cucharadita de sal con minerales y sin procesar
2 cucharaditas de condimento de ajo y hierbas
El zumo de 3 limas
1 lata de leche de coco
6 filetes de salmón, en rodajas muy finas (1,2 cm)
Aceite de pepitas de uva, para freír

Mezcla los copos de coco, las nueces de macadamia, la sal y el condimento en un robot de cocina, y después deja el aparato en marcha hasta que la preparación esté muy molida y desmenuzada. Añade el zumo de lima y la leche de coco. Moja los filetes en el líquido y después en la mezcla de coco, hasta que estén bien recubiertos. Presiona y golpea el empanado del pescado. En una sartén eléctrica, a fuego medio, fríelo entre cuatro y seis minutos, o hasta que estén dorados. Dales la vuelta sólo una vez y fríe por el otro lado, hasta que estén dorados. Si el pescado no está bien cocido en el centro, tapa la sartén y fríelo hasta que esté listo. Con una espátula, coloca los filetes en una fuente para servir, teniendo cuidado de que no se rompa el empanado. Sirve inmediatamente.

Espárragos con salsa de ajo y limón

1-2 RACIONES

Receta de Roxy Boelz.

Tercer lugar, concurso de recetas de la milagrosa dieta del pH, categoría de recetas alcalinizantes.

2 tazas de espárragos, hervidos

1/3 de taza de zumo de limón fresco

3 cucharadas de semillas de lino doradas, molidas

1 diente de ajo, picado

Hierve ligeramente los espárragos. Añade el zumo de limón, las semillas de lino molidas y el ajo, y mezcla bien. Sirve calientes o fríos.

Ratatouille de tomate y espárragos

2-4 RACIONES

Receta de Debra Jenkins.

Primer lugar, concurso de recetas de la milagrosa dieta del pH, categoría de recetas de transición.

Sirve este plato solo o sobre arroz salvaje, trigo sarraceno o fideos elaborados con harina escanda. Constituye una estupenda comida alcalina para cualquier momento... incluso para el desayuno.

1 berenjena mediana, pelada y cortada en dados

1 taza de espárragos, troceados

½ taza de judías verdes, troceadas

1 cebolla, picada

1 diente de ajo, picado fino o rallado

1 calabacín pequeño, cortado en rodajas

3-4 tomates frescos

¼ de cucharadita de pimienta cayena

½ cucharadita de ajo en polvo

1 cucharadita de cebolla en polvo

1-2 cucharaditas de condimento mezquite

1-2 tazas de espinacas frescas (opcional)

¼ de taza de aceite de oliva (utiliza una marca con sabor a ajo o romero para que el plato esté más condimentado)

Sal con minerales y sin procesar, y/o bebida de aminoácidos, al gusto

Saltea ligeramente en agua todas las hortalizas, excepto las espinacas, en una sartén, entre dos y cuatro minutos. Añade los condimentos. Agrega las espinacas (si las empleas) y remueve treinta segundos más. Retira del fuego, vierte aceite de oliva por encima y rocía un poco de bebida de aminoácidos. Sirve inmediatamente.

Variante:

Incorpora unas cuantas alubias o tofu.

Fiesta alcalina de tacos

4-6 RACIONES

Receta de Kelly Anclien.

Primer lugar, concurso de recetas de la milagrosa dieta del pH, categoría de recetas de transición.

Los tacos:

2 tortitas de trigo germinado

Aceite de oliva

Condimento de ajo y pimienta

Condimento para fajitas

Sal con minerales y sin procesar

La salsa:

2 tomates grandes, pelados y sin semillas, o 2 tomates secados al sol

5 cucharadas de cebolla púrpura o roja, cortada en dados

1 ½ cucharaditas de jalapeño, sin semillas (salsa suave)

3 cucharaditas de cilantro fresco

2 dientes de ajo, picados finos

1 cucharadita de zumo de limón fresco

½ cucharadita de pimienta molida

El guacamole:

2 aguacates, triturados con un tenedor

½ cucharadita de condimento mezquite

½ cucharadita de condimento para fajitas

¼ de cucharadita de sal con minerales y sin procesar

Al juntar todo:

1 lata (500 g) de judías refritas

1-2 pimientos rojos, cortados en tiras

Verduras mixtas para llenar una ensaladera (aproximadamente una bolsa mediana, 500-720 g)

Forra la parte inferior de la bandeja del horno con papel de aluminio. Precalienta el horno a 175 °C. Unta con aceite ambos lados de cada tortita y espolvorea en un lado condimento de ajo y pimienta, condimento para fajitas y sal. Cuelga cada tortita de dos barras de la parte superior de la bandeja del horno de modo que quede la forma de un taco. (El aceite que gotee caerá en el papel de aluminio). Hornea durante trece minutos, o hasta que esté crujiente.

Mientras tanto, prepara la salsa mezclando los tomates, la cebolla, el pimiento jalapeño, el cilantro, el ajo, el zumo de limón y la pimienta molida en un robot de cocina, hasta que alcance la consistencia deseada. Utiliza tomates secados al sol si deseas una salsa más dulce y espesa. Añade sal al gusto.

Prepara el guacamole mezclando el aguacate con los condimentos de mezquite y de fajitas y con la sal. Forma los tacos con capas de judías refritas, salsa, guacamole, pimientos rojos y verduras variadas.

Fajita verde salvaje con ensalada México

2-3 RACIONES

Receta de Lory Fabbi.

½ pimiento rojo, cortado en tiras largas de 0,5 cm de ancho

½ pimiento verde, cortado en tiras largas de 0,5 cm de ancho

2 cucharadas de guindillas verdes asadas, cortadas en dados

½ cebolla blanca o amarilla pequeña, cortada en rodajas finas

2-3 tortitas de trigo germinado o tortitas de escandia caseras y recién hechas (o bien utiliza 1 hoja grande de lechuga en lugar de cada tortita)

15 hojas de cilantro frescas, enrolladas entre los dedos hasta aplastarlas

Zumo de lima, al gusto

½ aguacate, cortado en rodajas

½ taza de arroz pilaf (granos enteros) o de arroz integral

Salsa verde (sin vinagre)

Una pizca de bebida de aminoácidos (opcional)

Saltea los pimientos en una sartén antiadherente pequeña, ligeramente rociada con aceite, o ásalos en una parrilla tipo Foreman, durante tres o cuatro minutos, hasta que estén tiernos, pero aún crujientes. Cuece las rodajas de cebolla de la misma forma, hasta que estén traslúcidas. Calienta las tortitas en una sartén, y después apártalas y rellénalas con los pimientos y las cebollas. Acompaña con cilantro, zumo de lima, aguacate, arroz o arroz pilaf, salsa verde y aminoácidos líquidos, si lo deseas. Sirve con ensalada México (*véase* siguiente receta).

Ensalada México

El complemento perfecto para la fajita verde salvaje. O bien, para convertirlo en un plato principal por sí mismo, sírvelo con trocitos de tortita casera y una salsa para mojar elaborada con judías refritas, salsa, zumo de lima y cebolla troceada, ligeramente aligerada con agua.

½ cebolla roja cortada en rodajas

1 pimiento, troceado

½ taza de jícama, troceada

2-3 rábanos, cortados en rodajas

1 tomate maduro, troceado

½ aguacate, troceado

½ taza de judías negras o arriñonadas (opcional)

Salsa (sin vinagre)

Mezcla todos los ingredientes, excepto la salsa, y acompaña con nuestra salsa favorita recién hecha.

Variante:

Incorpora 1 o 2 cucharadas de mayonesa vegana con ½ taza de salsa en un robot de cocina o batidora, para obtener un aliño más cremoso. O bien, para potenciar el sabor a especias, agrega ¼ de jalapeño, pelado, sin semillas y troceado. (Advertencia: lávate las manos inmediatamente después de manipular los jalapeños para eliminar cualquier resto de grasa de pimiento picante, que de lo contrario llegaría a escocer).

Pizzas de hortalizas asadas

8-10 RACIONES

Inventé esta receta desenrollando los súper rollitos de Shelley (del libro La milagrosa dieta del pH), asando las hortalizas y poniendo crujientes las tortitas. Son, con gran diferencia, la comida favorita durante las reuniones de la milagrosa dieta del pH. Siéntete con total libertad para añadir o cambiar las hortalizas que utilices, de la forma que te apetezca. ¿Tal vez berenjena, col china, pepino y guisantes capuchinos?

3 pimientos rojos

2-3 pimientos naranjas

1-2 pimientos verdes

2 cebollas dulces (yo utilizo amarillas)

20-30 dientes de ajo enteros

4 calabazas amarillas de cuello curvo

3 calabacines

2 brécoles grandes, cortadas en forma de cogollo

1-2 coliflores, troceadas

Aceite de pepitas de uva

3 aguacates, cortados en rodajas

1 envase (6-8) de tortitas de trigo germinado

2 tazas de *hummus* o 1 receta de *hummus* sabroso del libro La milagrosa dieta del pH

2 tazas de pesto no lácteo o 1 receta de pesto de primavera del libro La milagrosa dieta del pH

1 tubo (240-360 g) de pasta de tomates secados al sol (o bien prepara la tuya propia triturando 12-15 tomates secados al sol en un robot de cocina)

1 bolsa (0,5 kg) de piñones o de almendras cortadas en rodajas finas (opcional)

Precalienta la parrilla. Corta las hortalizas, excepto los aguacates, en trozos del tamaño de un bocado. Coloca sobre planchas para galletas y rocía con un poco de aceite de pepitas de uva. Asa unos quince minutos, hasta que estén ligeramente doradas por los bordes. Mientras tanto, unta una espesa capa de *hummus* y pesto sobre las tortitas. Acompaña con una cantidad generosa de hortalizas asadas, con aguacate y con unos chorros de pasta de tomates secados al sol. Añade frutos secos, si lo deseas. Coloca bajo la parrilla, hasta que las tortitas estén crujientes y las hortalizas chisporroteen por el calor, y sirve inmediatamente.

Delicia de pizza de pH

1-2 RACIONES

Receta de David Martini.

Tan rápida de elaborar, tan sabrosa y tan alcalina que se puede disfrutar de ella en cualquier momento.

1 tortita de trigo germinado (del tamaño de un burrito grande)

Hummus

Pimientos de colores variados

Pepinos frescos

Espinacas frescas

Tofu

Tomates secados al sol, envasados en aceite de oliva

Mezcla de especias, a elegir

Extiende el *hummus* de manera uniforme sobre la tortita. Corta los acompañamientos en dados. (Enrolla las hojas de espinaca). Colocar las hortalizas sobre el *hummus*, formando el diseño o patrón que desees. Adereza con los condimentos favoritos. ¡Corta en forma de cuñas y a disfrutar!

Pasta de hortalizas con salsa de coco y loto

6-8 RACIONES

Receta de Lisa El-Kerdi.

Mejor en el concurso de recetas de la milagrosa dieta del pH.

Este plato lleno de color y sabor es muy adaptable. Siéntete con total libertad para añadir las hortalizas que desees, para modificarlas según la temporada y para rectificar las cantidades de forma que se adapten al número de amigos a los que vas a servir.

1 calabaza cidra grande o 2 pequeñas

1 manojo de cebolletas, cortadas en tiras diagonales de 5 cm

1 zanahoria, cortada en rodajas finas

1-2 tazas de ramitos de brécol

250 g de espárragos, cortados en tiras diagonales de 5 cm

1 pimiento rojo, cortado en rodajas

2 calabazas amarillas, cortadas en rodajas

1 calabacín, cortado en rodajas

4-6 coles chinas pequeñas, con las hojas retiradas, o ½ tallo de col china grande, cortado en rodajas

250 g de guisantes capuchinos

1-1 ½ tazas de salsa de coco y loto

Coco sin edulcorar, rallado

Semillas de sésamo negro

Forra la parte inferior de la bandeja del horno con papel de aluminio para recoger todo lo que gotee. Precalienta el horno a 190-205 °C. Practica un corte de 2,5 cm en la parte superior de la calabaza. Hornea en la bandeja superior del horno entre treinta y cincuenta minutos, hasta que la calabaza ceda a una ligera presión, pero que no esté blanda. Lleva a ebullición en el fondo de un recipiente grande, con una placa para hervir, y después baja el fuego. Colocar las hortalizas en la placa, empezando por las cebolletas y la zanahoria, y siguiendo el orden de ingredientes, tal como se han enumerado. Cubre y hierve ligeramente entre tres y cinco minutos, y después apaga el fuego. El calor residual continuará cocinando las hortalizas. ¡Hay que tener cuidado de no dejar que se cuezan demasiado!

Corta la calabaza cidra por la mitad y, con una cuchara, saca las semillas del centro. Pasa un tenedor a lo largo de la parte interior de la calabaza para formar «espaguetis» y sácalos con suavidad para ponerlos en platos o en tazones estrechos. Cuando las hortalizas estén listas, saca la placa para hervir del recipiente. (Reserva el caldo para utilizarlo como base de una sopa). Vuelve a poner las hortalizas al recipiente, añade la cantidad de salsa deseada y coloca sobre la calabaza. Acompaña con coco y semillas de sésamo.

Salsa de coco y loto

Además de para preparar pasta de hortalizas, puedes utilizar esta versátil salsa en un salteado o como aliño o salsa para mojar.

Un trozo de jengibre de 5 cm, pelado y cortado en rodajas

2 dientes de ajo grandes

½ cucharadita de copos de pimienta roja molida (rectifica para que tenga el punto de picante deseado)

½ taza de bebida de aminoácidos (o más, al gusto)

2 cucharadas de aceite de sésamo tostado

2 cucharadas de aceite de semillas de lino

1 taza de leche de coco sin edulcorar, o más, si lo deseas

¼ de taza de agua, zumo de zanahorias o caldo de verduras (opcional)

Sal con minerales y sin procesar, al gusto

Mezcla los tres primeros ingredientes en un robot de cocina. Añade la bebida de aminoácidos e incorpora hasta que todo esté uniforme. Vierte en un tarro, agrega los aceites, la leche de coco y el agua, y agita. Aligera con más agua, zumo de zanahorias o caldo de verduras, si lo deseas. Sazona al gusto. Consérvala en el frigorífico.

Variantes:

- Para obtener salsa de loto tailandés, agrega el zumo de 1 lima, 2 cucharadas de citronela fresca o 1 cucharadita seca, 1 cucharadita de albahaca fresca o ½ seca, y cilantro fresco troceado, si lo deseas.
- Para una salsa de loto básica, omite la leche de coco y aumenta la cantidad de aceite de semillas de lino hasta ¼ o ⅓ de taza.
- Para obtener aliño de loto, a ½ taza de salsa de loto básica, añade ¼ de taza de zumo de lima, 1 ½ tazas de aceite de semillas de lino o de sésamo sin tostar, ½ zanahoria (opcional) y ½ cebolla dulce (opcional). Mezcla hasta que obtengas una textura uniforme.
- Para una salsa indonesia para mojar, a ¾ de taza de salsa de loto básica, incorpora 1 taza de mantequilla de almendras, ¼ de cucharadita de pimienta roja molida (o al gusto) y ½-1 taza de leche de coco sin edulcorar, para obtener la consistencia deseada.

Guiso de judías norteafricano

4-6 RACIONES

Receta de Lisa El-Kerdi.

Mejor en el concurso de recetas de la milagrosa dieta del pH.

Este guiso sabroso y exótico seguramente servirá para animar cualquier reunión. Sírvelo con ensalada marroquí de menta (véase recetas de ensaladas).

1 ½ tazas de una mezcla de siete judías y cebada (o cualquier mezcla de judías secas), sin cocinar, dejadas en remojo toda una noche, enjuagadas y escurridas.

1 hoja de laurel

⅛ de cucharadita de canela

4 dientes de ajo

2 cebollas, cortadas en cuatro partes

4 zanahorias, cortadas en trocitos

4 tallos de apio, cortados en trocitos

1 berenjena grande o 2 pequeñas

½ cucharadita de cúrcuma

1 cucharadita de cilantro

1 cucharadita de comino

½ cucharadita de cardamomo

⅛ de cucharadita de pimienta negra

⅛ de cucharadita de pimienta cayena

3-4 dientes de ajo, prensados

1 pimiento rojo

1 pimiento amarillo

2-3 calabazas amarillas

2-3 calabacines

4 tomates troceados, o 1 caja de tomates italianos troceados

1 cucharadita de sal con minerales y sin procesar, y algo más para la berenjena

Aceite de oliva

Cubre las judías con seis centímetros de agua, en un recipiente grande, y añade la hoja de laurel y la canela. Lleva a ebullición y retira la espuma. Baja el fuego y deja que hierva a fuego lento, tapando el recipiente, durante treinta minutos. Corta el ajo, las cebollas, las zanahorias y el apio en un robot de cocina. Añade a las judías después de que se cocinen treinta minutos. Deja que hierva a fuego lento hasta que las judías estén cocinadas, entre una hora y una hora y media. Corta la berenjena en dados y agrega una cantidad generosa de sal. Deja que repose entre treinta y sesenta minutos.

Mientras la berenjena se está salando, saltea las especias en aceite de oliva. Añade a las judías. Corta los pimientos. Enjuaga la berenjena y escurre el jugo. Incorpora la berenjena y los pimientos a las judías. Deja que hierva durante treinta minutos. Corta la calabaza por la mitad a lo largo, y córtala en rodajas. Agrega al guiso. Deja que hierva a fuego lento diez minutos. Añade los tomates y la sal al guiso, y deja que hierva a fuego lento otros diez minutos. Rectifica la sal al gusto. Sirve con un cucharón en cuencos y acompaña cada ración con 1 cucharada de aceite de oliva (o al gusto).

Ensalada de col con especias

4 RACIONES

Receta de Deborah Johnson.

Segundo lugar en el concurso de recetas de la milagrosa dieta del pH, categoría de recetas alcalinizantes.

1 aguacate maduro, sin semillas y pelado
2 tazas de jícama pelada y cortada en dados
El zumo de 1 lima
1 cucharón de brotes de soja en polvo
1 cucharada de mezcla de aceites esenciales
½ cucharadita de sal con minerales y sin procesar, al gusto
1 zanahoria, lavada y cortada en trozos de 2,5 cm
3 troncos de col rizada, cortados en trozos de 2,5 cm
1-1 ½ jalapeños (dependiendo de lo picante que nos guste la comida)
1 tomatillo, pelado y cortado en cuatro trozos
½ cucharadita de semillas de mostaza
3 hojas de col rizada, cortada en trozos grandes

Coloca los seis primeros ingredientes (hasta la sal) en un robot de cocina o batidora, y mezcla hasta que tenga una textura uniforme. Detén el aparato. Mientras los ingredientes aún están en el recipiente de la máquina, añade los demás ingredientes en el orden en que han aparecido. Trabaja justo hasta que todos los ingredientes estén troceados y con la consistencia deseada. Si utilizas un robot de cocina, acciónalo y rebaña los bordes del recipiente. Con una batidora, usa un accesorio para triturar y no trabajes la mezcla en exceso. Se trata de un buen almuerzo para una persona, o un buen plato de acompañamiento para dos personas.

Col rizada fantástica

4 RACIONES

Receta de Wendy J. Pauluk.

La col rizada es una hortaliza con hojas de color verde oscuro, gomosa y rica en calcio. Es estupenda si se licúa o se añade a la ensalada cruda que describimos a continuación.

1 puñado de col rizada

1 cebolla roja pequeña

1 pimiento rojo

¼ de taza de aceite de oliva

El zumo de 1 limón

Mezcla de especias

Rompe la col en trozos del tamaño de un bocado; no utilices los tallos centrales. Corta la cebolla roja en rodajas y el pimiento en tiras, y únelos con la col. Añade el aceite de oliva y mezcla bien. (Se puede agregar más o menos dependiendo del tamaño de la ensalada). Conserva en el frigorífico durante toda una noche en un tazón cubierto. Agrega zumo de limón y mezcla de especias al gusto, antes de servir.

Súper tomates rellenos

2-4 RACIONES

Receta de Frances Fujii.

Este plato tiene una presentación muy bonita.

1 taza de judías negras (secas)

Sal de condimento de verduras

2 tazas de arroz salvaje (sin cocinar la mitad de arroz integral y la mitad de arroz salvaje)

1 cebolla mediana, cortada en dados

4 dientes de ajo, cortados en dados

Aceite de macadamia

1 kg de acelgas, cortadas en trozos gruesos (o col rizada, espinacas, hojas de remolacha u otra hortaliza con hojas que prefieras)

Bebida de aminoácidos

2 envases de tofu duro

6 tomates de tamaño mediano

Mezcla de aceites esenciales o aceite de oliva

Pon en remojo las alubias negras toda una noche. Coloca en un recipiente de tamaño mediano, cubre con unos cinco centímetros de agua y lleva a ebullición. Deja que hiervan a fuego lento durante una hora, o hasta que estén tiernas; se pueden utilizar las judías enteras o ligeramente trituradas. Adereza con sal de condimentar y reserva. Cocina el arroz salvaje/integral y reserva. Saltea ligeramente la cebolla y el ajo en aceite de macadamia. Añade las verduras y una pequeña cantidad de agua, y rehoga justo hasta que estén tiernas, unos cinco minutos. Condimenta con bebida de aminoácidos y reserva.

Saltea ligeramente el tofu en el mismo recipiente, añadiendo sal al gusto. Vacía el interior de los tomates. Corta en dados los trozos que has vaciado y reserva. Hornea los tomates a 150 °C entre cinco y diez minutos, para que se calienten. (No hornees en exceso, o de lo contrario quedarán demasiado blandos).

En platos individuales para servir, haz un «anillo» inferior con arroz salvaje, y un segundo anillo de alubias negras sazonadas encima del primero. Coloca un tomate vaciado en el centro del anillo de dos pisos. Esparce dados de tofu sobre las judías/arroz, en la base del tomate, y rellénalo con verduras (coloca bastantes verduras para que sobresalgan de la parte superior del tomate, si lo deseas). Pon los tomates crudos cortados en dados sobre las verduras, rocía con un poco de mezcla de aceites esenciales o de aceite de oliva, y sirve.

Variante:

Si te gusta el ajo, puedes mezclar ajo asado con el arroz integral, ya cocinado y caliente, antes de servir.

Burrito de Robio

1 RACIÓN

Receta de Robio.

Este burrito serviría para tener una estupenda comida en cualquier momento... incluso para desayunar. Puedes añadir o quitar ingredientes, y cortar/rebanar/cortar en dados los productos enumerados a continuación según tus propias especificaciones. Esta receta es muy versátil, y puedes aportar tu toque propio en todo momento para conseguir que sea deliciosa y entretenida.

1 tortita de trigo germinado, de escandia o de grano
Judías refritas orgánicas
1 aguacate
Salsa mexicana (picante, media o suave)
Lechuga
Tomate
Pimiento verde
Jalapeños
Cebollas
Arroz blanco basmati de California, condimentado con especias latinas (opcional)

Coloca las judías refritas en el centro de la tortita, y después añade el resto de aderezos de acuerdo con los propios gustos. Dobla como si se tratara de un taco o enrolla al modo de un burrito.

Desayuno energizante y alcalinizante

2 RACIONES

Receta de Susan Lee Traft.

Este desayuno permite conservar las fuerzas y sentirte con energías durante varias horas.

¼ de taza de pimiento rojo, troceado
¼ de taza de cebolla, troceada

1 diente de ajo, picado

Unas 2 tazas de hortalizas variadas (como, por ejemplo, acelgas, brécol, judías verdes, guisantes, calabacín, unas cuantas rodajas de zanahoria, etc.)

1-3 cucharadas de semillas de lino doradas, molidas en un molinillo de café (tienen un sabor semejante a las migas de pan)

1 cucharada de mezcla de aceites esenciales

Bebida de aminoácidos, al gusto

Lleva a ebullición agua a fuego lento en un recipiente, en la vaporera. Añade el pimiento rojo, la cebolla, el ajo y las hortalizas mixtas en la vaporera y cubre. Hierve ligeramente no más de cinco minutos. Aparta inmediatamente las hortalizas del fuego y ponlas en un tazón de ensalada. Añade las semillas de lino molidas, el aceite y la bebida de aminoácidos. Mezcla bien.

Sopa de salmón con coco al curry

4 RACIONES

Se trata de un plato dulce y sabroso.

½ kg de salmón fresco

1 cucharadita de sal con minerales y sin procesar

1-2 cucharaditas de condimento de ajo y hierbas

1 cebolla amarilla

8 tallos de apio

6 zanahorias

2 latas de leche de coco

½ cucharadita de pasta de curry verde tailandés

1-2 envases de estevia en polvo (yo uso la que tiene fibra; si utilizas la normal, entonces emplea mucha menos cantidad)

½ cucharadita de extracto de vainilla (sin alcohol)

1 taza de coco fresco

1 taza de guisantes recién sacados de la vaina (opcional)

1 taza de espinacas frescas (opcional)

Espolvorea sobre el pescado un poco de sal y condimento de ajo y hierbas, y después rehógalo, o emplea un poco de aceite de pepitas de uva para freírlo hasta que esté cocido, pero aún húmedo. Córtalo en trozos pequeños, del tamaño de un bocado, y reserva. Corta la cebolla, el apio y las zanahorias en trozos del tamaño de un bocado, ponlos en un recipiente para sopa y hiérvelos hasta que estén brillantes y duros. (No los cocines en exceso). Agrega la leche de coco, la pasta de curry verde, la estevia y la vainilla, y remueve para mezclar. Incorpora el salmón. Toma la tercera parte de los ingredientes y redúcelos a puré en una licuadora, y después vuelve a introducirlos en la sopa para obtener una base espesa y muy colorida. Añade el coco fresco, los guisantes frescos y/o las espinacas frescas al final, si lo deseas, y calienta antes de servir.

Pescado hervido con verduras

4 RACIONES

½ kg de salmón, trucha o pargo colorado, con la piel

Sal con minerales y sin procesar, al gusto

Condimento de ajo y hierbas

1 cucharada de jengibre fresco, cortado en rodajas finas o rallado

1 taza de cebolletas amarillas

½ taza de cebolletas verdes

4 tazas de col rizada fresca

2 cucharadas de bebida de aminoácidos

½-1 taza de agua de coco fresca (dulce), tomada de un coco fresco y joven (yo utilizo un destornillador y un martillo para hacer dos agujeros en la parte superior de un coco y vierto el agua en una taza de medir. Después abro el coco con el martillo y uso un cuchillo de carnicero afilado para extraer la carne de coco fresca).

½ taza de cilantro

En una sartén antiadherente, coloca el pescado con la parte de la piel hacia abajo, y rehoga con la tapa puesta hasta que esté cocinado, pero aún húmedo. En mitad del proceso, retira la tapa y espolvorea el pescado con sal y condimento de ajo y hierbas. Cuando el pescado esté listo, colócalo en un plato y reserva. Quítale la piel y deséchala, pero deja en el recipiente los aceites que goteen. Coloca el jengibre, cortado en rodajas finas, en el recipiente con el aceite, y cocina hasta que esté dorado. Añade todos los demás ingredientes, excepto el cilantro, y rehoga en el recipiente con la tapa puesta, hasta que estén de color verde oscuro y blandos. Vuelve a poner el pescado y el cilantro, y rehoga uno o dos minutos más antes de servir.

Hogaza de tofu con hortalizas (con variantes)

6 RACIONES

Ésta es una forma maravillosamente colorida y nutritiva de disfrutar del tofu en cualquier comida, o incluso como tentempié. Es estupenda recién sacada del horno, o fría cortada en trozos, o bien para trocear y esparcir sobre una ensalada. Utiliza el tofu más duro para obtener mejores resultados. Para que se unan todos los ingredientes, yo utilizo una masa que se obtiene mediante una mezcla de semillas de lino doradas y marrones, semillas de sésamo y pipas de girasol, con ajo, cebolla, semillas de apio, pimiento rojo, perejil, sal marina y pimienta, deshidratada a 40 °C, y mezclo estos ingredientes en mi robot de cocina hasta que adquieren una textura semejante al polvo. Las semillas de lino, girasol y sésamo aportan sabor adicional y grasas saturadas. Éste es también uno de los platos favoritos que se sirven en las reuniones de la milagrosa dieta del pH.

½ kg de tofu extra firme

½-1 cucharadita de sal con minerales y sin procesar

5 cucharaditas de condimento mexicano

2 cucharaditas de condimento de verduras

4 cucharaditas de tomates secados al sol, molidos (envasados en aceite de oliva)

½ pimiento rojo, cortado en dados

2 cucharadas de apio, cortado en dados

2 cucharadas de almendras remojadas

2 cucharadas de masa cruda sin trigo, en polvo

Aceite de pepitas de uva

Mezcla de condimentos

Utiliza un robot de cocina para cortar en dados todos los ingredientes que lo requieran. Después, introduce todos los ingredientes en la máquina y ponla en marcha hasta que estén bien mezclados. Coloca sobre un recipiente impregnado de aceite de pepitas de uva y moldea hasta obtener una hogaza grande o dos hogazas más pequeñas, de unos cinco centímetros de altura. Impregna la parte superior de la hogaza con un poco de aceite de pepitas de uva y espolvorea la mezcla de condimentos por encima. Hornear a 200 °C, entre treinta y cuarenta minutos, o hasta que la parte superior esté ligeramente dorada. Sirve caliente o deja que se enfríe durante toda una noche; después córtalo en rebanadas y sirve fría.

Variante 1: Hogaza de tofu con ajo y hortalizas

½ kg de tofu extra firme

½-1 cucharadita de sal con minerales y sin procesar

2-4 dientes de ajo asados

2 cucharadas de gránulos de hortalizas deshidratados

4 cucharaditas de apio, cortado en dados

4 cucharaditas de pimiento rojo, cortado en dados

2 cucharadas de masa cruda sin trigo, molida

- Espolvorea condimento de ajo y hierbas por encima.

Variante 2: Hogaza de tofu con trigo sarraceno y verduras

El ingrediente que sirve para unir esta variante es la harina de trigo sarraceno cruda. Puedes moler trigo sarraceno crudo en tu molinillo o robot de cocina, para disponer de esta harina recién hecha.

½ kg de tofu extra firme
6 cucharaditas de condimento de verduras
6 cucharaditas de apio, cortado dados
3 cucharaditas de pimiento rojo
3 cucharaditas de tomates secados al sol, cortados en dados
5 cucharaditas de condimento de ajo y hierbas
½-1 cucharadita de sal con minerales y sin procesar
3 cucharaditas de trigo sarraceno crudo, molido hasta obtener harina

- Acompaña la hogaza con 2 cucharaditas de masa cruda sin trigo.

Variante 3: Hogaza de tofu con albahaca y hortalizas

½ kg de tofu extra firme

½-1 cucharadita de sal con minerales y sin procesar

4 cucharaditas de apio, cortado en dados

4 cucharaditas de pimiento rojo, cortado en dados

2 cucharadas de condimento de verduras

4 cucharaditas de semillas de lino molidas

4 cucharaditas de almendras remojadas

6-8 cucharaditas de albahaca fresca

- Espolvorea con condimento de ajo y hierbas.

Variante 4: Hogaza de tofu con quinua y hortalizas

½ kg de tofu extra firme

1 cucharada de condimento de pesto

2 cucharadas de apio, troceado

2 cucharadas de pimiento rojo, cortado en dados

4 cucharaditas de tomates secados al sol, molidos (envasados en aceite de oliva)

1 cucharada colmada de harina de quinua molida (molida en el robot de cocina)

- Añade aceite y espolvorea gránulos de hortalizas deshidratadas por encima.

Berenjena que no te cansas de comer

1-2 RACIONES

Receta de Myra Marvez.

1 berenjena

Cebolla cortada en trozos finos; el tamaño debe elegirse de acuerdo con los gustos y el tamaño de la berenjena

Aceite de oliva

Sal con minerales y sin procesar

Asa la berenjena sobre el fuego directo, hasta que esté casi por completo cocida. Deja que se enfríe y retira toda la piel quemada. Corta la berenjena en trozos pequeños. Ralla la cebolla. Pon la berenjena en un recipiente, añade la cebolla, el aceite de oliva y la sal, y mezcla bien.

Tomates cereza rellenos de aguacate y hortalizas

2-4 RACIONES

Este plato es un excelente aperitivo o entremés, o bien puede servirse como una ensalada.

Un envase de ½ kg de tomates cereza

El zumo de ½ lima

1 aguacate

½ cucharadita de cebolla seca

1 cucharada de cilantro picado

⅛ de cucharadita de mezcla de especias (utiliza más si deseas que tenga un sabor más intenso a especias)

⅛ de cucharadita de sal con minerales y sin procesar

Gránulos de hortalizas deshidratadas (las puedes preparar tú mismo o comprarlas)

Corta la parte superior de los tomates y utiliza una cucharilla para melón para extraer las semillas y la pulpa. Deja que se escurra boca abajo sobre papel de cocina. En un robot de cocina con una cuchilla en forma de «S», añade los demás ingredientes y procesa hasta que obtengas una consistencia homogénea y con tropezones. Llena los tomates con la mezcla y esparce gránulos de hortalizas deshidratadas por encima. Sirve fríos.

Tronchos Doc Broc[16] – estilo Coyote

4 RACIONES

Es estupendo que, cuando el doctor Young probó por primera vez este plato, pensara que estaba comiendo patatas fritas. Me encanta cuando puedo en-

gañarle. Una noticia mejor aún es que este sabroso regalo en realidad está elaborado con brécol. Incluso Alex, mi hijo de quince años (nuestro chico en continuo cambio), siempre quiere repetir.

6 tallos de brécol largos, pelados y cortados en rodajas (aproximadamente 0,3 cm)

1 cebolla amarilla, cortada en rodajas y troceada

2 cucharadas de aceite de pepitas de uva

½-1 taza de sopa cremosa de tomate (*véase* recetas de sopas)

1-2 cucharaditas de condimento de ajo y hierbas

1-2 cucharaditas de condimento de marisco

1-2 cucharaditas de condimento mezquite

½ cucharadita de mostaza amarilla molida

1-3 cucharaditas de queso parmesano de soja, sin lácteos

Coloca las rodajas de cebolla y de tallo de brécol en una sartén antiadherente y rehógalas unos minutos, hasta que las hortalizas se calienten y hiervan, de modo que se deslicen por la sartén. Añade el aceite de pepitas de uva y remueve las hortalizas a fuego fuerte, mientras se doran y se asan un poco. Una vez que estén fritas-asadas de manera uniforme, baja el fuego a una intensidad baja y agrega ½ taza de la sopa cremosa de tomate (más o menos, dependiendo de cuánta salsa se desee con los tallos; siempre se puede añadir la otra mitad más tarde). Incorpora después los condimentos cubriendo los tallos y las cebollas. Remueve bien para distribuir todos los condimentos uniformemente. Por último, espolvorea el queso parmesano de soja al gusto y remueve una vez más para mezclar bien.

Brunch estilo Doc Broc

6 RACIONES

Es un sustancioso plato de color verde oscuro y bastante crujiente gracias a los tallos de brécol y a las almendras remojadas. Es perfecto para un brunch,[17] *o como plato de acompañamiento.*

3 brécoles grandes

½ kg de judías verdes tiernas

1 cebolla amarilla

2 dientes de ajo fresco

1 tazón pequeño de almendras remojadas

Aceite de pepitas de uva o de oliva

Sal con minerales y sin procesar, al gusto

Corta y pela los tallos de brécol, y después corta el brécol en trozos del tamaño de un bocado. Corta y rompe las judías verdes también en trozos del tamaño de un bocado. Hierve ligeramente el brécol y las judías verdes hasta que adquieran un color verde oscuro. En un robot de cocina, pica la cebolla y el ajo hasta que estén finos; resérvalos. Pon las almendras remojadas en el robot con una cuchilla en forma de «S» y córtalas en láminas finas. En una sartén eléctrica, pon el aceite, añade la mezcla de cebolla/ajo y saltea durante unos minutos. Añade el brécol/judías verdes que has hervido y saltea para mezclarlos con las cebollas y el ajo. Agrega las almendras remojadas cortadas muy finas y sigue mezclando bien. Pon la tapa sobre la sartén y sigue cocinando unos minutos más, si deseas que las hortalizas estén más blandas. Añade sal al gusto.

Guiso estilo Doc Broc

4-6 RACIONES

Los ramitos de 2 brécoles (reserva las hojas y los tallos, y pela y limpia los tallos)

1 taza de tofu sedoso

1 cucharadita de semillas de mostaza molidas

1 manojo pequeño de albahaca o estragón frescos, hervidos y picados

$^{2}/_{3}$ de taza de aceite de oliva

1 envase de sucedáneo de proteína de soja

1-2 tazas de almendras tostadas o remojadas y deshidratadas de nuevo, para acompañar

Sal con minerales y sin procesar, y mezcla de especias, al gusto

Hierve el brécol con un poco de agua en una cacerola tapada, unos cuatro o cinco minutos, hasta que adquiera un color verde oscuro y

acabe de ponerse crujiente y tierno. En un robot de cocina, pica las hojas y los ramitos de brécol hasta que estén muy finos (raspa los bordes si es necesario). Después, añade el tofu blando, la mostaza y la albahaca, y mézclalos. Con el robot de cocina, agrega lentamente aceite de oliva hasta que la preparación esté bien emulsionada y cremosa.

En una sartén eléctrica grande, calienta una pequeña cantidad de aceite y añade el sucedáneo de proteína de soja. Desmenúzalo y fríelo durante un par de minutos, y después incorpora los ramitos de brécol hervido y vierte la salsa cremosa por encima desde el robot; remueve bien. Corta las almendras en trozos pequeños, en el robot, para tener un plato más crujiente; después, esparce la preparación por encima de la mezcla de brécol y sirve. O bien vuelve a poner la tapa sobre la sartén y calienta la preparación para ablandar más las almendras y el brécol. Añade sal y mezcla de especias al gusto.

Espaguetis súper sencillos de Mary Jane

2 RACIONES

Receta de Mary Jane Medlock.

1 calabaza cidra mediana

2 tomates de rama maduros, troceados

El zumo de 1 limón pequeño

1-2 dientes de ajo fresco, picados o rallados

2-3 cucharadas de aceite de oliva

Pimienta recién molida

¼ de cucharadita de orégano

Corta la calabaza cidra por la mitad (retira las semillas). En una bandeja para hornear, coloca la calabaza cidra boca abajo y hornea a 190 °C, unos cuarenta y cinco minutos, o hasta que esté lista. Deja que se enfríe unos cinco minutos. Con la ayuda de un tenedor, saca el cabello de ángel de su interior y ponlo en un tazón. Añade los demás ingredientes y mezcla bien. Degusta caliente o frío.

Hortalizas y judías

4-6 RACIONES

Receta de Linda Broadhead.

2 remolachas grandes, troceadas
10 tallos de espárragos, troceados
5-6 hojas de col rizada, troceadas
2 tazas de alubias negras (cocinadas)
1 cucharadita de comino
¼ de cucharadita de condimento de chile jalapeño
1 cucharadita de condimento criollo
2 cucharadas de bebida de aminoácidos
2 dientes de ajo, picados
El zumo de 1 limón
Un trozo de 2,5 cm de jengibre, rallado
2 cebolletas, cortadas en trozos finos
1 calabaza amarilla cruda, cortada en trozos

Hierve las remolachas, los espárragos y la col justo hasta que estén tiernos. Mezcla los demás ingredientes y también con las hortalizas hervidas.

Salmón al estilo del rey o de la reina

4-6 RACIONES

Receta de Ray Sabo.

Ésta es una buena receta para pasar de comer panes almidonados con levadura a panes sin levadura. El salmón y el aceite de oliva aportan grandes cantidades de grasas saludables. La mezcla de condimentos y hierbas hace que esta receta sea exquisita.

½ taza de aceite de oliva
3-4 dientes de ajo, picados

½-1 cucharadita de orégano (o al gusto)

1-2 cucharaditas de perejil (o al gusto)

0,5-1 kg de salmón fresco, cortado en trozos rectangulares

2-3 rebanadas de pan sin levadura, en trozos muy finos

Polvo de ajo

Mantequilla de soja

Perejil (al gusto)

Tomillo (al gusto)

Precalienta el horno a 150-175 °C. Mezcla el aceite de oliva, el ajo, el orégano y el perejil. Coloca el pescado en un recipiente para hornear e imprégnalo con la mezcla de hierbas. Hornea hasta que alcance el punto deseado; sácalo del horno. Aumenta la temperatura para asar. Mezcla el pan con el ajo en polvo y más aceite de oliva hasta formar una pasta densa. Recubre la parte superior del salmón cocinado y asa lo justo para que se tueste el aderezo. Elabora una salsa con mantequilla de soja fundida, aderezada con perejil y tomillo frescos, al gusto, y rocíala por la parte superior de cada trozo antes de servir. Acompaña con una ramita de perejil.

Lasaña de mamá

4-6 RACIONES

Platos individuales de lasaña vegana con una variedad de hortalizas frescas. Tú decides qué cantidad de cada una. ¡Deliciosa!

Queso de almendras:

2 tazas de almendras, infladas

½ taza de piñones

1 limón entero

1 ½ cucharaditas de sal con minerales y sin procesar

2 cucharaditas de albahaca seca (o varias hojas de albahaca fresca)

3 dientes de ajo

Salsa roja:

1 ½ tazas de tomates secos

4 tazas de agua

1 cucharada de orégano

1 cucharada de albahaca

1 cucharada de tomillo

1 cucharada de romero (o el condimento italiano que se desee)

2 cucharaditas de sal con minerales y sin procesar (o al gusto)

Un máximo de 10 dientes de ajo (al gusto), crudos o asados

Mezclando todo: Espinacas, Pepino, cortado en rodajas finas, Berenjena, cortada en rodajas finas (opcional), Tomate, cortado en rodajas finas, Coco seco sin edulcorar, rallado.

Para preparar el queso de almendras, pon las almendras en una batidora con el agua suficiente para cubrirlas casi por completo. Añade los demás ingredientes y mezcla hasta que adquiera una textura cremosa. Reserva durante un rato para dejar que los sabores se mezclen.

Para hacer la salsa roja, incorpora todos los ingredientes en una batidora y deja que los sabores se mezclen. Calienta inmediatamente antes de usarlo.

Para preparar la lasaña, pon en un plato una capa a base de lecho de espinacas para definir el tamaño de la ración. Cubre con una capa de pepino, después de berenjena (si se utiliza) y de tomate. Pon el queso de almendras, y cubre con otra capa de espinacas. Después, vierte salsa roja por encima, lo suficiente para cubrir también los lados. Añade el «queso de coco».

Bollito del cuatro de julio

4 RACIONES

Receta de Myra Marvez.

Éste es un maravilloso «perrito caliente», elaborado utilizando para el bollito tortitas de trigo germinado.

1 taza de nueces

1 taza de almendras infladas

1 taza de pipas de girasol

½ taza de copos de cebolla secos

1 ½ cucharaditas de sal con minerales y sin procesar (o al gusto)
2 tallos de apio, con verduras de hojas por encima
El zumo de 1 limón
1 lechuga, troceada
2-3 tomates, cortados
4 tortitas de trigo germinado

Pon las nueces, las semillas, los copos de cebolla, la sal, el apio y el zumo de limón en un robot de cocina, y muélelos hasta que todo esté bien mezclado. Forma con la preparación «perritos calientes» con forma de cilindro de quince centímetros de largo, y introdúcelo en un deshidratador de alimentos, con poco calor, toda una noche. Para servir, calienta los perritos calientes, colócalos en tortitas dobladas y rellénalos de lechuga, tomates y aliño al gusto.

Hamburguesas del pollo feliz

2-4 RACIONES
Receta de Myra Marvez.

Porque el pollo aún está vivo, y tan contento...

1 envase de tofu blando y sedoso
1/3 de taza de aceite de oliva
3 cebolletas verdes
1 taza de zanahorias ralladas
1 taza de apio rallado
1 cucharadita de bicarbonato sódico
½ taza de harina
1 cucharadita de sal con minerales y sin procesar

Mezcla todos los ingredientes en un robot de cocina, y después forma medallones. Cuécelo en el horno a temperatura baja durante media hora, o fríelos en aceite de pepitas de uva, a fuego lento, hasta que estén dorados.

Nuggets de frutos secos con especias

4-6 RACIONES

Receta de Myra Marvez.

Sírvelos en tortitas de trigo germinado, cortados y mezclados con la ensalada, o simplemente llévatelos a la boca para tomar un tentempié.

1 taza de almendras infladas
1 taza de nueces pacanas
1 taza de pipas de girasol
1 cebolla mediana
2 dientes de ajo
1 jalapeño
1 taza de perejil fresco
1 ½ cucharaditas de sal con minerales y sin procesar
½ taza de tomates secos
¾ de taza de semillas de lino oscuras molidas

Pon todos los ingredientes, excepto las semillas de lino molidas, en un robot de cocina, y mezcla bien todo hasta que obtengas una textura pastosa. Haz figuras con forma de *nuggets* y después imprégnalas con las semillas de lino molidas. Coloca en bandejas de deshidratar y deja que se sequen toda una noche con poco calor.

Verdaderos *nuggets* de oro

2-4 RACIONES

Receta de Myra Marvez.

Sirve con aliño francés de ajo (véase recetas de aliños) y un plato de jícama frita para acompañar.

2 tazas de almendras infladas
1 taza de agua (más o menos)
1 cebolla mediana

1 limón
1 cucharadita de albahaca fresca
1 cucharadita de orégano fresco
1 cucharadita de tomillo fresco
1 cucharadita de sal con minerales y sin procesar
½-1 taza de semillas de lino doradas, molidas

Pon las almendras infladas en una batidora con suficiente agua para cubrirlas casi por completo. Mezclar hasta que la consistencia sea pastosa, pero aún húmeda; añade agua si es necesario. Agrega la cebolla, el limón, la albahaca, el orégano, el tomillo y la sal, y mezcla de nuevo. Haz pequeños medallones con forma de *nuggets*. Pon las semillas de lino molidas en una bolsa de plástico. Introduce dentro los *nuggets* y agítalos hasta que estén bien recubiertos. Colócalos sobre láminas de deshidratar y deja que se deshidraten toda una noche con poco calor.

Repollo de colores

4 RACIONES

El repollo se considera uno de los alimentos terapéuticos más poderosos del mundo. Muchos estudios han relacionado la ingesta de repollo con una reducción del riesgo de padecer cáncer, especialmente de colon. Asimismo, se ha demostrado que el zumo de repollo ayuda a curar las úlceras de estómago y a prevenir el cáncer de estómago.

2 tazas de lombarda, cortada en rodajas finas
2 tazas de repollo verde, cortado en rodajas finas
1 zanahoria, rallada
1 pimiento rojo, cortado en tiras
1 pimiento amarillo, cortado en tiras
1 pimiento verde, cortado en tiras
1 pimiento naranja, cortado en tiras
4 cucharadas de cebolletas, picadas
4 cucharadas de perejil, picado
¼ de taza de zumo de limón

3 cucharadas de agua

1 cucharada de aceite (de oliva virgen extra, de semillas de lino, o de una mezcla de aceites esenciales)

1-2 cucharaditas de guindilla roja seca

Una pizca de bebida de aminoácidos

En un tazón, mezcla todos los ingredientes. Remueve bien y deja que los sabores se fusionen durante al menos media hora antes de servir.

Tentempiés / postres

Estas recetas son formas saludables de disfrutar de un postre o un tentempié que no van a contribuir a padecer una acidez elevada. También serán de ayuda cuando los niveles de azúcar en sangre estén demasiado bajos.

Galletas crujientes de cebolla y lino

6-8 RACIONES

Receta de Roxy Boelz. Tercer lugar, concurso de recetas de la milagrosa dieta del pH.

2 tazas de pipas de girasol germinadas

1 taza de cebolla, picada

½ taza de zumo de limón fresco o de zumo de pomelo (sin edulcorar)

1 diente de ajo

¼ de taza de semillas de lino tostadas

2 cucharadas de mantequilla de almendras (cruda o de tahini)

Sal con minerales y sin procesar, al gusto

¼ de taza de semillas de hinojo, de semillas de sésamo, o de semillas de comino

½ taza de agua filtrada

Muele todos los ingredientes en un robot de cocina. Vierte en láminas de deshidratar. Deshidrata a 40-43 °C durante doce horas, o hasta que la masa esté lo crujiente que se desee. Vaya marcando periódicamente la masa a medida que se deshidrata, para poderla separar con más facilidad en galletas cuando esté lista.

Bolitas de coco congeladas

12 RACIONES

Receta de Debra Jenkins.

Primer lugar, concurso de recetas de la milagrosa dieta del pH, categoría de recetas de transición.

1 cucharada de aceite de coco

3 cucharadas de tahini crudo

1 cucharada de extracto de vainilla

3 cucharadas de coco recién rallado

⅛ de cucharadita de estevia

2 cucharadas de harina escanda

Derrite el aceite de coco y mezcla todos los ingredientes. Deja caer la mezcla en cucharaditas sobre una bandeja pequeña para galletas, o sobre un plato. Congela entre quince y veinte minutos. Pásalo a una bolsa o recipiente para congelar, y degusta como si se tratara de un rápido y exquisito postre recién sacado del congelador o del frigorífico.

Variante:

Utiliza 3 cucharadas de mantequilla de almendras, en lugar de tahini.

Galletitas de coco y nueces de macadamia

8 RACIONES

Receta de Debra Jenkins.

Primer lugar, concurso de recetas de la milagrosa dieta del pH, categoría de recetas de transición.

½ taza de harina escanda recién molida (procedente de copos de escandia; yo utilizo mi viejo molinillo de café)

½ taza de coco recién rallado

¼ de taza de nueces de macadamia, troceadas

½ cucharadita de sal con minerales y sin procesar

¼ de cucharadita de nuez moscada

½ cucharadita de cardamomo

1 cucharadita de canela

Estevia al gusto (yo uso 2 o 3 envases, o ¼ de cucharadita de estevia en polvo)

4 cucharadas de aceite de coco

Sucedáneo de huevo equivalente a 2 huevos (*véase* inferior; prepara las cantidades de una receta doble)

1 ½ cucharadas de extracto de vainilla sin alcohol

Mezcla los ingredientes. Derrite el aceite de coco y mézclalo con el sucedáneo de huevo y vainilla. Vierte los ingredientes líquidos sobre los ingredientes secos e incorpora bien. Coloca en láminas para galletas y presiona hasta que la masa esté muy plana. Hornea a 175 °C, entre quince y veinte minutos. Deja que se enfríe por completo.

Sucedáneos de huevo

Sucedáneo de huevo 1

EQUIVALENTE A APROXIMADAMENTE 1 HUEVO

⅓ de taza de agua

1 cucharada de semillas de lino

Hierve a fuego lento el agua y las semillas de lino en una cacerola, unos cinco minutos. Hay que intentar conseguir la consistencia de una clara de huevo cruda. No hay que cocerlo a fuego fuerte, o la mezcla se convertirá en gelatina. Puede que interese colarla antes de usarla, dependiendo de la receta en la que se vaya a utilizar. No es necesario para las galletitas de coco y nueces de macadamia.

Sucedáneo de huevo 2

EQUIVALENTE A APROXIMADAMENTE 1 HUEVO

2/3 de taza de agua

1-2 cucharadas de copos de agar

Remueve bien para que todo quede bien mezclado.

Sucedáneo de huevo 3

EQUIVALENTE A APROXIMADAMENTE 1 HUEVO

Utiliza harina de arrurruz en lugar de agar o semillas de lino, en cualquiera de las recetas mencionadas. (No es necesario hervirla).

Tarta de crema de calabaza

6-8 RACIONES

Receta de Debra Jenkins.

Primer lugar, concurso de recetas de la milagrosa dieta del pH, categoría de recetas de transición.

1 envase (360 g) de tofu sedoso

2 tazas de calabaza (o boniatos) en puré

2 cucharaditas de extracto de vainilla sin alcohol

2 cucharaditas de canela

¼ de cucharadita de sal con minerales y sin procesar

¾ de cucharadita de nuez moscada

¼ de cucharadita de clavo

½ cucharadita de jengibre

¼ de cucharadita de estevia blanca en polvo, o 2-3 envases de estevia en polvo

3 cucharadas de psilio (se puede utilizar también agar en polvo o en copos, en lugar de psilio)

1 receta de pasta de almendras (*véase* receta siguiente)

Mezcla el tofu, la calabaza, la vainilla, la canela, la sal, la nuez moscada, los clavos, el jengibre y la estevia en polvo en el robot de cocina, hasta que la preparación adquiera una textura uniforme y cremosa. (Añade más especias o estevia, si lo deseas, o emplea menos especias para obtener una tarta más suave). Por último, incorpora el psilio y mezcla. Coloca en la pasta ya preparada y deja que se enfríe al menos una hora. Acompaña con aderezo de crema de frutos secos (*véanse* recetas de aliños y salsas) o con «crema batida» de tofu (*véanse* recetas de aliños y salsas).

Pasta de almendras

PARA UNA PASTA DE 22 CENTÍMETROS

Receta de Debra Jenkins.

Primer lugar, concurso de recetas de la milagrosa dieta del pH, categoría de recetas de transición.

½ taza de copos de escandia frescos, molidos en forma de harina (yo utilizo mi viejo molinillo de café)

½ taza de almendras molidas

¼ taza de harina de lino recién molida

1 cucharada de arrurruz en polvo

½ cucharadita de canela molida

⅛ de cucharadita de clavos molidos

1 envase de estevia en polvo

1 cucharadita de extracto de vainilla

2 cucharadas de aceite de coco (derretido)

2 cucharadas de agua

Mezcla los ingredientes secos en un recipiente. Mezcla la vainilla, el aceite y el agua, y vierte sobre los ingredientes secos. Incorpora bien todo. Pasa la preparación a un plato para tarta de 22 centímetros. Presiona la mezcla firmemente con los dedos sin desplazarla, asegurándote de cubrir el fondo y los bordes del plato. Para una masa sin relleno, hornea el recubrimiento vacío a 175 °C entre dieciocho y veinte minutos, o hasta que esté ligeramente dorada. Deja que se enfríe y rellena con relleno para tartas. Para una masa rellena, primero hornea la masa vacía durante diez minutos y después rellena y terminar de hornear la tarta de la receta.

Variante:

Utiliza coco molido en lugar de harina de lino.

Tarta de aguacate, coco y lima

6-8 RACIONES

Receta de Debra Jenkins.

Primer lugar, concurso de recetas de la milagrosa dieta del pH, categoría de recetas de transición.

240 g de tofu dorado

½ taza de zumo de lima fresco

1 cucharadita de extracto de vainilla sin alcohol

2 cucharadas de coco recién rallado

⅛ de cucharadita de sal con minerales y sin procesar

1 aguacate pequeño o ½ mediano

⅛ de cucharadita de estevia blanca en polvo

⅛ de cucharadita de ralladura de lima

3 cucharadas de copos de psilio o de agar

1 receta de pasta de almendras (*véase* receta anterior)

Añade todos los ingredientes (excepto los copos de psilio y la ralladura de lima) a un robot de cocina o batidora, y mezcla hasta que adquiera una textura uniforme y cremosa. Agrega más estevia al gusto, si lo deseas. Incorpora los copos de psilio y la ralladura de lima. Vierte en la pasta de almendras ya preparada. Espolvorea coco y nueces por encima, o nueces pacanas troceadas, como guarnición, y deja que se enfríe en el frigorífico entre una y dos horas.

Variante:

Agrega 6 cucharadas de leche de coco al primer lote de ingredientes y reduce el psilio a 1 cucharada.

Sándwiches AB&J con jalea de pimiento rojo

1-2 RACIONES

Receta de Cheri Freeman.

Tercer lugar, concurso de recetas de la milagrosa dieta del pH.

Tortitas de trigo germinado

Mantequilla de almendras

Jalea de pimiento rojo (*véase* inferior)

Calienta las tortitas y córtalas en cuatro partes. Unta la mantequilla de almendras y la jalea de pimiento rojo. Con ello obtendrás pequeños sándwiches con forma de triángulo, un estupendo tentempié.

Jalea de pimiento rojo

4 RACIONES (UN TOTAL DE 1 ½ TAZAS)

Se puede conservar algunos días en el frigorífico, o bien se puede congelar para utilizarla más adelante.

2 pimientos rojos

½ taza y 3 cucharadas de agua

30 gotas de estevia (o al gusto)

4 cucharaditas de pectina

4 cucharaditas de agua de calcio (el envase incluye pectina)

Muele o reduce a puré los pimientos en una batidora o un robot de cocina, con 3 cucharadas de agua. Añade estevia al gusto. Vierte en un recipiente. Prepara el agua de calcio y agrégala a la mezcla de pimiento. Lleva a ebullición ½ taza de agua y viértela en un robot de cocina o una batidora. Incorpora con rapidez la pectina y mezcla. (Se debe trabajar con rapidez, o, de lo contrario, la pectina formará gotitas). Vierte rápidamente la preparación de pectina en el recipiente de la mezcla de pimiento y remueve bien. Ponlo en un tarro de cristal e introdúcelo en el frigorífico. Se convertirá en gelatina en un par de horas.

Salseras de postre con pimientos rojos

4-6 RACIONES

Receta de Eric Prouty.

Segundo lugar, concurso de recetas de la milagrosa dieta del pH, categoría de recetas alcalinizantes.

1 ½ tazas de pipas de girasol remojadas

1 cucharada de aceite de pipas de calabaza

1 cucharadita de canela

7 gotas de estevia líquida, en un cucharadita de agua

2 pimientos rojos

Utiliza un exprimidor con un accesorio para hacer mantequilla de frutos secos, a fin de procesar las pipas de girasol. Mezcla el aceite, la canela y la estevia/agua. Corta los pimientos rojos por la mitad, a lo largo, retira el corazón y córtalos en rodajas, desde arriba hacia abajo, con una anchura de entre 1,2 y 2,5 centímetros. Untar la mezcla de pipas de girasol en las rodajas.

Almendras de vacaciones

2-4 RACIONES

Receta de JoAnn Efeney.

1 taza de agua

½ taza de almendras

⅛ de cucharadita de clavos molidos
⅛ de cucharadita de jengibre molido
⅛ de cucharadita de nuez moscada molida
⅛ de cucharadita de canela molida

Pon las almendras dentro del agua y añade las especias. Deja que la mezcla repose durante toda una noche, y después remueve y disfruta del plato.

Variante:

Después de que las almendras absorban las especias, escurre y deshidrata. Obtendrás un agradable tentempié muy crujiente con un toque a especias.

Pepinos con eneldo, cortados en forma de pétalos

4-6 RACIONES

2 pepinos ingleses
El zumo de 1 lima grande
1 cucharadita de condimento de eneldo
Un poco de agua, si es necesario
Sal con minerales y sin procesar, al gusto

Pasa los dientes de un tenedor a lo largo de los pepinos para crear una forma de pétalos, y después corta rodajas de medio centímetro de grosor. Coloca el pepino cortado en un recipiente estrecho con el zumo, el condimento de eneldo y la sal. Deja que se marine en el frigorífico durante al menos media hora. Sirve frío.

Galletas crujientes de hortalizas con brotes de soja en polvo

4-6 RACIONES

Estas galletas son estupendas como un tentempié crujiente, y también se pueden desmenuzar y añadir sobre una ensalada, como si fueran picatostes.

3 zanahorias

1 envase pequeño de tomates cereza o tomates uva

3 tomates secados al sol, envasados en aceite de oliva

1 cucharadita de jengibre fresco

3 tallos de apio

2 tomatillos

1/3 de boniato, pelado

1 calabaza amarilla de cuello curvo

1/3 de taza de hierbas frescas variadas, como, por ejemplo, romero, orégano, estragón, tomillo, cilantro, perejil y albahaca

½ taza de trigo sarraceno germinado (yo utilizo un brote de dos días: pon en remojo trigo sarraceno crudo durante al menos seis horas, y enjuagar durante dos días)

1/3 de taza de semillas de lino (no es necesario ponerlas en remojo)

1-2 cucharadas colmadas de brotes de soja en polvo

Pon los nueve primeros ingredientes en el robot de cocina y mezcla bien todas las hortalizas. Deben estar húmedas y cortadas en dados. Otra opción es pasar los nueve ingredientes por un exprimidor con el accesorio vacío y poner la pulpa húmeda en un recipiente para mezclar. Añade el trigo sarraceno germinado, las semillas de lino y la soja en polvo, y mezcla bien. Vierte la preparación en bandejas de deshidratar recubiertas de plástico, y moldéala formando un cuadrado o rectángulo grandes. Deshidrata entre cuatro y cinco horas a 32-35 °C, y después corta en cuadrados más pequeños (de 7,5 x 7,5 centímetros) y pasa a bandejas forradas con malla, para que sigan secándose hasta que estén crujientes (unas cuatro horas más). O bien deja que las galletas sigan secándose durante la noche y rompe por la mañana, en trozos pequeños, los cuadrados ya listos. Si se hace bien, pueden conservarse hasta un mes en un recipiente hermético, aunque estoy segura de que nos los comeremos antes de que trascurra ese tiempo.

Galletas crujientes con forma de nido de pájaro

4-6 RACIONES

Es divertido colocarlas sobre un cuenco de sopa antes de servirla. Con estas galletas hago formas de nido de pájaro y dentro pongo algunos guisantes frescos, recién sacados de su vaina, para tomarlos como aperitivo. Es evidente que estas galletas tienen muchas aplicaciones. Al estar deshidratadas aportan nutrientes concentrados.

2 calabazas amarillas de cuello curvo

2 calabacines

½ cucharadita de sal con minerales y sin procesar

½ cucharadita del condimento que se desee

2 cucharaditas de condimento de verduras, o de otro condimento que se desee

Limpia las calabazas y los calabacines, teniendo cuidado de cortar todas las marcas que tengan en la piel. Rállala en un robot de cocina y mezcla con las especias. Coloca sobre láminas de teflón. Pueden quedar más bonitas colocando la mezcla, sin presionarla, sobre la lámina formando un pequeño círculo, que después se secará en forma de bonita galleta con agujeritos, o bien se puede comprimir la preparación y formar pequeños nidos para crear una galleta con forma de nido más densa. Deshidrata toda una noche o veinticuatro horas y conserva en un recipiente hermético.

Variante:

Experimenta con más hortalizas, semillas o frutos secos, como, por ejemplo, almendras remojadas, pipas de girasol, guisantes de olor, zanahoria rallada, jalapeños y semillas de lino. También puedes utilizar tus condimentos favoritos para conseguir los sabores que más te gustan.

Láminas de trigo sarraceno germinado

6 RACIONES

Son delgadas y su textura es parecida a la de la masa de las pizzas. De hecho, son excelentes cuando se toman como una masa de pizza cruda (deshidratada a baja temperatura). Se pueden secar con un tamaño considerable, en círculos grandes, o bien desmenuzarlas y utilizarlas como si fueran galletas crujientes o trozos de sándwich. Puedes experimentar con esta receta básica y crear tus propias versiones. Necesitarás un buen deshidratador y un robot de cocina, así como un equipo para germinar. La preparación de estas láminas puede parecer que conlleva mucho tiempo y trabajo, pero cuando uno se habitúa resulta evidente que merecen la pena. Yo triplico o cuadruplico esta receta para llenar de láminas todo mi aparato para deshidratar (nueve bandejas). Las láminas se conservarán frescas en una bolsa con cierre hermético, o en una tartera, un máximo de un mes. Son excelentes para viajes de excursionismo o de acampada, para ir en bicicleta o para un largo vuelo en avión. Nuestro nieto CharLee está poniendo a prueba sus primeros dientes con estas galletas alcalinas.

1,3 tazas de pulpa de zanahoria o de zanahoria rallada; o de boniato, calabaza o calabacín que estén crudos; o bien de una mezcla de todos ellos

1/3 de taza de mezcla de aceites esenciales

2 cucharaditas de sal con minerales y sin procesar

2 cucharaditas de condimento de ajo y hierbas

1 cucharadita de condimento de ajo, cebolla y mejorana

3 tazas de trigo sarraceno germinado (yo utilizo un brote de dos días: pon en remojo trigo sarraceno crudo durante 6-8 horas y escurre durante dos días)

2-3 tomates secados al sol (opcional)

1/3-2/3 de taza de semillas de lino (no es necesario ponerlas en remojo)

¼-1/3 de taza de agua (opcional)

Mezcla la pulpa de las hortalizas, el aceite, la sal y los condimentos en un robot de cocina. Después, añade los demás ingredientes y sigue mezclando hasta que obtengas una masa espesa con una textura bastante uniforme. (También puede mezclarse durante menos tiempo, si prefieres una masa más tosca con más brotes de trigo enteros).

Mientras el aparato está en marcha, puedes añadir agua si consideras que es necesario aligerar la masa un poco para que después sea más fácil de extender.

Vierte la mezcla en bandejas para deshidratar recubiertas de plástico. Utiliza una espátula para ayudar a que se extienda la masa, de forma que la lámina tenga entre 0,6 y 1,2 centímetros de grosor. Después, deshidratar a 32-37 °C, durante toda una noche, o entre siete y ocho horas. Levanta con cuidado las láminas y pásalas a una bandeja recubierta con malla, y sigue deshidratando hasta que estén crujientes y secas, entre cuatro y seis horas más.

Variante:

Se puede experimentar con otros condimentos en lugar de ajo, cebolla y mejorana, como, por ejemplo, 1 cucharada de brotes de soja en polvo, 1 cucharadita de polvo verde, condimento italiano para pizza, 2 cucharadas de albahaca fresca, o cualquier cosa que se prefiera.

Judías *Edamame*

2-4 RACIONES

Introduce la vaina en tu boca, muérdela y saca las judías para tener un sabroso tentempié o plato de acompañamiento.

1 envase de 360-480 g de edamame congelado (judías de soja)
Aceite
Sal con minerales y sin procesar
Condimentos a elegir

Hierve el *edamame* como indican las instrucciones del envase. Escurre, después rocía unos cuantos chorros de aceite de oliva o de otro aceite saludable, y añade un poco de sal, o los condimentos favoritos, sobre las vainas de *edamame.* A nosotros nos gusta el condimento de verduras y el de ajo y hierbas. El plato tiene muy buen sabor tanto si se sirve caliente como frío.

Súper budín de soja

2 RACIONES

Ésta es una estupenda forma de tomar un delicioso tentempié, a la vez que mantenemos el organismo alcalino. Nosotros incluso comemos este maravilloso budín para desayunar o en lugar de alguna de las sopas de la fiesta líquida. Tiene una alta concentración en grasas buenas, vitamina E, calcio y potasio (de la leche de almendras y el aguacate), además de en proteínas buenas (del súper polvo de soja).

1 taza de leche de almendras fresca y sedosa (*véase* recetas de bebidas y batidos) o de leche de coco

1 aguacate

1 lima entera, pelada

2 cucharones de soja germinada en polvo

1 envase de estevia

6-8 cubitos de hielo

Pon todos los ingredientes en una batidora y mezcla a velocidad rápida, hasta que todo esté uniforme y con una textura como la de un budín.

Variantes:

- Para obtener un súper budín de soja con coco, utiliza leche de coco y añade a la preparación 2 cucharadas de gránulos de coco secos sin edulcorar. Espolvorea un poco de coco por encima antes de servir.
- Para un súper budín de soja con limón, usa un limón en lugar de una lima.
- Para un súper budín de soja con pomelo, emplea el zumo de ½ pomelo, en lugar de una lima.
- Para un súper budín de soja súper verde, añade ½ cucharón de polvo verde o 1 taza de espinacas mini frescas.
- Para un súper budín de soja con jengibre, incorpora una pizca, o dos, de jengibre recién rallado.
- Para un súper budín de soja con canela, agrega una pizca, o dos, de canela y nuez moscada a la mezcla, y espolvorea más por encima.
- Para un súper budín de soja con frutos secos, incorpora almendras crudas troceadas (o nueces pacanas, nueces de macadamia, o los frutos secos que desees).

- Para obtener súper helados de soja, vierte tu variante favorita en moldes para helados y congela. O bien usa tazas pequeñas de papel o cubiteras, y añade palitos para helados o palillos de dientes cuando la mezcla esté parcialmente congelada.
- Para un súper granizado de soja, congela tu variante favorita en cubiteras, descongela ligeramente y trocea.

Delicioso granizado de calabaza

2-4 RACIONES

Receta de Linda Broadhead.

1 taza de leche de coco

1 taza de puré de calabaza

1 cucharadita de mezcla de especias de tarta de calabaza

2 cucharaditas de estevia

⅛ de cucharadita de sal con minerales y sin procesar

Cubitos de hielo que ocupen el volumen de 5 tazas en la licuadora

Pon todos los ingredientes en una batidora y mezcla hasta que la preparación tenga una textura uniforme.

Delicioso granizado de almendras

1-2 RACIONES

Receta de Linda Broadhead.

½ taza de leche de coco

4 cubitos de hielo

1 cucharada de mantequilla de almendras cruda

20 gotas de estevia

¼ de cucharadita de saborizante de anís (sin alcohol)

Pon todos los ingredientes en una batidora y mezcla hasta que la preparación adquiera una textura de granizado.

Recursos

La Fundación del Estilo de Vida de la Milagrosa Dieta del pH, y la familia Young

Para referencias sobre el análisis de sangre viva y la prueba de estrés micotóxico/oxidativo, para reuniones sobre salud o para consultas, contacta con El Centro de la Milagrosa Dieta del pH, número 760-751-8321.[18] Es también el lugar al que llamar para solicitar información sobre los productos citados en este libro que esta sección de recursos no proporciona:

La Fundación del Estilo de Vida de la Milagrosa Dieta del pH

16390 Dia Del Sol
Valley Center, CA 92082
760-751-8321
Fax: 760-751-8324
Para información general, recetas, artículos y testimonios, así como para vídeos educativos sobre la nueva biología, el estilo de vida de la milagrosa dieta del pH y su programa: www.phmiracleliving.com.

Suplementos

Source Natural, Inc., 19 Janis Way, Scotts Valley, CA 95066; 800-815-2333; www.sourcenaturals.com.

Solaray: Nutraceutical Corporation, 1400 Kearns Boulevard, segundo Piso, Park City, UT 84060; 800-669-8877; www.nutraceutical.com.

Green Kamut Corporation, 1965 Freeman, Long Beach, CA 90804.

Alimentos

Aguacates de California, cultivados de un modo orgánico en nuestro rancho, recién recolectados del árbol y enviados al cliente el día siguiente: 760-751-8321; www.phmiracleliving.com.

Aceite de coco virgen extra: Garden of Life, 800-622-8986.

Saborizantes New Frontier, envasados en aceite (sin alcohol): www.frontiercoop.com.

La pectina universal de Pomona está disponible en establecimientos de productos de salud o tiendas de comestibles, en Whole Foods, o en Workstead Industries, P.O. Box 1083, Greenfield, MA 01302; 413-772-6816.

Condimento Heat Wave, de la compañía Cape Herb and Spice, distribuido por Profile Products: P.O. Box 140, Maple Valley, WA 98038; 425-432-4300.

Litehouse Spice Company: www.litehousefoods.com.

Tomate deshidratado en polvo y gránulos de hortalizas de Spice House: www.thespicehouse.com.

Pastas crudas sin trigo de Mauk Family Farms: www.maukfamilyfarms.com.

Sal con minerales y sin procesar RealSalt: Redmond Minerales, Inc., 800-367-7258; www.realsalt.com.

Para un programa de germinación excelente y fácil de empezar, kits de distintos tamaños, instrucciones sobre cómo germinar, información sobre los aspectos nutricionales de distintas semillas, semillas individuales y mezclas de semillas: Life Sprouts, P.O. Box 150, Hiram, UT 94321; 435-245-3891.

Hay numerosos distribuidores de alimentos orgánicos, muchos de los cuales están radicados en California, con un clima propicio para el cultivo durante todo el año. Éste es uno de los que me gustan: Diamond Organics, P.O. Box 2159, Freedom, CA 95019; 888-674-2642; encargos por fax: 888-888-6777; correo electrónico: organics@ diamondorganics.com.

Pacific Foods of Oregon, Tualatin, OR 97062; 503-692-9666; www.pacificfoods.com.

Udo's Choice: Flora, Inc., Lyden, WA 98264; 800-446-2110; www.udoerasmus.com.

Essential Balance/Omega Nutrition Oil: Arrowhead Mills, Vancouver, BC V5L 1P5; 800-661-3529; www.omeganutrition.com.

Image Foods, Inc., 350 Cambridge Avenue, Suite 350, Palo Alto, CA 94306; www.imagefoods.com.

Para talleres sobre preparación de platos alcalinizantes: Academia de Artes Culinarias de Shelley Young, Fundación del Estilo de Vida de la Milagrosa Dieta del pH, Dia Del Sol, Valley Center, CA 92082; 760-751-8321.

Marcas recomendadas: estevia con fibra de Sweet Leaf; caldo de pollo orgánico de granja y caldo de verduras sin levadura de Pacific; tomates tamizados sin conservantes, aditivos ni vinagre de Pomì. Tofu condimentado y horneado de White Wave; tofu estilo gourmet condimentado y horneado de Veat; Gardenburgers; Boca Burgers; mezclas de especias Spice Hunter.

Equipo

Tiras de pH: www.phmiracleliving.com.

Mini-trampolín de celulejercicio: Fundación del Estilo de Vida de la Milagrosa Dieta del pH; para más información, 760-751-8321.

Sauna por infrarrojos: Nova, http://www.novacompanies.com/page/NC/CTGY/sauna.

Máquina de microionización de agua electromagnética (un producto que hemos desarrollado): entra en http://www.phmiracleliving.com/c-27-alkaline-water-and-ionizers.aspx para más información.

Un lugar en el que se puede comprar un sistema de monitorización de la glucosa es Health-Max, teléfono 206-362-1111, o página web www.healthmax.net.

Licuadora Vita-Mix con su accesorio: Vita-Mix, 8615 Usher Road, Cleveland, OH 44138-2199; 800-848-2649.

Exprimidores Green Power, Green Star y Green Life: encargos en 888-254-7336; información en 562-940-4240.

Cutting Edge

El catálogo de Cutting Edge contiene muchos artículos pertenecientes a la categoría de tecnología para la salud, incluidos medidores del pH, sistemas de agua y libros:
Catálogo Cutting Edge
P.O. Box 5034
Southampton, NY 11969
Encargos: 800-497-9516
Información: 516-287-3813

Fax: 516-287-3112
www.cutcat.com
Correo electrónico: cutcat@i-2000.com

Libros

Dr. Bernstein's Diabetes Solution, del doctor Richard K. Bernstein, miembro del colegio americano de nutrición, miembro del colegio americano de endocrinología, especialista certificado en temas relacionados con el agua.

Reversing Diabetes, del doctor Julian Whitaker.

Victory Over Diabetes, del doctor William H. Philpott y el doctor Dwight K. Kalita.

The Diabetes Cure, del doctor Vern Cherewatenko.

Diabetes: The Facts That Let You Regain Control of Your Life, del doctor Charles Kilo y el doctor Joseph R. Williamson.

The First Year Type 2 Diabetes: An Essential Guide for the Newly Diagnosed, de Gretchen Becker.

The Diabetes Sourcebook, de la doctora Diana W. Guthrie, enfermera colegiada, y el doctor Richard A. Guthrie. [Hay edición en castellano: *La diabetes: Un libro indispensable tanto para quienes directamente padecen esta enfermedad como para sus familiares y amigos, médicos o profesionales*. Ediciones Obelisco, 2002].

Combat Syndrome X, Y and Z..., del doctor Stephen Holt.

Natural Treatments for Diabetes (serie de *The Natural Pharmacist*), de Kathi Head, doctora en naturopatía.

The Blood and Its Third Anatomical Element, de Antoine Bechamp.

Soy Smart Health, del doctor Neil Solomon.
Understanding Acid-Base, del doctor Benjamin Abelow.

Fats That Heal and Fats That Kill, de Udo Erasmus.

Slow Burn: Slow Down, Burn Fat, and Unlock the Energy Within, de Stu Mittleman.

Muscles in Minutes, de Mike Mentzer.

Static Contraction Training, de Peter Sisco y John R. Little.

The Complet Book of Massage, de Claire Maxwell-Hudson.

The Touch That Heals, del doctor en medicina, doctor en naturopatía y doctor en ciencias William N. Brown.

The Clay Cure, de Ran Knishinsky.

Herbal Nutritional Medications, del doctor Robert O. Young.

Referencias

Airola, P. *How to Get Well.* Phoenix: Health Plus Publications, 1974, pág. 260.

Albert, M. «Vitamin B_{12} synthesis by human small intestinal bacteria». *Nature,* 1980; 283: 781.

Albrink, J. J., Davidson, P. C, y Newman, T. «Lipid lowering effect of a very high-carbohydrate high-fiber diet». *Diabetes,* 1980; 26 (suppl. 1): 324.

—. 1977. «Effect of carbohydrate restriction and high-carbohydrate diets on men with chemical diabetes». *AmericanJournal of Clinical Nutrition,* 1977; 30: 402-8.

American Diabetes Association. Diabetes facts and figures.

Anderson, J. *Plant Fiber in Foods.* Lexington: HCF Diabetes Research Foundation, 1981.

—. «Independence of the effects of cholesterol and degree of saturation of the fat in the diet of serum cholesterol in man». *American Journal of Clinical Nutrition,* 1976; 29: 1184.

Anderson, R. A. «Elevated intakes of supplemental chromium improve glucose and insulin variables in individuals with Type II diabetes». *Diabetes,* 1997; 46(11): 1786-91.

—. «Effects of lifestyle activity vs. structured aerobic exercise in obese women. A randomized trial». *Journal of the American Medical Association,* enero. 27, 1999; 281(4): 335-40.

—. «Chromium as an essential nutrient for humans». *Regulatory Toxicology and Pharmacology,* 1997; 26 (pts. 1, 2): S35-S41.

—. «Chromium metabolism and its role in disease processes in man». *Clinical Physiology Biochemistry,* 1986; 4: 31-41.

Ayer, E., y Gauld, W. A. G. *Science,* abril 12, 1946.

Aykroyd, W., y Doughty, J. *Wheat in the Human Nutrition.* Rome: FAO of the U.N., 1970; 19.

Bailey, H. *Vitamin E: Your Key to a Healthy Heart.* Nueva York: Arc Books, 1971, págs. 97-98.

Baker, S. «Evidence regarding the minimal daily requirement of dietary vitamin B_{12}». *American Journal of Clinical Nutrition,* 1981; 34:2423.

Baldwa, V. S., *et al.* «Clinical trial in patients with diabetes mellitus of an insulin-like compound obtained from plant sources». *Uppsala Journal of Medical Sciences,* 1977; 82: 39-41.

Bamdt, R. «Regression and progression of early femerol atherosclerosis in treated hyperlipoproteinemic patients». *Annals of International Medicine,* 1977; 86: 139.

Bantle, J. «Postprandial glucose and insulin responses to meals containing different carbohydrate in normal and diabetic subjects». *New England Journal of Medicine,* 1983; 309: 7.

Barnard, J. «Responses of non-insulin-dependent diabetic patients to an intensive program of diet and exercise». *Diabetes Care,* 1982; 5: 370.

Barton, B.S. *Collection for an Essay Towards a Materia Medica of the United States,* 3.ª ed., con añadidos. Philadelphia, impreso para Edward Earle and Co., 1810.

Baskaran, K., *et al.* «Antidiabetic effect of a leaf extract from Gymnema sylvestre in non-insulin-dependent diabetes mellitus patients». *Journal of Ethnopharmacology,* 1990; 30: 295-305.

Basta, L., Williams, C, Kioschos, J., Michael, S., y Arthur, A. «Regression of atherosclerotic stenosing lesions of the renal arteries and spontaneous cure of systemic hypertension through control of hyperlidemia». *American Journal of Medicine,* 1976; 61: 420-23.

Basu, T. K., *et al.* «Serum Vitamin A and retinol-binding protein in patients with insulin-dependent diabetes mellitus». *American Journal of Clinical Nutrition,* 1989; 50: 329-31.

Beaudeaux, J. L., *et al.* «Enhanced susceptibility of low-density lipoprotein to in vitro oxidation in Type I and Type II diabetic patients». *Clinica Chimica Acta,* 1995; 239: 131-41.

Bennion, L. J., y Grundy, S. M. «Effects of diabetes mellitus on cholesterol metabolism in man». *New England Journal of Medicine,* 1977; 296: 1365-71.

Bersin, T, Mueller, A., y Schwarz, H. «Substances contained in crataegus oxyacantha. III. A Heptahydroxyflaven glycoside». *Arzeimettek-Forschungen,* 1955, págs. 490-91.

Berson, S. «Plasma insulin in health and disease». *American Journal of Medicine,* 1961; 31: 874.

Biard, J. E, Verbist, J. E, Boterff, J., Rages, G., y Lecocq, M. M. «Seaweeds of French Atlantic coast with antibacterial and antifungal compounds». *Planta Medica* (suppl.), 1980; 136-51.

Bierenbaum, M. L., Fleishman, A. I., Dunn, J., y Arnold, J. «Possible acidic water factor in coronary heart disease». *Lancet,* 1975; 1: 1008-10.

Bingley, P. J., *et al.* «Combined analysis of autoantibodies improves perdition of IDDM in islet cell antibody-positive relatives». *Diabetes,* 1994; 43: 1304-10.

Bland, J. *The Accessory Nutrients,* vols. 1 and 2. New Canaan, CT: Keats Publishing, Inc., 1982.

Borden, G., *et al.* «Effects of vanadyl sulfate on carbohydrate and lipid metabolism in patients with non-insulin-dependent diabetes mellitus». *Metabolism,* 1996; 45(9): 1130-35.

Boyer, J. «Exercise therapy in hypertensive men». *Journal of the American Medical Association,* 1970; 211: 1668.

Brunzell, J. «Improved glucose tolerance with high carbohydrate feeding in mild diabetes». *New England Journal of Medicine,* 1971; 284: 521.

Burkitt, D. «Dietary fiber and diseases». *Journal of the American Medical Association,* 1974; 229: 1068.

—.«Some diseases characteristic of modern Western civilization». *British Medical Journal,* 1973; 1: 274.

—. «Varicose veins, deep vein thrombosis, and hemorrhoids: Epidemiology and suggested aetiology». *British Medical Journal,* 1972; 2: 556.

Burkitt, D. P., y Trowell, H. C. *Refined Carbohydrate Foods and Disease: Some Implications of Dietary Fibre.* Nueva York: Academic Press, 1975.

Cameron, N.E., *et al.* «Effects of alpha-lipoic acid on neurovascular function in diabetic rats». *Diabetologia,* 1998; 41: 390-99.

Campbell, P., *et al.* «Pathogenesis of the dawn phenomenon in patients with insulin-dependent diabetes mellitus». *New England Journal of Medicine,* 1985; 312:1473-79.

Canfield, W. K., y Doisy, R. J., eds. «Evidence of an unrecognized metabolic defect in diabetic subjects». *Diabetes,* 1975; 24(2): 406 (abstract).

Canham, R. S. «Excretion of sodium, potassium, magnesium, and iron in human sweat and the relation of each to balance and requirements». *Journal of Nutrition,* 1962; 19: 407-15.

Carlson, Wade. *The Rejuvenated Vitamin.* Nueva York, Award Books, 1970, pág. 21.

Carmel, R.« Nutritional vitamin B_{12} deficiency, possible contributory role of subtle vitamin B_{12} malabsorption». *Annals of International Medicine,* 1978; 88: 647.

Carter, J. P., Kattob, A., Abd-El-Hadi, K., Davis, J. T., El Cholmy, A., y Pathwardhan, V. N. «Chromium III in hypoglycemia and impaired glucose utilization in Kwashiorkor». *American Journal of Clinical Nutrition,* 1968; 21: 195-202.

Chakravarthy, B. K., *et al.* «Functional beta cell regeneration in the islets of pancreas in alloxan-induced diabetic rats by epicatechin». *Life Sciences,* 1982; 31240: 2693-97.

Chandalia, M., *et al.* «Beneficial effects of high dietary fiber intake in patients with Type II diabetes mellitus». *New England Journal of Medicine,* 2000; 342(19): 1392-98.

Chaney, M. S., y Ross, M. L. *Nutrition.* Boston: Houghton Mifflin, 1971, pág. 307.

Chen, P. *Soybeans for Health, Longevity, and Economy.* St. Catherines, Ontario: Provoker Press, 1970, pág. 99.

«Chromium metabolism in man and biochemical effects». En A. Prasad, ed., *Trace Elements in Human Health and Disease.* Nueva York: Academic Press, vol. 2, cap. 29.

Clapp, A. «Report on Medical Botany… A Synopsis, of systematic catalogue of the indigenous and naturalized, flowering and filicoid . . . medicinal plants of the United States». *Transactions of the American Medical Association,* Philadelphia, 1852, vol. V.

Clark, Linda. *Know Your Nutrition.* New Canaan, CT: Keats Publishing, 1973, pág. 78.

Cleary, J. P. «Vitamin B_3 in the treatment of diabetes mellitus. Case reports and review of the literature». *Journal of Nutritional Medicine,* 1990: 1: 217-25.

Coggershall, J. C, *et al.* «Biotin status and plasma glucose in diabetics». *Annals of the New York Academy of Sciences,* 1985: 447: 389-92.

Colette, C, *et al.* «Platelet function in Type I diabetes: Effects of supplementation with large doses of vitamin E». *American Journal of Clinical Nutrition,* 1988; 47: 256-61.

Collier, G. «Effect of physical form of carbohydrate on the postprandial glucose, insulin and gastric inhibitory polypeptide responses in Type 2 diabetes». *American Journal of Clinical Nutrition,* 1982, 36: 10.

Connor, P. Nutritional vitamin B_{12} deficiency. *Medical Journal of Australia,* 1963; 2: 451.

Connor, W. «The key role of nutritional factors in the prevention of coronary heart disease». *Preventive Medicine,* 1972; 1: 49.

Coustan, D. R. «A randomized clinical trial of the insulin pump vs. intensive conventional therapy in diabetic pregnancies». *Journal of the American Medical Association,* 1978; 255: 631-36.

Culbreth, D. M. R. *A Manual of Materia Medica and Pharmacology.* Philadelphia, 1927.

Cullen, C. «Intravascular aggregation and adhesiveness of the blood elements associated with alimentary lipemia and injections of large molecular substances». *Circulation,* 1954; 9: 335.

Cunnick, J., Takemoto, D., *et al.* «Bitter melon (Momordica charantia)». *Journal of Naturopathic Medicine,* 1993; 4: 16-21.

Dahl, L. «Salt intake and salt need». *New England Journal of Medicine,* 1958; 258:1152, 1205.

Dahlquist, G. G., *et al.* «Dietary factors and the risk of developing insulin-dependent diabetes in childhood». *British Medical Journal,* 1990; 300: 1302-6.

Davidson, P. «Insulin resistance in hyperglyceridemia». *Metabolism,* 1965; 14: 1059.

Davidson, S. «The use of vitamin B_{12} in the treatment of diabetic neuropathy». *Journal of the Florida Medical Association,* 1954; 15: 717-20.

DCCT and Research Group. «The effect of intensive treatment of diabetes on the development and progression of long-term complications in insulin-dependent diabetes mellitus». *New England Journal of Medicine,* 1993; 329: 977-86.

DECODE study group. «Glucose tolerance and mortality: comparison of WHO and American Diabetes Association diagnostic criteria». *Lancet,* 1999; 354: 617-21.

Ditzel, J. «Oxygen transport impairment in diabetes». *Diabetes,* 1976; 25: 832-38.

Douillet, C, *et al.* «A selenium supplement associated or not with vitamin E delays early renal lesions in experimental diabetes in rats». *Proceedings of the Society for Experimental Biology and Medicine,* 1996; 211: 323-31.

Drause, M. V., y Hunscher, M. A. *Food, Nutrition, and Diet Therapy,* 5.ª ed. Philadelphia: W. B. Saunders Co., 1972, pág. 141.

Duffield, R. «Treatment of hyperlipidemia retards progression of symptomatic femerol atherosclerosis». *Lancet,* 1983; 2: 639.

Durlach, J., y Collery, P. «Magnesium and potassium in diabetes and carbohydrate metabolism. Review of the present status and recent results». *Magnesium,* 1984; 3:315-23.

Eaton, S. B., *et al.* «Paleolithic nutrition, a consideration of its nature and current implications». *New England Journal of Medicine,* 1985; 312(5): 283-89.

Ebon, M. *The Truth about Vitamin E.* Nueva York: Bantam, 1972, pág. 7.

Echte, W. «Die Einwirkung von Weissdom-extrakten auf die dynamic des menschlichen herzens. (The effect of Hawthorn extracts on the dynamics of the human heart)». *Aerztliche Forshung,* 1960; 1: 560-66.

Editorial. «Coronary artery bypass surgery-Indications and limitations». *Lancet,* 1980; 2: 511.

Editorial. «Keep taking your bran». *Lancet,* 1979; 1:1175.

Elam, M. B., *et al.* «Effect of niacin on lipid and lipoprotein levels and glycemic control in patients with diabetes mellitus and peripheral arterial disease: The ADMIT study: A randomized trial. Arterial Disease Multiple Intervention Trial». *Journal of the American Medical Association,* 2000; 284(10): 1263-70.

Elamin, A., y Tuvemo, T. «Magnesium and insulin-dependent diabetes mellitus». *Diabetes Research and Clinical Practice,* 1990; 10: 203-9.

Ellenberg, M. «Diabetes: current status of the revolving disease». *New York State Journal of Medicine,* 1977; 77: 62-67.

Elliott, R. B., *et al.* «A population-based strategy to prevent insulin-dependent diabetes using nicotinamide». *Journal of Pediatric Endocrinology and Metabolism,* 1996; 9: 501-9.

—. «Prevention of diabetes in normal school children». *Diabetes Research and Clinical Practice,* 1991; 14: S85.

Ellis, F. «Angina and vegan diet». *American Heart Journal,* 1977; 93: 803.

Ellis, J. M., *et al.* «A deficiency of vitamin B_6 is a plausible molecular basis of the retinopathy of patients with diabetes mellitus». *Biochemical and Biophysical Research Communications,* 1991; 179: 615-19.

Elson, D. F, y Meredith, M. «Therapy for Type II diabetes mellitus». *Wisconsin Medical Journal,* 1998; 97: 49-54.

Eriksson J. G. «Exercise and the treatment of Type II diabetes mellitus: An update». *Sports Medicine,* 1999; 27(6): 381-91.

Evans, G. W., Roginski, E. E., y Mertz, W. 1973. «Interaction of the glucose tolerance factor, with insulin». *Biochemistry and Bile Physics Research Community,* 1973; 50: 718-22.

Everwib, G. J., y Schrader, R. E. «Abnormal glucose tolerance in magnesium space deficient guinea pigs». *Journal of Nutrition,* 1968; 94: 89-94.

Farnsworth, N. R., y Segelman, A. B. «Hypoglycemic plants». *Till and Tile,* 1971; 52-55.

Farquhar, J. «Glucose, insulin and triglyceride responses on high- and low-carbohydrate diets in man». *Journal of Clinical Investigation,* 1966; 45: 1648.

Faure, P., *et al.* «Zinc and insulin sensitivity». *Biological Trace Element Research,* 1992; 32: 305-10.

Ford, E. S., *et al.* «Diabetes mellitus and serum carotenoids: Findings from the third National Health and Nutrition Examination Survey». *American Journal of Epidemiology,* 1999; 149: 168-76.

Fox, M. R. S. «The status of zinc in human nutrition». *World Review of Nutrition Diet,* 1970; 12: 208-26.

Freestone, S. «Effect of coffee and cigarette smoking in blood pressure of untreated and diuretic-treated hypertensive patients». *American Journal of Medicine,* 1982; 73: 348.

Friday, K. E., *et al.* «Omega-3 fatty acid supplementation has discordant effects on plasma glucose and lipoproteins in Type II diabetes». *Diabetes,* 1987; 36 (Suppl. 1): 12A.

Friedman, M. «Effect of unsaturated fats upon lipemia and conjunctival circulation». *Journal of the American Medical Association,* 1965; 193: 110.

—. «Serum lipids and conjunctival circulation after fat ingestion in men exhibiting Type-A behavior pattern». *Circulation,* 1964; 29: 874.

Fuller, C. J., *et al.* «RRR-alpha-tocopheryl acetate supplementation at pharmacologic doses decreases low-density-lipoprotein oxidative susceptibility but not protein glycation in patients with diabetes mellitus». *American Journal of Clinical Nutrition,* 1996; 63: 753-59.

Funayama, S., y Hikino, H. «Hypertensive principle of laminaria and allied seaweeds». *Planta Medica,* 1991; págs. 29-33.

Gabbay, K. H. The sorbitol pathway and the complications of diabetes. *New England Journal of Medicine,* 1973; 288: 831-36.

Garg, A., and Grundy, S. M. Nicotinic acid therapy for dyslipidemia in non-insulin-dependent diabetes mellitus. *Journal of the American Medical Association,* 1990; 264: 723-26.

Gear, J. «Symptomless diverticular diseases and intake of dietary fiber». *Lancet,* 1979; 1:511.

Genta, V. «Vitamin A deficiency enhances binding of benzo(a)pyrene to tracheal epithelial DNA». *Nature,* 1974; 247: 48.

Gerstien, H. C. «Cow's milk exposure and Type I diabetes mellitus». *Diabetes Care,* 1994; 17:13-19.

Gilliland, F. D., *et al.* «Temporal trends in diabetes mortality among American Indians and Hispanics in New Mexico: Birth cohort and period effects». *American Journal of Epidemiology,* 1997; 145: 422-31.

Gleeson, M. «Complications of dietary deficiency of vitamin B_{12} in young Caucasians». *Postgraduate Medical Journal,* 1974; 50: 462.

Glinsmann,W. H., y Mertz. «Effect of trivalent chromium on glucose tolerance metabolism». *Metabolism,* 1966; 15: 510-20.

Goh, Y. K., *et al.* «Effect of omega-3 fatty acid on plasma lipids, cholesterol and lipoprotein fatty acid content in NIDDM patients». *Diabetologia,* 1997; 40: 45-52.

Goldfine, A. B., *et al.* «Clinical trials of vanadium compounds in human diabetes mellitus». *Canadian Journal of Physiology and Pharmacology,* 1994; 72 (Suppl. 3): 11.

Goldstein, D. E. «How much do you know about glycated hemoglobin testing?» *Clinical Diabetes,* julio/agosto 1995, págs. 60-64.

Goodyear, L. J., y Kahn, B. B. «Exercise, glucose transport, and insulin sensitivity». *Annual Review of Medicine,* 1998; 49: 235-61.

Greenbaum, C. J., *et al.* «Nicotinamide's effect on glucose metabolism in subjects at risk for IDDM». *Diabetes,* 1996; 45: 1631-34.

Greig, H. «Inhibition of fibrinolysis by alimentary lipemia». *Lancet,* 1956; 2: 16.

Gurson, C. T, y Saner, G. «Effect of chromium on glucose utilization in marasmic protein-calorie malnutrition». *American Journal of Clinical Nutrition,* 1971; 24: 13.

Guthrie, B. E. «Chromium, manganese, copper, sing, and cadmium content of New Zealand foods». *New Zealand Medical Journal,* 1975; 82: 418-24.

Guthrie, H. A. *Introductory Nutrition,* 2.° ed. St. Louis: C. V. Mosby Co., 1971, pág. 262.

Halpern, R., y Smith, R. A. «Molecular Biology Institute», tal como se cita en Clark, *Know Your Nutrition,* pág. 84.

Halsted, J. A., Smith, J. C, Jr., e Irwin, M. I. «A prospectus of research on zinc requirements of man». *Journal of Nutrition,* 1975; 104: 347-78.

Hamberg, M. Thromboxanes: «A new group of biologically active compounds derived from prostaglandin endoperoxides». *Procedures of the National Academy of Science,* 1975; 72: 2994.

Hambidge, K. M., Hambidge, C. Jacobs, M., y Baum, J. D. «Low levels of zinc in hair, anorexia, poor growth, and high hypogenusia in children». *Pediatric Research,* 1972; 6: 868-74.

Hammeri, H., Kranzi, C, Pichler, O., y Studiar, M. «Klinisch experimentelle stoffwechseluntersuchungen mit einem crataegus extract». *Aerzlkhe Forschung,* 1967, págs. 261-70.

Hankin, J. H., Margen, S., y Goldsmith, N. F. «Contribution of acidic water to calcium and magnesium intakes of adults». *Journal of the American Diabetic Association,* 1970; 56: 212-24.

Harrell, R. F. «Effect of added thiamine on learning. Tal como se cita en Rodale and Staff». *The Health Seeker,* págs. 18-19.

Herbert, V. «The five possible causes of all nutrient deficiency, illustrated by deficiencies of vitamin B_{12} and folic acid». *American Journal of Clinical Nutrition,* 1973; 26: 77.

Heyssel, R. «Vitamin B_{12} turnover in man». *American Journal of Clinical Nutrition,* 1966; 18: 176.

Higginbottom, M. «A syndrome of methylmalonic aciduria, homo-cystinuria, megaloblastic anemia, and neurological abnormalities in a vitamin B_{12} breast-fed infant of a strict vegetarian». *New England Journal of Medicine,* 1978; 299: 317.

«High polysaccharide diet studies in patients with diabetes and vascular disease». *Cereal Foods World;* 22: 12-15.

Hines, J. «Megaloblastic anemia in an adult vegan». *American Journal of Clinical Nutrition,* 1966; 19:260.

Hinsworth, H. «Physiological activation of insulin». *Clinical Science,* 1933; 1:1.

Hjermann, I. «Effect of diet and smoking intravention on the incidence of coronary heart disease, report from the Oslo Study Group of a randomized trial in healthy men». *Lancet,* 1981; 2: 1303.

Hockerts,T, and Muelke, G. «The coronary effect of aqueous extracts of Crataegus». *Arzneimittel-Forschungen,* 1955, págs. 755-57.

HogenKamp, H. «Editorial: The interaction between vitamin B_{12} and vitamin C». *American Journal of Clinical Nutrition,* 1980; 33: 1.

Holman, R. «Prevention of deterioration of renal and sensory-nerve function by more intensive management of insulin-dependent diabetic patients». *Lancet,* 1983; 1: 204.

Hoover, J. D., y Dunne, L. *Nutrition Almanac,* 2.ª ed. Nuevaw York: McGraw-Hill, 1984, pág. 20.

Hopkins, L. L., Jr., Ransome-Kuti, O., y Majaf, A. S. «Improvement of impaired carbohydrate metabolism by chromium III in malnourished infants». *American Journal of Clinical Nutrition,* 1968; 21: 203-11.

Hornstra, G. «Influence of dietary fat on platelet function in men». *Lancet,* 1973; 1: 1155.

Horwitt, M. K., *et al.* «Investigations of human requirements of B-complex vitamins». *National Research Council Bulletin,* 1948, pág. 116.

Hounsom, L., *et al.* «A lipoic acid-gamma linolenic acid conjugate is effective against multiple indices of experimental diabetic neuropathy». *Diabetologia,* 1998; 41: 839-43.

Hsia, S. L., Fishman, L/M., Briese, F. W.; Christakes, G., Burr, J., y Bricker, L. A. «Decreases in serum cholesterol binding reserve in diabetes myelitis». *Diabetes Care,* 1978; 89-93.

Hsu, J. M., Davis, R. L., y Neithamer, R. W. «Chromium and diabetes in the aged». En *The Biomedical Role of Trace Elements in Aging* (págs. 117-26). St. Petersburg, Fla.: Eckerd College Gerontology Center, 1976.

Hu, F. B., *et al.* «Walking compared with vigorous physical activity and risk of Type 2 diabetes in women: A prospective study». *Journal of the American Medical Association,* 1999; 282(15): 1433-39.

Ippoliti, A. «The effect of various forms of milk on gastric-acid secretions, studies in patients with duodenal ulcer and normal subjects». *Annals of International Medicine,* 1976; 84: 286.

Isaev, I., y Bojadzieva, M. «Obtaining galenic and neogalenic preparations and experiments for the isolation of an active substance from leonurus cardiaca». *Nauchnye Trydy Nisshiia Meditsin-skilnstitut* (Sofia), 1960, págs. 145-52.

Jacobson, M. F, *et al.* «Liquid candy: How soft drinks are harming Americans' health. Center for Science in the Public Interest»; http://www.cspinet.org/sodapop/liquid_candy.htm.

Jain, S. K., *et al.* «Effect of modest vitamin E supplementation on blood glycated hemoglobin and triglyceride levels and red cell indices in Type I diabetic patients». *Journal of the American College of Nutrition,* 1996; 15: 458-61.

Jamal, G. A., «Carmichael, H. The effect of gamma-linolenic acid on human diabetic peripheral neuropathy: a double-blind, placebo-controlled trial». *Diabetes Medicine,* 1990; 7: 319-323.

Jenkins, D. «The diabetic diet, dietary carbohydrate and differences in digestibility». *Diabetologia,* 1982; 23: 477.

Jenkins, D. J. A., Leeds, A. R., Gassull, M. A., Cochet, B., y Alberti, K. G. M. M. «Decrease in postprandial insulin and glucose %

concentrations by guar and pectin». *Annals of Internal Medicine,* 1977; 86: 20-23.

Jenkins, D. J. A., Leeds, A. R., Gassull, M. A., Wolever, T. D. R., Goff, D. V, Alberti, K. G. M. M., y Hockaday, T. D. R. «Un-absorbable carbohydrates and diabetes: Decreased postprandial hyperglycemia». *Lancet,* 1976; 2: 172-74.

Jensen, T, *et al.* «Partial normalization by dietary cod-liver oil of increased microvascular albumin leakage in patients with insulin-dependent diabetes and albuminuria». *New England Journal of Medicine,* 1989; 321: 1572-77.

Josselyn, J. «New England's rarities discovered in birds, beasts, fishes, serpents, and plates of that country». *Archaeologica Americans,* Transaction and Collections of the American Antiquarian Society, Boston, 1860; vol. IV, pág. 105-238.

Journal of the American Medical Association, 1958; 167: 1806, tal como se cita en Rodale, *The Encyclopedia for Healthful Living,* pág. 980.

Kameda, J. «Medical studies on sea weeds». I. *Fukushima Igaku Zassi,* págs. 289-309.

—. «Medical studies on seaweeds. II. Influence of tangle administration on experimental rabbit atherosclerosis produced by cholesterol feeding». *Fukushima Igaku Zasshi,* 1960; pág. 251.

Kanabrocki, E. L., Case, L. E, Graham, L., Fields, T, Miller, E. B., Oester, Y. T., y Kaplan, E. «Non-dialyzable manganese and copper levels in serum of patients with various diseases». *Journal of Nuclear Medicine,* 1967; 8: 166-72.

Kandziora, J. «Crataegutt-wirkung bei koronaren durchblutungsstoe-rungen». *Muenghener Medizinischer Wochenschrift,* 1960, pág. 295-98.

Kanner, J., Harel, S., y Mendel, H. «Content and stability of alpha-tocopherols in fresh and dehydrated pepper fruits (Capsicum annum L)». *Journal of Agriculture and Food Chemistry,* 1979.

Karjalainen, J., *et al.* «A bovine albumin peptide as a possible trigger of insulin-dependent diabetes». *New England Journal of Medicine,* 1992; 327: 302-7.

Keen, H., *et al.* «Treatment of diabetic neuropathy with gamma-linoleic acid. The Gamma-Linoleic Acid Multi-center Trial Group». *Diabetes Care,* 1993; 16: 8-15.

Kempner, W. «The effect of rice diet on diabetes mellitus associated with vascular disease». *Postgraduate Medicine,* 1958; 24: 359.

Keys, A. «Serum cholesterol response to changes in dietary lipids». *American Journal of Clinical Nutrition,* 1966; 19: 175 (1966).

—. «Effects of different fats on blood coagulation». *Circulation,* 1957; 15:274.

Khan, M. A., *et al.* «Vitamin B_{12} deficiency and diabetic neuropathy». *Lancet,* 1969; 2: 769-70.

Kikkila, E. «Prevention of progression of coronary atherosclerosis by treatment of hyperlipidemia: A seven-year prospective angiographic study». *British Medical Journal,* 1984; 289: 220.

Kirschmann, J. D., y Dunn, L. *Nutrition Almanac,* 2.ª ed. Nueva York: McGraw-Hill, 1984, págs. 13-15, 54, 241-81.

Kirwan, J. P., *et al.* «Regular exercise enhances insulin activation of IRS-l-associated P13-kinase in human skeletal muscle». *Journal of Applied Physiology,* 2000; 88(2): 797-803.

Klachko, D. M., *et al.* «Blood glucose levels during walking in normal and diabetic subjects». *Diabetes,* 1972; 21: 89-100.

Klemes, I. S. «Industrial medicine and surgery» (Junio 1957), tal como se cita en Rodale, *Encyclopedia for Healthful Living,* págs. 108-10.

Kohler, F. P., y Uhle, C. A. W. *Journal of Urology,* noviembre 1966, tal como se cita en Rodale, *Complete Book of Minerals for Health,* pág. 78.

Kolata, G. «Dietary dogma disproved». *Science,* 1983; 220: 487.

—. «Consensus on bypass surgery». *Science,* 1981; 211: 42.

Kosenko, L. G. *Klinical Medizine,* 1964; 42: 113.

Kosuge, T, Nukaya, H., Yamamoto, T, y Tsuji, K. «Isolation and identification of cardiac principles from laminaria». *Yakugaku Zasshi,* 1983, pág. 683-85.

Koutsikos, D., *et al.* «Biotin for diabetic peripheral neuropathy». *Bio-medicine and Pharmacotherapy,* 1990; 44: 511-14.

Kovach, A. G. B., Foldi, M., y Fedina, L. «Die Wirkung eines extraktes aus Crataegus oxuacantha auf die durchstromung der coronarien von hunden». *Arzneimittel Forschung,* 1959.

Koya, D., *et al.* «Prevention of glomerular dysfunction in diabetic rats by treatment with d-alpha-tocopherol». *Journal of the American Society of Nephrology,* 1997; 8: 426-35.

Krhel, W. A. *American Journal of Clinical Nutrition,* 1962; 11: 77.

Kubota, S. «The study of leonurus sibericus L II. Pharmacological study of the alkaloid "leonurin" isolated from leonurus sibericus L». *Folia Pharmacologica Japonica,* págs. 159-167.

Kunisake, M., *et al.* «Prevention of diabetes-induced abnormal retinal blood flow by treatment with d-alpha-tocopherol». *Biofactors,* 1998; 7: 55-67.

Kuo, P. «The effect of lipemia upon coronary and peripheral arterial circulation in patients with essential hyperlipemia». *American Journal of Medicine,* 1959; 26: 68.

—. «Lipemia in patients with coronary heart disease, treatment with low-fat diet». *Journal of the American Dietitians Association,* 1957; 33:22.

—. «Angina pectoris induced by fat ingestion in patients with coronary artery disease». *Journal of the American Dietitians Association,* 1955; 158: 1008.

Lampeter, E. R, *et al.* «The Deutsche nicotinamide intervention study: An attempt to prevent Type I diabetes. DENIS Group». *Diabetes,* 1998; 47; 980-84.

Lampman, R. «Comparative effectiveness of physical training and diet in normalizing serum lipids in men with Type IV hyperlipoproteinemia». *Circulation,* 1977; 55: 652.

Lappe, F. *Diet for a Small Planet,* Nueva York: Galantine Books, 1971, pág. 88.

Larharl, K. D. *Journal of the Indian Medical Association* (marzo 1954), tal como se cita en Rodale, ed., *Prevention* (noviembre 1968).

La Riforma Medical, 1955; 69: 853-56, tal como se cita en Rodale, *Encyclopedia for Healthful Living,* pág. 978.

Leatherdale, B. A., *et al.* «Improvement of glucose tolerance due to Momordica charantia (Karela)». *British Medical Journal (Clinical Research Ed),* 1981; 282:1823-24.

Ledbetter, R. «Severe megaloblastic anemia due to nutritional B_{12} deficiency». *Acta Haemat,* 1969; 42: 247.

Leek, S. *Herbs, Medicine and Mysticism.* Chicago: Henry Regnery Co., 1975.

Leslie, R. D. G., *et al.* «Early environmental events as a cause of IDDM». *Diabetes,* 1994; 43: 843-50.

Leung, A. Y. *Encyclopedia of Common Natural Ingredients.* Nueva York: Wiley-Interscience, 1980, págs. 257-59.

Levin, E. R., *et al.* «The influence of pyridoxine in diabetic peripheral neuropathy». *Diabetes Care,* 1981; 4: 606-9.

Levine, R. A., Streeten, D. H. P., y Doisy, R. J. 1968. «Effects of oral chromium supplementation on the glucose tolerance of elderly human subjects». *Metabolism,* 1968; 17: 114-25.

Levy-Marchal, C, *et al.* «Antibodies against bovine albuim and other diabetic markers in French children». *Diabetes Care,* 1995; 18: 1089-94.

Lewis, W. H., y Elvin-Lewis, M. P. F. *Medical Botany.* Nueva York: John Wiley & Sons, 1977.

Li, Shih-chen. *Chinese Medicinal Herbs,* traducido por F. Porter Smith y G. A. Stuart. San Francisco: Georgetown Press, 1973.

Linday, L. A. «Trivalent chromium and the diabetes prevention program». *Med Hypotheses,* 1997; 49: 47-49.

Linnell, J. «Effects of smoking on metabolism and excretion of vitamin B_{12}». *British Medical Journal,* 1968; 2: 215.

List, P.H., y Hoerhammer, L. *Hagers Handbuch der Pharmazeutischen Praxis,* vols. 2-5. Berlin: Springer-Verlag.

«Long term effects of high carbohydrate, high fiber diets on glucose and lipid metabolism: A preliminary report on patients with diabetes». *Diabetes Care,* 1: 77082.

Lostroh, A. J., y Krahl, M. E. «Magnesium, a second messenger for insulin: Ion translocation coupled to transport activity». *Advances in Enzyme Regulation,* 1974; 12: 73-81.

Lubin, B., Machlin, L. «Biological aspects of vitamin E». *Annals of the New York Academy of Sciences,* 1982, pág. 393.

Lust, J. *The Herb Book.* Simi Valley, CA: Benedict Lust, 1974.

Madsen, J. L., *Journal of Animal Science,* tal como se cita en Rodale, ed., *Prevention* (junio 1971).

Maebashi, M., *et al.* «Therapeutic evaluation of the effect of biotin on hyperglycemia in patients with non-insulin-dependent diabetes mellitus». *Journal of Clinical Biochemical Nutrition,* 1993; 14: 211-18.

Mann, D. «Appropriate cardiovascular therapy: Clinical and experimental study of the action of an injectable preparation of crataegus». *Zeitschrift fuer die Gesamte Innere Medizin und Ihre Grenzgbiete,* 1963, págs. 145-51.

Martindale. *The Extra Pharmacopoeia,* London: The Pharmaceutical Press, 1977.

Mateo, M. C, *et al.* «Serum zinc, copper and insulin in diabetes mellitus». *Biomedicine,* 1978; 29: 56-58.

Mather, H. M. «Hypomagnesaemia in diabetes». *Acta Clinica Chemica,* 1979; 95: 235-42.

Mathew, P. T, y Augusti, K. T. «Hypoglycaemic effects of onion, Allium cepa Linn, on diabetes mellitus-A preliminary report». *Indian Journal of Physiology and Pharmacology,* 1975; 19: 213-17.

Mayer-Davis, E. J. «Intensity and amount of physical activity in relation to insulin sensitivity». *Journal of the American Medical Association,* 1998; 279(9): 669-74.

McCance and Widdowson. *The Composition of Foods.* Medical Research Council Special Report series no. 297, Her Majesty's Stationery Office, Londres.

Mcintosh, H. «The first decade of aortocoronary bypass grafting, 1967-1977, a review». *Circulation,* 1978; 57: 405.

McNair, P., *et al.* «Hypomagnesium, a risk factor in diabetic retinopathy». *Diabetes,* 1978: 27: 1075-77.

Mertz, W. «Biological role of chromium». *Federation Proceedings,* 1967; 26: 186-93.

Mettlin, C. «Dietary risk factors in human bladder cancer.» *American Journal of Epidemiology,* 1979; 110: 255.

Millspaugh, C. F. *American Medicinal Plants.* Nueva York: Dover, 1974.

Misra, H. «Subacute combined degeneration of the spinal cord in a vegan». *Postgraduate Medical Journal,* 1971; 47: 624.

Montori, V. M., *et al.* «Fish oil supplementation in Type II diabetes: A quantitative systemic review». *Diabetes Care,* 2000; 23:1407-15.

Mooradian, A. G., *et al.* «Selected vitamins and minerals in diabetes». *Diabetes Care,* mayo 1994; 341(4): 464-479.

Moore, F. D., *et al. Metabolism,* 1955; 4: 379.

Morales, Betty Lee, ed., *Cancer Control Journal,* 1974; 2: 3:13.

Morgan, A. F, *et al. Journal of Biological Chemistry,* 1952; 195: 583.

Morgan, J. M. 1972. «Hepatic chromium content in diabetic subjects». *Metabolism,* 1972; 21: 313-16.

Morrison, Cr. L. M., y Gonzalez, W. F. *Proceedings of the Society of Biology and Medicine,* 1950; 73: 37-38, tal como se cita en Rodale, *Encyclopedia for Healthful Living,* págs. 457-58.

Murphy, M. «Vitamin B_{12} deficiency due to a low-cholesterol diet in vegetarian». *Annals of International Medicine,* 1981; 94: 57.

Mustard, J. «Effect of different fats on blood coagulation, platelet economy, and blood lipids». *British Medical Journal,* 1962; 2: 1651.

Muth, H. W. «Studies on the vasoactive effects of Cratemon preparations». *Therapie Der Gegenwart,* 1976, págs. 242-55.

Nickander, K. K., *et al.* «Alpha-lipoic acid: antioxidant potency against lipid peroxidation of neural tissues in vitro and implications for diabetic neuropathy». *Free Radical Biology and Medicine,* 1996; 21: 631-39.

O'Brian, J. «Fat ingestion, blood coagulation, and atherosclerosis». *American Journal of Medical Science,* 1957; 234: 373.

—. «Acute platelet changes after large meals of saturated and unsaturated fats». *Lancet,* 1976; 1: 878.

O'Dea, K. «Physical factors influencing postprandial glucose and insulin responses to starch». *American Journal of Clinical Nutrition,* 1971; 33: 521.

O'Dell, B. L., Morris, E. R., y Reagan, W. O. «Magnesium requirements of guinea pigs and rats. Effects of calcium and phosphorus and symptoms of magnesium deficiency». *Journal of Nutrition,* 1960; 70: 103-11.

Olefsky, J. «Reappraisal of the role of insulin in hypertriglyceridemia». *American Journal of Medicine,* 1974; 57: 551.

Oliva, P. «Pathophysiology of acute myocardial infarction, 1981». *Annals of International Medicine,* 1981; 94: 236.

Ornish, D. «Effects of stress management training and dietary-change in treating ischemic heart disease». *Journal of the American Medical Association*, 1983; 249: 54.

Onuma, T., *et al.* «Effect of vitamin E on plasma lipoprotein abnormalities in diabetic rats». *Diabetes, Nutrition and Metabolism,* 1993; 6: 135-38.

Ornish, D., *et al.* «Can lifestyle changes reverse coronary heart disease? The lifestyle heart trial». *Lancet*, 1990; 336:129-33.

Ozawa, H., Gomi, Y., y Otsudi, I. «Pharmacological studies on laminine monocitrate». *Yakugaku Zasshi*, 1967, *págs*. 935-39.

Pai, L. H., y Prasad, A. «Cellular zinc in patients with diabetes mellitus». *Nutrition Research*, 1988; 8: 889-98.

Painter, N. «The high-fiber diet in the treatment of diverticular disease of the colon». *Postgraduate Medical Journal*, 1974; 50: 629.

Paolisso, G., *et al*. «Improved insulin response and action by chronic magnesium administration in aged NIDDM subjects». *Diabetes Care*, 1989; 12: 265-69.

Pedersen, M. *Nutritional Herbology*. Bountiful, UT: Petersen Publishing, 1988, pág. 149.

Pedersen, O. «Increased insulin receptors after exercise in patients with insulin-dependent diabetes mellitus». *New England Journal of Medicine*, 1980; 302: 886-92.

Peer, L. A. «22nd Annual Meeting of International College of Surgeons», tal como se cita en Rodale, *The Health Seeker*, pág. 194.

Perex, G. O., *et al*. «Potassium homeostasis in chronic diabetes mellitus». *Archives of Internal Medicine*, 1977; 137:1018-22.

Peto, R. «Can dietary beta-carotene materially reduce human cancer rates?». *Nature*, 1981; 290:201.

Podrid, P. «Prognosis of medically treated patients with coronary-artery disease with profound ST-segment depression during exercise testing». *New England Journal of Medicine*, 1981; 305: 1111.

Pollack, H., *et al*. *Therapeutic Nutrition*. Publication #234, National Research Council, 1952.

Polyadov, N. G. «A study of the biological activity of infusions of valerian and motherwort and their mixtures». *Information of the First All-Russian Session of Pharmacists*, Moscow, 1964, págs. 319-24.

Pozzilli, P., *et al*. «Meta-analysis of nicotinamide treatment in patients with recent-onset IDDM. The Nicotinamide Trialists». *Diabetes Care*, 1996; 19: 1357-63.

—.«Double blind trial of nicotinamide treatment in recent-onset IDDM (the IMDIAB III study)». *Diabetologia*, 1995; 38: 848-52.

Prakash, A. O., *et al*. «Effects of feeding Gymnema sylvestre leaves on blood glucose in beryllium nitrate treated rats». *Journal of Ethnopharmacology*, 1986; 18: 143-46.

Prasad, G. «Studies on etiopathogenesis of hemorrhoids». *American Journal of Proctology*, Junio 1976, pág. 33.

Pritkin, N. *Research Projects*. Santa Monica, CA: Pritkin Research Foundation, 1981.

Public Citizen's Health Research Group. Risk of serious low blood sugar with antidiabetic drugs. *Worst Pills Best Pills News*, dic. 1996; 2(12): 46.

—. «Acarbose (Precose) for diabetes no substitute for diet and exercise». *Worst Pills Best Pills*, abril 1996; 2(6): 14.

Ralli, I. P. *Nutritional Symposium Series*, 1952; 5: 78.

Ramanadham, S., *et al.* «Oral vanadyl sulfate in the treatment of diabetes mellitus in rats». *American Journal of Physiology*, 1989; 257: 904-11.

Ravina A., *et al.* «Clinical use of the trace element chromium (III) in the treatment of diabetes mellitus». *Journal of Trace Elements in Medicine and Biology*, 1985; 8: 183-90.

Ravina, A., y Slezak, L. «Chromium in the treatment of clinical diabetes mellitus» (en hebreo). *Harefuah*, 1993; 125(5-6): 142-45.

Raz, I., *et al.* «The influence of zinc supplementation on glucose homeostasis in NIDDM». *Diabetes Res*, 1980; 11: 73-79.

Reaven, G. M. *Syndrome X: Overcoming the Silent Killer That Can Give You a Heart Attack*. Nueva York: Simon &Schuster, 2000.

—. «Role of insulin resistance in human disease». *Diabetes*, 1988; 37: 1595-1607.

—. «Effects of differences on amount and kind of dietary carbohydrate on plasma glucose and insulin responses in man». *American Journal of Clinical Nutrition*, 1979; 32: 2568.

Reuters Health Information, Inc. «High sugar intake ups heart risk». 22 de junio, 1998; http://www.reutershealth.com.

Rewerksi, W., y Lewark, S. «Hypotonic and sedative polyphenol and procyanidin extracts from hawthorn». *Ger. Offen*, 1970; 2: 145-211.

—. «Pharmacological properties of flaven polymers isolated from hawthorn (crataegus oxyacantha)». *Arzneimittel-Forschungen*, 1967, págs. 490-91.

Rewerksi, W.,Tadeusz, P., Rylski, M., y Lewark, S. «Pharmacological properties of oligomeric procyanidin Crataegus oxyacantha (hawthorn)». *Arzneimittel-Forschungen*, 1971, págs. 886-88.

Ribes, G., *et al.* «Antidiabetic effects of subfractions from fenugreek seeds in diabetic dogs». *Proceedings of the Society for Experimental Biology and Medicine*, 1986; 182: 159-66.

Rimm, E. B. «Vitamin E consumption and the risk of coronary disease in men». *New England Journal of Medicine*, 1993; 328: 1450-55.

Rodale, J. I. *The Encyclopedia for Healthful Living*. Emmaus, PA: Rodale Books, 1970, pág. 117.

—. *The Health Seeker*. Emmaus, PA: Rodale Books, 1962, pág. 869.

Rumessen, J. J., *et al.* «Fructans of Jerusalem artichokes: Intestinal transport, absorption, fermentation, and influence on blood glucose, insulin, and C-peptide responses in healthy subjects». *American Journal of Clinical Nutrition*, 1990; 52: 675-84.

Sadritdinov, F. «Comparative study of the anti-inflammatory properties of alkaloids from gentiana plants». *Farmakologia Alkaloidov Serdechnykh Glikozidov*, 1971, págs. 146-48.

Saudek, C. D., y Brach, E. L. «Cholesterol metabolism in diabetes. The effect of diabetic control on sterol balance». *Diabetes*, 1987; 27: 1059-64.

Saudek, C. D., *et al.* *The Johns Hopkins Guide to Diabetes for Today and Tomorrow*. Baltimore: John Hopkins University Press, 1997, págs. 22-29.

Schauenburg, P., y Paris, F. *Guide to Medicinal Plants*. Guildford, UK: Keats Publishing, 1977.

Searl, P. B., Norton, T. R., y Lum, B. K. B. «Study of a cardiotonic fraction from an extract of the seaweed, Undaria pinnatifida». *Proceedings of the Western Pharmacology Society*, 1981, págs. 63-65.

Seltzer, H. S. «Diagnosis of diabetes». En S. S. Fajans and K. E. Sussmand, eds., *Diabetes Mellitus: Diagnosis and Treatment*. New York: McGraw-Hill, 1979, págs. 436-507.

Selye, H. *The Stress of Life*. Nueva York: McGraw-Hill, 1956.

—. *Journal of Clinical Endocrinology*, 1946; 6: 117.

Shamberger, R.J. «The insulin-like effects of vanadium». *Journal of Advanced Medicine*, 1996; 9: 121-31.

Shanmugasundarum, E. R., *et al.* «Possible regeneration of the islets of Langerhans in streptozotocin-diabetic rats given Gymnema sylvestre leaf extracts». *Journal of Ethnopharmacology*, 1990; 30: 265-79.

—. «Use of Gymnema sylvestre leaf extract in the control of blood glucose in insulin dependent diabetes mellitus». *Journal of Ethnopharmacology*, 1990; 30: 281-94.

Sharma, R. D., *et al.* «Effect of fenugreek seeds on blood glucose and serum lipids in Type I diabetes». *European Journal of Clinical Nutrition*, 1990; 44: 301-6.

Shekelle, R. «Dietary Vitamin A and risk of cancer in the Western Electric Study». *Lancet*, 1981; 2: 1185.

Shimizu, K. «Suppression of glucose absorption by some fractions extracted from Gymnema sylvestre leaves». *Journal of Veterinary Medicine Science*, 1997; 59(4): 245-51.

Shoemaker, J. V. *A Practical Treatise on Materia Medica and Therapeutics*. Philadelphia, 1908, pág. 910.

Shun, D. «Nutritional megalobalistic anemia in vegan». *New York State Journal of Medicine*, 1972; 2: 2893.

Shute, W. E., y Taub, H. J. *Vitamin E for Ailing and Healthy Hearts*. Nueva York: Pyramid House, 1969, págs. 75-77.

Silver, A. A., y Krantz, J. C. «The effect of the ingestion of burdock root on normal and diabetic individuals. A preliminary report». *Annals of Internal Medicine*, 1931; 5: 274-84.

Singh, I. «Low-fat diet and therapeutic doses of insulin in diabetes mellitus». *Lancet*, 1955; 1: 422.

Sjogren, A., *et al.* «Magnesium, potassium and zinc deficiency in subjects with Type II diabetes mellitus». *Acta Medicica Scandinavica*, 1988; 224: 461-66.

Smith, A. «Veganism: A clinical survey with observations of vitamin B_{12} metabolism». *British Medical Journal*, 1962; 1: 1655.

Sokoloff, Boris. *Cancer: New Approaches, New Hope*. Nueva York: Devin-Adair.

Soman, V. «Increased insulin sensitivity and insulin binding to monocytes after physical training». *New England Journal of Medicine*, 1979; 301: 1200.

Sporn, M. «Prevention of chemical cardinogenesis by vitamin A and its synthetic analogs (retinoids)». *Federal Proceedings*, 1976; 35: 1332.

Stamler, J. «Lifestyles, major risk factors, proof and public policy». *Circulation*, 1978; 53: 3.

Stampfer, M. J., *et al.* «Vitamin E consumption and the risk of coronary disease in women». *New England Journal of Medicine*, 1993; 328: 1444-48.

Stewart, J. «Response of dietary vitamin B_{12} deficiency to physiological oral doses of cyanocobalamin». *Lancet*, 1970; 2: 542.

Straumfjord, J. V. «Astoria, Oregon, tal como se cita en Rodale», ed., *Prevention* (noviembre 1968).

Strom, A. «Mortality from circulatory diseases in Norway 1940-1945». *Lancet*, 1951; 1: 126.

Sweeney, S. «Dietary factors that influence the dextrose tolerance test». *Archives of International Medicine*, 1927; 40: 818.

Trowell, H. «Definition of dietary fiber and hypotheses that it is a protective factor in certain diseases». *American Journal of Clinical Nutrition*, 1976; 29: 417.

Turova, M. A. *Lekarstvennye Sredstava Lz Rastenyi (Medical-Herbal Preparations)*. Moscú Medicinskaya Leteratura, 1962.

Tyler, V. E., et al. *Pharmacognosy*, 7ª ed. Philadelphia: Lea & Febiger, 1976.

Ullsperger, R. Vorlaufige mitteilung ueber den coronargefaesse erweiternden wirkkoerper aus weissdom. (Preliminary communication concerning a coronary vessel dilating principle from hawthorn). *Pharmazie*, 1951, págs. 141-44.

Vague, P., et al. Effect of nicotinamide treatment on the residual insulin secretion in Type I (insulin-dependent) diabetic patients. *Diabetologia*, 1989; 32: 316-21.

Van Eck, W. The effect of a low-fat diet on the serum lipids in diabetes and its significance in diabetic retinopathy. *American Journal of Medicine*, 1959; 27: 196.

Varma, S. D., et al. Refractive change in alloxan diabetic rabbits, controlled by flavonoids I. *Acta Opthalmologica*, 1980; 58: 748-59.

Vitamin B_6: The Doctors Report. New York: Harper and Row, 1973.

Wald, N. Low serum–Vitamin A and subsequent risk of cancer, preliminary results of a prospective study. *Lancet*, 1980; 2: 813.

Walker, A. Appendicitis, fiber intake, and bowel behavior in ethnic groups in South Africa. *Postgraduate Medical Journal*, 1973; 49: 243.

Walker, K. Z., *et al.* Effects of regular walking on cardiovascular risk factors and body composition in normaoglycemic women and women with Type II diabetes. *Diabetes Care*, 1999; 22(4): 555-61.

Wapnick, S., Wicks, A. C. B., Kanengoni, E., y Jones, J. J. Can diet be responsible for the initial lesion in diabetes? *Lancet*, 1972; 2: 300-301.

Weisburger, J. Inhibition of carcinogenesis: Vitamin C and the prevention of gastric cancer. *Preventive Medicine*, 1980; 9: 352.

---------. Nutrition and cancer–On the mechanisms bearing on causes of cancer of the colon, breast, prostate, and stomach. *Bulletin from the New York Academy of Medicine*, 1980; 56: 673.

Werbach, M. R., Murray, M. T. *Botanical Influences on Illness: A Sourcebook of Clinical Research*. Tarzana, CA: Third Line Press, 1994, pág. 28.

West, E. The electroencephalogram in veganism, vegetarianism, vitamin B_{12} deficiency, and in controls. *Journal of Neurological and Neurosurgical Psychiatry*, 1966; 29: 391.

West, K. M., y Kalbfleisch, J. M. Influence of nutritional factor on prevalence of diabetes. *Diabetes*, 1971; 20: 99-108.

Westlake, C. Appendectomy and dietary fiber. *Journal of Human Nutrition*, 1980; 34: 267.

Whitaker, J. *Reversing Heart Disease*. New York: Warner Books, 1985. Citado en *The Good Fats: Preventions Guide to the Cholesterol-Fighting Omega-3 Oils*. Emmaus, PA: Rodale Press, Inc., 1988.

Williams, A. Increased blood cell agglutination following ingestion of fat, a factor contributing to cardiac ischemia, coronary insufficiency, and anginal pain. *Angiology*, 1957; 8: 29.

Williams, D. E., et al. Frequent salad vegetable consumption is associated with a reduction in the risk of diabetes mellitus. *Journal of Clinical Epidemiology*, 1999; 52(4): 329-35.

Williams, R. J., *Nutrition Against Disease*. New York: Pitman Publishing, 1971, págs. 75-76,126.

Winawer, S. Gastric and hematological abnormalities in a vegan with nutritional B_{12} deficiency. Effects of oral vitamin B_{12}. *Gastroenterology*, 1967; 53:130.

Womersley, R. A., et A. *Journal of Clinical Investigation*, 1955; 34: 456.

Wood, P. The distribution of plasma lipoproteins in middle-aged male runners. *Metabolism*, 1976; 25: 1249.

Xia, Y. X. The inhibitory effect of motherwort extract on pulsating myocardial cells in vitro. *Journal of Traditional Chinese Medicine*, 1983; 185-88.

Yaniv, Z., *et al.* Plants used for the treatment of diabetes in Israel. *Journal of Ethnopharmacology*, 1987; 19(2): 145-51.

Zang, C, *et al.* Studies of actions of extract of motherwort. *Journal of Traditional Chinese Medicine*, 1982, pág. 267.

Notas

1. Nota del Traductor: «La sangre y su tercer elemento anatómico». No hay versión en castellano.
2. Nota del Traductor: se calcula que en todo el mundo hay casi 400 millones de diabéticos (año 2014). En España la cifra es de algo más de 3,5 millones (año 2014).
3. Nota del Traductor: al ser estadounidenses los autores, suelen ofrecer estadísticas de su país y hacer referencia a él. No obstante, dado que todos los países occidentales imitan desde hace décadas el estilo de vida (hábitos alimenticios incluidos) de Estados Unidos, lo que dicen en este libro es aplicable también a España.
4. Nota del Traductor: NADP = Nicotinamide adenine dinucleotide phosphate; en castellano, nicotinamida adenina dinucleótido fosfato. Es una coenzima muy importante para el organismo y contiene a la vitamina B_3 en su fórmula.
5. Nota del Traductor: BUN = blood urea nitrogen, en inglés.
6. Nota del Traductor: Hay una versión en castellano: *Practicando el poder del ahora*, Gaia Ediciones, 2009.
7. Nota del Traductor: EPA = *eicosapentaenoic acid*, en inglés.
8. Nota del Traductor: DHA = *docasahexaenoic acid*, en inglés.
9. Nota del Traductor: ALA = *alpha-linolenic acid*, en inglés.

10. Nota del Traductor: LA = *linoleic acid*, en inglés.
11. Nota del Traductor: GLA = *gamma-linolenic acid*, en inglés.
12. Nota del Traductor: ICA = islet cell antibodies, en inglés.
13. Nota del Traductor: Otros nombres por los que se conoce a esta planta en castellano son cardíaca, cola de león, corazón duro y corazón real.
14. Nota del Traductor: El autor, en la obra original en inglés, se refiere al *jogging*, que hemos traducido como «carrera ligera», ya que se trata de una actividad menos rápida y enérgica que lo que por lo general entendemos por «correr».
15. Nota del Traductor: El autor utiliza el neologismo *cellercise* en la obra original en inglés. Se trata de un tipo de ejercicio que, según su inventor, trabaja todas las células *(cells)* del cuerpo.
16. Nota del Traductor: *Doc Broc* es una abreviatura de *Doctor Broccoli* («Doctor Brécol»).
17. Nota del Traductor: El *brunch* es una comida que se toma entre el desayuno y el almuerzo, de ahí el nombre, procedente de la fusión de las primeras letras de *breakfast* y las últimas de *lunch.*
18. Nota del Traductor: Para llamar desde España a Estados Unidos hay que marcar 00 (llamadas internacionales), seguido de 1 (el prefijo de Estados Unidos).

Índice analítico

Símbolos

10 pasos para la curación 77

A

A1c 63, 64, 82, 83
aceite de borraja 141
aceite de cáñamo 110
aceite de oliva 107, 108, 111, 212, 215, 216, 217, 218, 220, 221, 222, 228, 229, 231, 238, 239, 240, 243, 244, 247, 248, 249, 250, 251, 252, 255, 259, 261, 262, 264, 266, 271, 276, 280, 284, 286, 287, 291, 293, 294, 296, 297, 298, 299, 301, 313, 316
aceite de pepitas de uva 223, 226, 240, 258, 280, 290, 292, 295, 301
aceite de semillas de lino 110, 209, 234, 252, 255, 268, 269, 282, 283
acerola 172
acidez 11, 16, 23, 27, 39, 40, 41, 42, 43, 44, 45, 47, 49, 50, 51, 52, 54, 57, 61, 62, 63, 69, 70, 71, 72, 75, 81, 82, 100, 102, 103, 138, 144, 147, 154, 167, 169, 173, 174, 176, 179, 180, 186, 189, 190, 304
ácido láctico 64, 104, 178, 180, 181, 184, 187
ácido linoleico 109, 141
ácido pantoténico 162, 168
ácidos grasos esenciales (AGE) 29, 109, 140, 164, 173
acidosis 38, 43
acupuntura 16
Aderezo de crema de frutos secos 259
adrenalina 93, 166, 179
afroamericanos 24, 53
agripalma 171, 172
agua 33, 36, 38, 55, 60, 64, 78, 80, 86, 87, 88, 91, 92, 97, 106, 112, 113, 114, 116, 118, 120, 121, 126, 136, 137, 139, 141, 144, 145, 146, 147, 148, 150, 151, 153, 154, 160, 162, 164, 165, 168, 170, 173, 174, 193, 194, 203, 209, 210, 211, 212, 213, 214, 215, 217, 218, 219, 220, 221, 222, 224, 225, 226, 229, 230, 232, 233, 234, 236, 237, 240, 241, 242, 243, 244, 248, 249, 253, 255, 257, 258, 259, 262, 263, 266, 267, 270, 271, 273, 276, 278, 282, 284, 287, 289, 290, 296, 300, 302, 303, 304, 305, 306, 307, 309, 310, 311, 312, 315, 316, 322, 323
aguacate 50, 89, 106, 108, 117, 118, 119, 132, 203, 204, 207, 208, 210, 211,

215, 216, 217, 218, 219, 220, 221, 222, 228, 230, 231, 234, 236, 241, 244, 245, 250, 258, 259, 260, 264, 265, 277, 278, 280, 285, 288, 294, 309, 317
agua fría 113
ajo 120, 121, 172, 212, 213, 215, 216, 217, 219, 220, 221, 222, 223, 224, 225, 227, 228, 229, 230, 231, 232, 233, 234, 235, 240, 243, 244, 246, 247, 249, 250, 254, 255, 256, 257, 259, 260, 261, 262, 263, 265, 266, 267, 268, 269, 270, 271, 272, 274, 275, 276, 277, 279, 282, 283, 284, 286, 287, 289, 290, 291, 292, 293, 295, 296, 297, 298, 299, 300, 302, 304, 315, 316
ajo puerro 220, 227, 228
albahaca 204, 212, 221, 228, 235, 241, 242, 254, 255, 256, 262, 263, 268, 269, 272, 283, 293, 296, 297, 299, 300, 303, 313, 316
alcalina 27, 28, 31, 36, 43, 48, 55, 57, 63, 78, 81, 90, 98, 99, 112, 114, 143, 166, 195, 204, 228, 230, 237, 240, 261, 275, 276, 280
alcalinizante 88, 118, 139, 202, 232, 252, 288
alcohol 44, 74, 100, 209, 211, 259, 289, 306, 307, 309, 318, 320
alfalfa 86, 123, 124, 137, 148, 154, 164, 168, 202, 210, 251
algas 103
Aliño de aceite de semillas de lino 269
Aliño de aceite de semillas de lino y limón 255
Aliño de aguacate y pomelo 260
Aliño de almendras y aguacate 259
Aliño de cítrico, lino y semillas de amapola 268
Aliño de ensalada de aguacate 264
Aliño de manteca de almendras 256
Aliño de soja y pepino 202, 272
Aliño de tres cítricos 267
Aliño esencial 202, 272
Aliño francés de ajo 269
Aliño Sunshine 264
Allium sativa 172
almendras 50, 89, 90, 111, 117, 203, 205, 208, 213, 214, 220, 223, 224, 227, 228, 234, 235, 236, 245, 246, 254, 256, 257, 258, 259, 270, 271, 280, 283, 291, 293, 295, 296, 297, 299, 300, 302, 303, 304, 305, 308, 309, 310, 311, 312, 314, 317, 318
Almendras de vacaciones 311
Almendresa 270
álsine 168
americanos nativos 24, 53
aminoácidos 46, 62, 63, 64, 111, 123, 124, 129, 147, 149, 155, 162, 221, 222, 225, 230, 231, 233, 234, 236, 240, 243, 244, 245, 246, 247, 250, 251, 253, 254, 257, 259, 261, 267, 271, 272, 273, 276, 278, 282, 287, 289, 290, 298, 304
amputación 24
anaeróbico 44, 178, 179, 180, 181, 184, 186
analizar 21, 80
ansia 49, 79, 115
apio 89, 90, 117, 174, 176, 202, 203, 204, 207, 209, 214, 215, 217, 218, 219, 221, 222, 223, 224, 225, 226, 227, 228, 229, 233, 235, 236, 240, 241, 242, 243, 245, 253, 260, 264, 283, 284, 289, 290, 291, 292, 293, 301, 313
arcilla 29, 152, 153
artificial 79, 108
artritis 71, 176, 192
Asociación Americana para la Diabetes (ADA) 24, 79, 84, 108, 130
ATP 64, 65
aumento de peso 169
automasaje 194
ayunas 36, 38, 80, 82, 84, 104, 105, 146
azafrán 168
azúcar 20, 23, 24, 25, 27, 28, 29, 30, 31, 33, 34, 35, 36, 37, 38, 39, 43, 44, 45, 46, 47, 48, 49, 50, 51, 52, 53, 56, 58, 59, 61, 62, 63, 64, 65, 69, 71, 72, 73, 75, 78, 79, 80, 81, 82, 83, 84, 85, 86, 88, 92, 93, 94, 97, 98, 99, 100, 101, 102, 103, 104, 105, 106, 107, 108, 111, 115, 116,

117, 118, 119, 120, 121, 124, 126, 127, 128, 130, 131, 132, 138, 140, 142, 143, 144, 145, 146, 147, 149, 150, 151, 152, 155, 156, 157, 158, 160, 161, 163, 164, 165, 166, 167, 175, 176, 177, 178, 179, 180, 181, 182, 183, 184, 185, 188, 189, 191, 204, 214, 258, 304
azúcar sanguíneo 24, 29, 43, 45, 46, 53, 56, 61

B

Batido de zanahoria crujiente 204, 212
Batido repleto de hortalizas 203, 209
batidos 86, 88, 117, 118, 196, 197, 207, 214, 220, 223, 224, 227, 235, 317
Batido súper verde de aguacate 89, 203, 208
bayas de cedro 164
bebidas 27, 29, 48, 60, 71, 81, 86, 88, 117, 118, 126, 129, 136, 139, 144, 177, 193, 196, 207, 220, 223, 224, 227, 235, 317
bebida verde 27, 36, 37, 43, 50, 63, 73, 86, 87, 88, 91, 92, 104, 114, 118, 120, 122, 123, 124, 137, 138, 139, 141, 142, 143, 145, 146, 147, 148, 150, 153, 154, 162, 163, 165, 166, 168, 170, 173, 174, 181, 183, 187, 192, 193, 194, 271
Bebida verde de Chi 203, 212
berenjena 275, 279, 283, 284, 293, 294, 300
Berenjena que no te cansas de comer 293
berro 172, 203, 217, 218
bicarbonato sódico 55, 83, 114, 128, 301
boca 47, 55, 139, 160, 180, 186, 294, 297, 302, 316
boldo 137
Bolitas de coco congeladas 305
Bollito del cuatro de julio 300
brécol 88, 89, 90, 117, 118, 120, 124, 202, 203, 209, 210, 212, 218, 225, 227, 233, 234, 236, 243, 247, 250, 251, 281, 289, 295, 296, 297
brotes 86, 92, 114, 118, 120, 123, 124, 132, 136, 138, 139, 140, 142, 173, 183, 202, 203, 204, 208, 210, 211, 217, 239, 251, 271, 285, 313, 315, 316
brotes de soja en polvo 92, 114, 118, 136, 138, 139, 142, 208, 210, 211, 285, 313, 316
Brunch estilo Doc Broc 295
Burrito de Robio 204, 288

C

cafeína 44, 63, 103
calabacín 202, 218, 238, 247, 251, 275, 281, 289, 315
calabaza cidra 281, 282, 297
cantidad diaria 120, 168
caries 55
carne 29, 105, 106, 107, 121, 127, 290
caroteno 108, 193, 194
carrera ligera 186, 350
cataratas 52, 118
causas 44, 68, 103
causas de la inestabilidad 44
cebada silvestre 86, 121, 122, 170, 193
cebolla 120, 213, 214, 215, 216, 217, 220, 221, 222, 223, 224, 225, 226, 228, 229, 231, 232, 233, 235, 236, 239, 240, 246, 247, 250, 251, 252, 254, 257, 258, 260, 261, 263, 265, 266, 267, 268, 269, 272, 275, 276, 277, 278, 283, 286, 287, 288, 289, 290, 291, 294, 295, 296, 300, 301, 302, 303, 304, 315, 316
células alfa 11, 23, 61, 167
células beta 10, 11, 23, 34, 35, 38, 42, 60, 61, 62, 65, 81, 98, 101, 129, 140, 150, 160, 167
celulejercicio 189, 322
cereales 29, 64, 99, 102, 124, 131, 132
cetoacidosis 39, 48, 71, 72, 73
cetonas 72, 73, 147
cetosis 72
chaparral 173
chile 207, 298
chocolate 103
citronela 283
claudicación intermitente 51
clorito sódico 55, 83, 88, 92, 114, 139
clorofila 120, 122, 129, 136, 138, 149, 208, 228

coágulos 82, 109, 140, 147, 159
coco 112, 126, 127, 132, 203, 204, 205, 208, 211, 219, 220, 227, 240, 241, 255, 258, 262, 274, 281, 282, 283, 289, 290, 300, 305, 306, 307, 308, 309, 310, 317, 318, 320
Cóctel de hortalizas 202, 204, 213
cohosh azul 164
cohosh negro 172
col china 229, 279, 281
colesterol 27, 28, 36, 39, 51, 70, 72, 79, 81, 103, 106, 108, 109, 110, 115, 116, 118, 120, 121, 122, 124, 127, 138, 140, 145, 146, 147, 150, 159, 161, 169, 175, 179, 190
coliflor 89, 90, 202, 203, 204, 217, 218, 223, 225, 234, 235, 236, 243, 251, 253
col rizada 137, 207, 251, 271, 285, 286, 287, 290, 298
Col rizada fantástica 286
como fuente de energía 50, 65
complejo de vitaminas B 162
complicaciones 24, 50, 56, 74, 131, 148
comprobar 19, 27, 41, 55, 72, 81, 83, 85, 94
comprobar el nivel de ácido 55
consumo de azúcar 100
controlar 15, 17, 35, 63, 71, 83, 92, 93, 94, 104, 107, 146, 158, 165, 183
corteza de cáscara sagrada 154, 173
corteza de raíz de nogal blanco 154
Crema batida 258
cromo 29, 50, 72, 73, 105, 144, 145, 146, 147, 159, 162, 164, 165, 169, 172
cura de la diabetes 19
cúrcuma 283

D

daño en los nervios 35, 50, 52, 54, 83
degeneración 61, 63, 109, 118, 164
Delicia de pizza de pH 280
Deliciosa tostada de tomate con albahaca 204, 262
Delicioso granizado de almendras 205, 318
Delicioso granizado de calabaza 205, 318
dentífrico 55
derrame cerebral 24, 51, 74, 97, 109, 110, 140
Desayuno energizante 288
desequilibrio del pH 11, 38
DHA 109, 140, 141, 349
diabetes 6, 8, 10, 11, 12, 15, 16, 17, 18, 19, 20, 21, 23, 24, 25, 26, 27, 28, 29, 31, 32, 33, 34, 35, 36, 37, 38, 39, 41, 42, 43, 44, 45, 46, 48, 49, 50, 51, 52, 53, 54, 55, 56, 58, 59, 60, 61, 62, 63, 64, 68, 69, 71, 74, 75, 77, 78, 79, 80, 81, 82, 83, 84, 86, 91, 92, 93, 94, 96, 97, 98, 99, 100, 101, 102, 103, 104, 106, 107, 108, 109, 111, 113, 115, 116, 121, 122, 123, 126, 128, 129, 130, 131, 132, 135, 136, 137, 138, 140, 141, 143, 144, 145, 146, 148, 149, 150, 151, 152, 153, 155, 157, 159, 160, 161, 162, 163, 164, 165, 167, 169, 173, 174, 177, 179, 181, 182, 183, 185, 187, 188, 189, 237, 323, 325, 326, 327, 328, 329, 330, 331, 332, 333, 334, 335, 336, 337, 338, 339, 340, 342, 343, 344, 345, 346, 347, 348
  tipo 1 5, 8, 11, 15, 19, 21, 23, 25, 27, 28, 29, 31, 35, 36, 38, 43, 45, 58, 63, 69, 71, 77, 78, 79, 81, 84, 97, 98, 103, 113, 115, 129, 145, 150, 151, 160, 161
  tipo 2 5, 8, 15, 19, 23, 24, 25, 27, 28, 29, 35, 36, 37, 38, 45, 48, 49, 55, 58, 68, 71, 74, 77, 78, 81, 84, 92, 93, 98, 100, 102, 104, 108, 109, 129, 143, 145, 146, 148, 150, 151, 155, 161, 179
diabetes gestacional 37, 162
diagnóstico 25, 33, 38, 50, 56, 58, 80, 83, 98, 160, 182
diario 88, 91, 92, 94, 95, 100, 114, 167
día típico 87
diente de león 125, 137, 149, 163, 173, 193
dientes 55, 107, 169, 212, 216, 217, 221, 222, 223, 225, 228, 231, 232, 233, 235, 240, 244, 247, 249, 255, 260, 261, 262, 270, 271, 276, 279, 282, 283, 284, 286, 292, 296, 297, 298, 299, 300, 302, 312, 315, 318
dieta 5, 6, 7, 8, 10, 12, 15, 16, 17, 19, 20, 23, 27, 28, 29, 31, 32, 36, 39, 43,

44, 48, 49, 50, 53, 55, 56, 58, 61, 63, 69, 70, 71, 73, 74, 75, 77, 78, 79, 83, 84, 85, 89, 90, 91, 97, 98, 99, 102, 103, 104, 105, 107, 108, 110, 111, 114, 115, 121, 122, 123, 126, 127, 128, 129, 130, 131, 132, 133, 135, 136, 141, 143, 145, 150, 152, 154, 165, 166, 167, 168, 181, 182, 183, 195, 196, 202, 214, 215, 216, 217, 218, 228, 237, 238, 239, 240, 241, 247, 254, 255, 256, 257, 258, 259, 260, 261, 262, 263, 264, 265, 274, 275, 276, 279, 281, 283, 285, 291, 304, 305, 306, 307, 308, 309, 310, 311, 319
disfunción sexual 54
dolores 52, 59, 93, 112, 166, 176, 180, 182, 183, 190
dulse 170, 238, 256

E

EA 141
edamame 123, 237, 243, 316
edema macular 52
edulcorante 100
efectos secundarios y complicaciones 24
ejercicio 16, 17, 26, 28, 36, 37, 44, 63, 64, 65, 68, 74, 75, 77, 78, 88, 92, 97, 98, 115, 143, 166, 167, 177, 178, 179, 180, 181, 182, 183, 184, 185, 186, 187, 188, 189, 190, 193, 350
ejercicio anaeróbico 44, 179, 180, 181, 184, 186
El desayuno de Paul 203, 210
El desayuno de Paul en una licuadora 203, 210
electrones 41, 112, 113, 139
eliminación de toxinas 192
El perfecto zumo mañanero monstruoso 203, 207
embarazo 24, 37, 38
emociones 58, 93, 96, 187
Enchilada vegana 216
encías 55, 60
eneldo 209, 224, 228, 231, 235, 240, 260, 261, 312
Energético batido de limón y jengibre 204, 210
energía 23, 34, 36, 37, 40, 46, 48, 49, 50, 60, 62, 64, 65, 69, 71, 72, 73, 77, 79, 86, 87, 93, 94, 97, 98, 99, 102, 107, 112, 113, 118, 127, 138, 143, 144, 145, 147, 159, 161, 165, 166, 167, 169, 171, 178, 179, 180, 181, 184, 185, 187, 189, 190, 191, 207, 208, 210, 232
Ensalada 202, 203, 204, 237, 238, 239, 240, 241, 242, 244, 246, 247, 249, 250, 251, 252, 253, 278, 285
Ensalada alcalina de col 204, 240
Ensalada de aguacate 250
Ensalada de brécol 202, 250
Ensalada de brotes de alfalfa 202, 251
Ensalada de col con especias 285
Ensalada de espinacas 202, 253
Ensalada de judías verdes con limón 238
Ensalada de lechuga romana con pimientos 246
Ensalada de lentejas y nueces brasileñas 237
Ensalada de pepino alcalinizante y energizante 202
Ensalada de repollo 249
Ensalada Jerusalén 244
Ensalada marinada de trocitos de hortalizas y col 251
Ensalada marroquí de col 239
Ensalada marroquí de menta 238
Ensalada México 278
Ensalada Popeye de salmón 241
Ensalada refrescante de pomelo 204, 244
Ensalada Sunshine 247
entrenamiento con pesas 185, 190
envejecimiento 16, 42, 50, 158, 163
envejecimiento prematuro 50
EPA 109, 140, 141, 349
epidemia 8, 15, 19, 23, 24, 67, 109
equilibrio del pH 16, 20, 23, 26, 39, 54, 59, 65, 72, 85, 93, 161, 178
eres lo que comes 128
escala del pH 39
Escuela de Salud Pública de Harvard 131
escutelaria 162, 172
Espaguetis súper sencillos de Mary Jane 297
espárragos 89, 202, 203, 224, 231, 235, 241, 275, 281, 298

Espárragos con salsa de ajo y limón 275
espinacas 86, 117, 121, 122, 202, 207, 208, 209, 210, 211, 217, 221, 230, 237, 241, 242, 253, 265, 271, 276, 287, 289, 290, 300, 317
espino 173
espiritualidad 99, 187
estilingia 173
estilo de vida americano 35
estrés 44, 46, 63, 65, 70, 78, 93, 94, 113, 138, 157, 167, 168, 169, 175, 177, 184, 185, 187, 189, 191, 193, 207, 319
evitar 15, 70, 90, 98, 103, 105, 106, 108, 111, 116, 120, 123, 128, 138, 140, 161, 164, 267
examen físico 79
exceso de acidez 11, 23, 39, 40, 42, 44, 45, 50, 51, 52, 54, 70, 81, 82, 102, 147, 154, 167, 169, 173, 174, 176, 189
exceso de calorías 135
exceso de ejercicio 65, 178, 179, 180, 184
exprimir 86, 88, 114
éxtasis del corredor 181

F

Fajita 277
fallo 35, 51, 52, 74, 97, 143
fenogreco 150, 151
fermentación 42, 49, 51, 61, 64, 138, 178, 180
fibra 116, 118, 122, 124, 130, 136, 154, 210, 237, 289, 321
Fiesta abundante de Tera 243
Fiesta alcalina de tacos 276
fiesta líquida 28, 31, 73, 78, 79, 85, 86, 87, 89, 90, 96, 116, 154, 155, 203, 215, 230, 317
Finlandia 25, 44, 103
fresno espinoso 173
frutos del lúpulo 174
frutos secos y semillas 111, 132

G

galletas crujientes 105, 221, 260, 315
Galletas crujientes con forma de nido de pájaro 204
Galletas crujientes de cebolla y lino 304
Galletas crujientes de hortalizas con polvo de brotes de soja 204
Galletitas de coco y nueces de macadamia 205, 306
gangrena 24, 53, 109, 158
gastroparesis diabética 53
gaulteria 137
gazpacho 265
Gazpacho verde de doble uso 228
genética 43, 44
ginseng 164
girasol 110, 111, 124, 127, 256, 260, 266, 291, 300, 302, 304, 311, 314
GLA 141, 350
glandulares 157, 162, 167, 168, 172, 174
glándulas adrenales 29, 36, 58, 73, 93, 105, 157, 165, 166, 167, 168, 169, 179
glándula tiroides 169, 176, 190
glaucoma 52
glucagón 23, 46, 62
glucógeno 46, 47, 49, 62, 161, 179
glucómetros 85
glucosa 11, 34, 38, 46, 48, 49, 50, 59, 62, 64, 71, 73, 74, 80, 82, 85, 100, 101, 108, 120, 124, 140, 144, 145, 146, 147, 148, 159, 161, 322
GLUT-4 146
glutamato monosódico 103
gotas de pH 27, 29, 36, 37, 63, 71, 73, 92, 118, 136, 139, 142, 143, 147, 165, 183, 194, 211, 212
granos 243, 258, 278
grasa 42, 44, 46, 53, 65, 69, 70, 72, 73, 75, 98, 102, 105, 107, 108, 118, 119, 122, 126, 127, 130, 131, 144, 159, 164, 166, 176, 178, 179, 180, 185, 187, 207, 279
grasa corporal 65, 102
grasas saturadas 107, 108, 291
grasas trans 108, 109, 127
Guacamole al estilo de Texas 263
Guacamole rústico 265
guisantes 89, 204, 225, 226, 229, 239, 279, 281, 289, 290, 314
Guiso de judías norteafricano 204, 283
Guiso estilo Doc Broc 296

H

Hamburguesas del pollo feliz 301
harina de lino 308, 309
harina de trigo sarraceno 172, 292
hidratos de carbono 19, 44, 46, 55, 58, 64, 65, 79, 83, 90, 102, 103, 105, 108, 117, 123, 130, 131, 147, 149, 159, 160, 161, 182
hierba de avena 193
hierbas 60, 121, 122, 132, 136, 138, 139, 140, 148, 149, 154, 157, 162, 163, 164, 167, 168, 169, 170, 171, 172, 173, 174, 175, 193, 203, 217, 225, 228, 229, 231, 239, 240, 243, 244, 245, 254, 256, 262, 265, 266, 267, 269, 274, 289, 290, 292, 293, 295, 298, 299, 313, 315, 316
hipercolesterolemia 27
hiperglucemia 10, 46, 49, 58, 61, 71, 77, 86, 93, 98
hiperinsulinemia 49, 61
hipertensión 27, 31, 32, 51, 140, 143, 157
hipoglucemia 10, 45, 48, 49, 50, 58, 59, 60, 61, 62, 71, 77, 93, 98, 161
historia 18, 20, 23, 27, 31, 36, 43, 48, 63, 71, 73, 79, 92, 104, 115, 143, 165, 181, 183
Hogaza de tofu con ajo y hortalizas 292
Hogaza de tofu con hortalizas 291
Hogaza de tofu con trigo sarraceno y verduras 292
hoja de arándano 163
hoja de buchu 164
hoja de equinácea 149, 168
hoja de frambuesa 163
hojas 149, 154, 204, 207, 209, 212, 213, 218, 221, 222, 225, 227, 230, 233, 235, 241, 245, 246, 248, 249, 262, 263, 278, 280, 281, 285, 286, 287, 296, 297, 298, 299, 301
hongos 39, 40, 59, 103, 105, 111, 176, 191, 232
hortalizas 21, 73, 79, 86, 88, 89, 90, 97, 99, 102, 105, 108, 111, 114, 116, 117, 118, 121, 124, 130, 131, 132, 135, 136, 138, 139, 140, 143, 147, 148, 182, 202, 203, 204, 209, 213, 215, 216, 217, 219, 220, 221, 223, 224, 225, 226, 227, 228, 229, 230, 233, 234, 235, 240, 242, 250, 251, 252, 254, 263, 266, 267, 270, 271, 274, 276, 279, 280, 281, 282, 289, 291, 292, 293, 294, 295, 296, 298, 299, 313, 314, 315, 320
Hortalizas y judías 204, 298
hummus 263, 279, 280
Hummus de tofu 257

I

ideal 41, 67, 84, 110, 112, 115, 144, 159, 178, 230
importancia 7, 16, 17, 91, 99, 112, 153
incontinencia 52
infecciones 10, 52, 55, 61, 79, 100, 138, 175, 176
Instituto Americano para la Investigación del Cáncer 131
insulina 10, 11, 15, 16, 20, 23, 28, 29, 30, 31, 32, 34, 35, 36, 37, 38, 39, 43, 44, 46, 49, 50, 53, 55, 56, 61, 62, 63, 64, 72, 73, 79, 81, 83, 84, 85, 93, 94, 98, 100, 101, 104, 107, 108, 109, 111, 115, 116, 120, 129, 140, 143, 144, 145, 146, 147, 148, 149, 150, 152, 158, 161, 163, 165, 166, 167, 177, 179, 182, 185
intolerancia a la glucosa 38, 74, 144, 145
ionizador 114

J

Jalea de pimiento rojo 310
jengibre 120, 148, 154, 162, 202, 204, 209, 210, 212, 213, 214, 215, 220, 221, 227, 228, 229, 233, 236, 237, 240, 254, 273, 282, 290, 291, 298, 308, 312, 313, 317
Joyas de brécol 247

K

kelp 164, 169, 170, 172, 173, 256

L

Láminas de trigo sarraceno germinado 315

Langerhans 62, 344
Lasaña de mamá 299
leche 50, 89, 90, 103, 104, 105, 111, 117, 121, 123, 127, 203, 208, 211, 213, 214, 220, 223, 224, 227, 228, 235, 236, 240, 241, 258, 262, 272, 274, 282, 283, 289, 290, 310, 317, 318
leche de almendras 50, 89, 90, 111, 117, 208, 214, 220, 223, 224, 227, 228, 235, 236, 258, 317
Leche de almendras fresca y sedosa 203, 213
lechuga 132, 209, 212, 213, 217, 228, 246, 248, 249, 250, 278, 301
lecitina 123
lentejas 124, 203, 204, 221, 222, 237
levadura 10, 105, 215, 224, 230, 232, 233, 298, 299, 321
levantamiento de peso 179
linfático 82, 177, 178, 183, 184, 185, 190, 191, 192, 193, 194
Louis Pasteur 22
Lowenstein 26

M

magnesio 42, 81, 100, 120, 122, 123, 136, 147, 148, 152, 156, 164, 170, 171, 172, 174, 267
majuela 171
Malteado de menta 203, 204, 211
máquinas de entrenamiento cruzado 185
masaje linfático 193, 194
mellitus 15, 33, 35, 326, 327, 328, 329, 330, 331, 332, 333, 337, 339, 340, 342, 343, 345, 347
melón amargo 151
metabolismo 42, 64, 65, 72, 75, 85, 98, 119, 144, 147, 149, 159, 161, 164, 167, 169, 171, 177, 180, 184, 188, 190
metabolismo de la grasa 72, 98, 119, 180
microformas 40, 42, 46, 49, 85, 106, 116, 139, 146, 173, 185, 191, 192
microzimas 40, 43, 58, 59, 91, 129
Milagrosa Dieta del pH 13, 319, 321, 322
minerales 16, 42, 51, 60, 64, 91, 100, 111, 116, 118, 121, 123, 126, 128, 135, 136, 138, 141, 142, 148, 152, 155, 156, 157, 164, 167, 170, 171, 172, 174, 192, 214, 215, 216, 218, 219, 220, 224, 225, 226, 228, 229, 230, 233, 234, 235, 236, 237, 238, 241, 243, 244, 246, 248, 249, 252, 255, 257, 258, 261, 262, 263, 265, 268, 270, 271, 272, 273, 274, 276, 277, 282, 284, 285, 289, 290, 291, 292, 293, 294, 296, 299, 300, 301, 302, 303, 304, 306, 307, 309, 312, 314, 315, 316, 318, 321
miso 103, 123
monoinsaturada 107, 108
muerte 19, 23, 24, 31, 35, 63, 68, 72, 116, 140, 145
musgo irlandés 154, 170

N

NADP 29, 95, 145, 146, 147, 349
natación 189
niacina 123, 159, 160, 161
niños 8, 25, 35, 37, 43, 44, 68, 74, 81, 100, 103, 104, 113, 160
nivel de ácido 55
niveles de azúcar sanguíneo 56
Nuggets de frutos secos con especias 302

O

obesidad 18, 24, 25, 27, 35, 37, 38, 60, 67, 68, 70, 71, 74, 100, 106, 116, 164, 169, 179
olmo rojo 137
omega-3 109, 110, 123, 140, 141, 333
omega-6 109, 110, 123, 140, 141
osteoporosis 138

P

páncreas 10, 11, 23, 29, 34, 35, 36, 38, 41, 42, 44, 46, 58, 59, 61, 62, 63, 64, 65, 73, 75, 81, 85, 92, 93, 95, 98, 101, 104, 112, 113, 124, 128, 129, 136, 138, 140, 143, 148, 149, 154, 157, 158, 160, 162, 163, 164, 165, 169, 176, 179, 185, 189, 191, 192
pancreático 162, 169, 173
papaya 137

para la diabetes y síntomas relacionados 174
para la fiesta líquida 154, 155, 215
para las cetonas 147
pasta 55, 102, 153, 225, 233, 250, 260, 267, 280, 282, 289, 290, 299, 308, 309
Pasta de almendras 205, 308
Pasta de hortalizas 281
Pasta para untar de eneldo 260
Pasta para untar Sunny 256
pasto de trigo 86, 121, 122, 170, 193
pau d'arco 137
pautas de la ADA 80
pectina de manzana 154
pepinos 86, 120, 209, 228, 229, 230, 232, 238, 239, 252, 271, 312
Pepinos con eneldo, cortados en forma de pétalos 312
péptido-C 81
pequeñas comidas 99
Pequeños triángulos con salsa 204, 261
pérdida de peso 39
perejil 86, 148, 149, 154, 163, 168, 172, 174, 193, 203, 204, 209, 212, 213, 225, 231, 232, 235, 237, 238, 240, 241, 244, 248, 249, 252, 253, 256, 267, 272, 291, 299, 302, 303, 313
perfil de riesgo de trombosis 82
perfil de riesgo renal 82
pescado 19, 29, 108, 109, 110, 111, 121, 122, 127, 132, 140, 141, 182, 193, 194, 241, 265, 274, 290, 291, 299
Pescado hervido con verduras 290
pie 51, 52, 157, 165, 179, 182, 195
pie caído 52
piel 34, 54, 69, 70, 71, 100, 109, 120, 153, 154, 158, 160, 161, 173, 178, 186, 189, 192, 194, 224, 226, 236, 252, 270, 290, 294, 314
Pilates 185, 187, 188
pimienta cayena 148, 149, 154, 162, 168, 170, 171, 174, 212, 221, 222, 229, 234, 241, 265, 270, 275, 284
pimiento 86, 205, 207, 213, 221, 222, 223, 230, 231, 236, 243, 246, 247, 253, 263, 264, 272, 277, 278, 279, 281, 284, 286, 288, 289, 291, 292, 293, 303, 310, 311
pipas 256, 260, 291, 300, 302, 304, 311, 314
pipermín 172
pirámide alimentaria 102, 115, 130
pizza 266, 280, 315, 316
Pizzas de hortalizas asadas 279
plátano macho 137
pleomorfismo 9, 11, 21, 40
poder del pensamiento positivo 96
polivitamínico-mineral 29, 141
polvo de brotes 29, 123, 183, 204, 271
polvo verde 92, 118, 136, 137, 138, 139, 207, 208, 210, 211, 212, 271, 316, 317
pomelo 126, 204, 208, 210, 211, 244, 245, 260, 265, 267, 268, 304, 317
potasio 42, 80, 81, 111, 118, 120, 122, 126, 128, 136, 139, 152, 161, 164, 165, 171, 172, 175, 202, 317
Practicing the Power of Now 93
prediabetes 38, 104
prevalencia 43
privación de oxígeno 65, 179
problemas renales 31, 131, 164, 176
productos lácteos 28, 99, 101, 103, 104, 105, 108, 122
proteína 59, 62, 72, 81, 98, 106, 121, 122, 123, 131, 149, 155, 182, 183, 210, 273, 296, 297
prueba 33, 38, 41, 80, 81, 82, 83, 101, 102, 263, 315, 319
prueba de hemoglobina A1c 82, 83
prueba de homocisteína 82
prueba del pH 82
prueba de péptido-C en suero 81
prueba de tolerancia a la glucosa 38, 80, 101
Puré de gourmet francés 203, 217
purificador 114, 252

R

raíz 19, 69, 148, 149, 154, 162, 163, 164, 168, 170, 172, 173, 174, 223, 226, 268
raíz de acedera amarilla 148, 174
raíz de bardana 173
raíz de batata silvestre 174
raíz de genciana 163, 170, 172

raíz de guaraná 170
raíz de malvavisco 149
raíz de regaliz 164, 168, 172, 173
raíz de ruibarbo de pavo 154
raíz de uva de Oregón 173
raíz de zarzaparrilla 173
Ratatouille de tomate y espárragos 275
recetas 6, 13, 17, 20, 29, 72, 87, 88, 102, 105, 117, 118, 132, 133, 147, 195, 196, 202, 208, 211, 214, 215, 216, 217, 218, 220, 223, 224, 227, 228, 235, 237, 238, 239, 240, 241, 242, 244, 247, 250, 254, 255, 256, 257, 258, 259, 260, 261, 262, 264, 265, 274, 275, 276, 278, 279, 281, 283, 285, 288, 295, 298, 302, 304, 305, 306, 307, 308, 309, 310, 311, 315, 317, 319
recetas de bebidas y batidos 224, 227, 317
recomendado 117, 130
recuento sanguíneo completo 80
reducir la acidez 63, 186, 190
registro diario 94
remolacha 50, 86, 88, 89, 118, 172, 174, 219, 245, 287
Remolachas hervidas, con sus hojas 204, 245
repollo 86, 233, 235, 239, 240, 241, 249, 250, 253, 303
Repollo de colores 202, 253, 303
resistencia a la insulina 35, 49, 55, 61, 73, 81, 93, 108, 140, 144, 145, 147, 179, 185
respiración 72, 114, 178, 180, 184, 187, 188, 191
respiración profunda 184, 191
retención de líquidos 54
retinopatía diabética 52, 147
revisiones dentales 83
riesgos 68, 70, 71
rigidez de los dedos 55
riñón 71, 154, 163
romero 137, 171, 266, 268, 276, 300, 313
rutina 100, 115, 172, 182

S

sal 111, 127, 128, 212, 215, 216, 220, 221, 222, 225, 226, 228, 229, 230, 233, 234, 235, 236, 237, 238, 240, 242, 243, 244, 245, 246, 248, 249, 250, 252, 255, 257, 258, 261, 263, 265, 266, 267, 268, 269, 270, 271, 272, 273, 274, 277, 284, 285, 287, 289, 290, 291, 292, 293, 294, 296, 297, 299, 300, 301, 302, 303, 306, 307, 308, 309, 312, 314, 315, 316, 318
sales celulares 60, 91, 141, 162, 165, 167, 172, 174
Salmón al estilo del rey o de la reina 298
Salsa de coco y loto 282
Salsa de lima y jengibre 202, 273
Salsa espesa de almendras 257
Salsa para mojar de espinacas y alcachofas 271
Salseras de postre con pimientos rojos 204, 311
salvado de trigo 154
salvia 228
Sándwiches AB&J con jalea de pimiento rojo 205, 310
sangre 21, 23, 25, 27, 28, 29, 31, 34, 35, 36, 37, 38, 39, 41, 42, 43, 44, 45, 46, 47, 48, 49, 50, 51, 52, 56, 57, 58, 59, 61, 62, 63, 64, 71, 72, 73, 79, 80, 81, 82, 83, 84, 85, 86, 88, 92, 93, 94, 95, 97, 100, 101, 103, 104, 105, 106, 107, 108, 109, 111, 112, 113, 115, 116, 117, 118, 119, 120, 121, 122, 124, 126, 127, 129, 131, 138, 139, 140, 141, 142, 143, 144, 145, 146, 147, 148, 149, 150, 151, 155, 158, 160, 161, 163, 165, 166, 167, 173, 175, 176, 179, 181, 182, 183, 184, 189, 191, 204, 304, 319, 349
sauce blanco 137
saunas 191
semillas 109, 110, 111, 124, 132, 150, 151, 154, 159, 174, 182, 209, 210, 215, 216, 222, 232, 233, 234, 238, 239, 240, 241, 242, 245, 246, 252, 255, 261, 262, 268, 269, 272, 273, 275, 276, 279, 282, 283, 285, 289, 291, 293, 294, 296, 297, 301, 302, 303, 304, 305, 306, 307, 313, 314, 315, 321

semillas de lino 110, 209, 210, 233, 234, 241, 252, 255, 268, 269, 272, 273, 275, 282, 283, 289, 291, 293, 302, 303, 304, 306, 307, 313, 314, 315
semillas de psilio 154
silicato sódico 55, 88, 92, 114, 139
sin dolor no hay ganancias 188
síndrome X 27
síntomas 12, 21, 25, 37, 39, 40, 42, 44, 45, 46, 47, 48, 50, 52, 54, 59, 60, 61, 62, 69, 80, 93, 129, 138, 140, 160, 168, 174, 175
sistema linfático 82, 177, 178, 183, 184, 185, 191, 193
sodio 42, 81, 118, 126, 128, 136, 139, 152, 161, 164, 170, 171
soja 29, 92, 95, 103, 105, 110, 114, 118, 122, 123, 124, 126, 136, 137, 138, 139, 142, 159, 173, 183, 202, 204, 205, 208, 210, 211, 216, 237, 243, 250, 270, 271, 272, 285, 295, 296, 297, 299, 313, 316, 317, 318
Sopa cremosa de berro 203, 217
Sopa cremosa de brécol al curry 203, 227
Sopa cremosa de coliflor al estilo confeti 223
Sopa cremosa de hortalizas 89, 90, 202, 234
Sopa cremosa de tomate 203, 205, 222
Sopa curativa 88, 89, 90, 202, 203, 232
Sopa de ajo puerro asado y jengibre 220
Sopa de apio 89, 90, 202, 203, 204, 233, 235
Sopa de apio/coliflor 89, 90, 204
Sopa de brécol/coliflor 89, 202, 203
Sopa de espárragos, rica en zinc 89, 202, 203, 231
Sopa de hortalizas 89, 224, 225
Sopa de hortalizas de Tera 225
Sopa de hortalizas y almendras 224
Sopa de judías blancas 204, 214
Sopa de patatas y hortalizas 204, 220
Sopa de raíz de apio 226
Sopa de salmón con coco al curry 204, 289
Sopa de tofu y hortalizas 204, 229
Sopa de tomate relajante y refrescante 203, 204, 219
Sopa de tortita 215
Sopa especial de apio 203, 227
Sopa latina de lentejas con especias 204, 221
Sopa limpia y simple 203, 218
Sopa Popeye 88, 89, 90, 202, 203, 230
Sopa roja cruda y refrescante 204, 219
Sopa verde cruda 90, 202, 203, 232
Sucedáneo de crema agria 255
sudor 114, 178, 180, 191
sudoración 52, 54, 192
sulfato de vanadio 146, 147, 164, 169
Súper salsa ranchera de macadamia 267
Súper tomates rellenos 204, 286
suplemento de apoyo 169
suplementos 16, 26, 28, 29, 31, 36, 43, 73, 77, 78, 87, 88, 91, 94, 97, 104, 109, 110, 111, 135, 136, 137, 140, 143, 144, 145, 148, 154, 155, 157, 160, 162, 165, 169, 174, 177, 183, 194

T

tahini 244, 257, 262, 263, 304, 305
tarta 258, 308, 309, 318
Tarta de aguacate, coco y lima 204, 309
Tarta de crema de calabaza 204, 307
tempeh 103, 123
tercer riñón 71
típica dieta americana 110, 127, 128, 135
tofu 89, 90, 123, 196, 203, 204, 210, 215, 216, 222, 227, 229, 234, 235, 256, 257, 258, 276, 287, 291, 292, 293, 296, 297, 301, 307, 308, 309, 321
tomillo 299, 300, 303, 313
tortitas 196, 216, 260, 262, 263, 276, 278, 279, 280, 300, 301, 302, 310
trébol rojo 149, 173
trifosfato de adenosina 64
trigo bulgur 248

U

úlceras 53, 83, 253, 303
uva de oso 163

V

vanadio 29, 73, 95, 105, 139, 146, 147, 164, 165, 169

vara de oro 170
vegana 216, 279, 299
Verdaderos nuggets de oro 302
vista 24, 25, 47, 50, 52, 79, 94, 109, 129, 143
vitamina B_1 121, 160
vitamina B_3 160, 349
vitamina B_5 168
vitamina B_6 120, 122, 161
vitamina B_{12} 123, 162
vitamina E 108, 118, 158, 159, 317
vitaminas 16, 60, 91, 100, 111, 113, 115, 116, 121, 123, 130, 135, 136, 141, 149, 155, 157, 159, 160, 162, 164, 165, 167, 170, 172, 174
vitaminas B 121, 159, 160, 162, 165

Y

yoga 115, 185, 187

Z

zanahoria 50, 86, 118, 204, 212, 213, 232, 253, 268, 272, 281, 283, 285, 289, 303, 314, 315
zinc 89, 100, 111, 148, 149, 156, 164, 172, 174, 202, 203, 231, 332, 333, 340, 342, 343, 345

Índice

Dedicatoria 7
Agradecimientos 9
Prólogo 15

Capítulo 1: Diabetes: la epidemia. Trabajar para la curación 19
La epidemia 23
El milagro del pH 26
Mis estudios 28

Capítulo 2: ¿Qué es la diabetes? 33
Médicos y diabetes 34
Diabetes tipo 1 y tipo 2 35
Diabetes gestacional 37
Medir los niveles de azúcar en sangre 38
Causas de la diabetes 38
La nueva biología 39
La nueva biología de la diabetes 42
Un juego peligroso 43

Capítulo 3: Las numerosas caras de las diabetes tipo 1 y tipo 2 45
Hiperglucemia e hipoglucemia 45

Resistencia a la insulina ... 49
Síntomas e indicios ... 50

Capítulo 4: El ciclo de desequilibrio y equilibrio ... 57
El ciclo de desequilibrio ... 58
El ciclo de equilibrio ... 59
El agotamiento de las células beta ... 60
El agotamiento de las células alfa ... 61
El páncreas ... 62
Cómo produce energía nuestro organismo ... 64

Capítulo 5: Tienes un exceso de ácido, no un exceso de peso ... 67
La grasa puede salvarte la vida ... 69
El colesterol puede salvarte la vida ... 70
Los riesgos de la obesidad ... 70
Cetonas y cetoacidosis ... 71
Grasa y diabetes ... 74

Capítulo 6: La milagrosa dieta del pH para las diabetes tipo 1 y tipo 2 ... 77
10 pasos para una cura: el estilo de vida y la milagrosa dieta del pH ... 78
Paso 1: Hazte una revisión médica ... 79
Paso 2: Vigila tu azúcar en sangre ... 83
Paso 3: Fiesta líquida ... 85
Paso 4: Una dieta alcalina ... 90
Paso 5: Suplementos ... 91
Paso 6: Es fácil tomando la bebida verde ... 91
Paso 7: Ejercicio ... 92
Paso 8: Controla el estrés ... 93
Paso 9: Vigila tus progresos ... 94
Paso 10: El poder del pensamiento positivo ... 96

Capítulo 7: Que el alimento sea tu medicina ... 97
El metabolismo de la grasa ... 98
Menos es más ... 98
Cuida tu lado espiritual ... 99

Elimina el azúcar 99
Reduce los hidratos de carbono 102
Alimentos prohibidos 103
Lácteos 103
Carne 105
Qué comer 107
Ingiere grasa 107
Agua 112
Hortalizas 116
Valores nutricionales de las hortalizas y de los brotes 124
Fruta 126
Sal 127
En realidad eres lo que comes 128
Escucha lo que dicen los expertos… y no lo hagas 130
El plan de la milagrosa dieta del pH para la diabetes 132

Capítulo 8: Suplementos nutricionales 135
Los cimientos 136
La estructura 144
El tejado del edificio 157
Hierbas para la diabetes y síntomas relacionados 174

Capítulo 9: Haz ejercicio correctamente 177
Ejercicio anaeróbico 178
Quemar azúcar frente a quemar grasa 180
¿Sin dolor no hay ganancias? 181
Por qué debes preocuparte por tu sistema linfático 183
El ejercicio correcto 185
Ejercicio pasivo 190

Capítulo 10: Las recetas de la milagrosa dieta del pH 195

Recetas 197
Índice de Recetas 197

Recursos 319
Suplementos 320

Alimentos ... 320
Equipo ... 322
Cutting Edge ... 322
Libros ... 323

Referencias ... 325
Notas ... 349
Índice analítico ... 351